거울 자매
LAST ONE
TO KNOW

거울 자매
LAST ONE
TO KNOW

바버라 프리시 지음
최호정 옮김

키멜리움

프롤로그

뉴올리언스, 루이지애나

내가 뉴올리언스에 도착했던 하루 전과는 딴판인 날씨였다. 멕시코만에서 허리케인이 일고 있다는 예보가 있었지만, 이곳은 영향권에 들지 않을 거라고 했었다. 그러나 설령 그렇게 된다 해도 나는 허리케인이 상륙하기 전에 이곳을 뜰 것이었다.

9월 중순의 토요일 밤이었다. 사람들로 붐비는 프렌치 쿼터를 걸어 나오면서 나는 허리케인 때문에 불안해하는 사람이 있으리라는 생각조차 들지 않았었다. 술집과 식당은 손님들로 가득했고 거리로 사람들이 꾸역꾸역 밀려들고 있었다. 밤 11시 50분의 기온이 24도 정도로 날씨는 온화하고 습도가 높았다. 얼굴에 땀방울이 맺히는 게 느껴졌고, 시간이 흐르면서 내 짙은 갈색 머리는 점점 끈적하게 젖어 가고 있었다. 지금, 이 순간 바로 떠날 수만 있다면, 택시에 올라타서 비행기를 타고 평범한 나의 일상으로 돌아갈 수만 있다면 얼마나 좋을까. 하지만 평범이란 결코 내게 오래 머무는 법이 없었고, 집에 있어야 하는 지금 내가 여기 있는 이유도 바로 그 때문이었다.

나는 다음 모퉁이를 돌아서 훨씬 조용한 옆길로 걸어 내려갔다. 음악 소리가 점점 뒤로 사라져 가고 그림자들이 점점 길고 어두워져 갔다.

밤에 문을 닫은 타투 가게 입구에 잠깐 멈춰 서서 나는 핸드폰을 확인했다. 내가 보낸 마지막 문자 메시지가 거기 있었고 답은 오지 않았다. 또다시 속이 울렁거렸다. 로스앤젤레스를 떠난 이래, 나를 사랑하는 사람들에게 거짓말을 했던 그 순간부터 나는 줄곧 두려움과 메스꺼움을 이겨내려 애쓰고 있었다.

핸드폰에서 눈을 떼어 고개를 들자 스물 몇 살쯤으로 보이는, 술 취한 한 무리의 사람들이 내 쪽으로 오는 것이 보였다. 그들은 비틀거리며 거리를 걸으면서 부르고 있던 노래 가사를 떠올리는 데만 온 신경을 쏟은 채 두 번 다시 눈길도 주지 않고 나를 지나쳐갔다. 스물아홉의 나는 그들보다 그리 많은 나이가 아니었음에도 상대적으로 늙은 여자같이 느껴졌다. 내가 정말 홀가분하고 자신감 넘치고 젊고 자유로웠던 게 언제 적이었던지 기억도 나지 않았다.

어쩌면 정말 그랬던 적은 한 번도 없었는지도 모른다. 나는 그냥 그런 척했을 것이었다. 그래야 다른 모든 사람과 비슷한 사람이 될 테니까. 하지만 나는 한 번도 다른 모든 사람 같았던 적이 없었다.

근처 교회에서 갑자기 종이 울렸다. 열두 번의 길고 날카로운, 쨍그랑거리는 종소리를 따라 가슴이 쿵쾅쿵쾅 방망이질 쳤다. 나는 서둘러 길을 걸어 내려갔다. 우리는 교회 옆 공동묘지에서 만나기로 되어 있었다. 비록 확인 문자를 받지는 못했다 해도 나는 그곳에 있어야 했다. 그게 내가 여기 온 이유였다.

바람에 머리카락이 날리면서 빗방울이 느껴졌다. 허리케인이 시내를 강타하지는 않을지 모르지만 다가오는 폭풍우 때문에 불길한 예감은 깊어져만 갔다. 그래도 어쨌건 나는 웃자란 나무와 관목들로 덮인 오래된 공동묘지로 향했다. 검은 철문을 열자 귀신이 고통에 겨운 비명이라도 지르는 듯 끼익 끼익 소리가 났다. 이 공동묘지는 수

십 년 동안 비어 있는 묘가 없는 곳이었다. 운집해 있는, 종종 부서져 있기도 한 묘비들을 지나면서 기분 나쁜 느낌은 점점 커졌다. 나는 마음속으로 내가 걱정해야 할 것은 악령이 아니라고 되뇌었다. 위험이 닥친다면 그것은 생생하게 살아 있는 누군가에게서 올 것이었다.

묘지 한가운데 있는 석조 구조물인 그 묘에 다다르자 나는 거세어져 가는 빗줄기를 피하게 된 것에 안도하며 돌출부 아래 멈춰 섰다. 나뭇가지가 꺾이는 소리가 날 때마다 내 머리는 두려움에 휩싸였다. 마치 누군가 나를 지켜보고 있는 것만 같았다. 하지만 이곳에 있는 모든 사람은 다 죽은 이들이었다. 나는 앞뒤로 왔다 갔다 했다. 몸속에서 솟구치는 아드레날린 때문에 어디로라도 움직여야 했던 것이다.

이건 실수였다. 여기 오면 안 되는 거였다.

그러나 나는 와야만 했다. 내게는 다른 선택의 여지가 없었다.

마침내 내 귀에 문이 다시 열리는 소리, 그리고 발소리가 들렸다. 가까운 거리의 가로등 중 하나에 친숙한 얼굴이 비칠 때까지 나는 숨을 참고 있었다. 안도감이 온몸을 타고 흘러내렸다. "늦었네." 내가 말했다. "그래도 만나서 다행이야."

"네가 올 거라는 확신이 들지 않았어."

"아니, 확신했을 텐데. 내가 오지 않은 적이 없었잖아. 하지만 왜 이런 으스스한 곳이야?"

"옛날 그 일에 다시 발목을 잡혔어."

그 무서운 말은 내 뇌리에 박혔고 차디찬 전율이 등줄기를 타고 흘렀다. "무슨 일이 일어난 거야?"

"들켰어. 도망가야 해. 내가 부탁한 거 가져왔어?"

"그래."

"됐어. 내… 친구가 곧 여기로 올 거야."

"그랬으면 좋겠다. 기상이 악화되고 있잖아." 내가 말했다. "그 사람은 믿을 수 있는 사람이야?"

"그랬으면 해."

안심되는 대답이 아니었다. 나는 심장이 뛰기 시작했다. "빗줄기가 거세지네."

"폭풍의 방향이 바뀌었거든. 곧바로 우리 쪽을 향해 오고 있어. 하지만 그게 더 나을지도 몰라. 우리가 이 도시를 떠나는 데 방패가 될 수도 있어. 온통 혼란에 빠져 아수라장이 될 테니까."

"난 방패는 필요 없어." 나는 가져온 가방을 내밀었다. "네가 부탁한 걸 가져왔어. 이제 난 집으로 갈 거야." 내가 해야 하는 일을 생각하면 가슴이 찢어졌지만 나는 최대한 힘주어 그렇게 말했다.

차가 한 대 다가오면서 공동묘지 옆 도로를 불빛으로 밝히더니 그들이 차에서 내렸다. 차 문이 열렸다 닫혔다.

"네가 기다리던 사람이야?" 내가 물었다.

"아니, 아니야. 아아, 맙소사! 우리를 찾아낸 거야."

철문이 다시 끼익 소리를 내며 열렸다. 두 사람의 형상이 바로 우리를 향해 다가왔다. "여기서 나갈 다른 길이 있어?" 내가 물었다.

"공동묘지 반대쪽에 뒷문이 있어. 워싱턴가로 이어지는 문이야. 내 친구가 들어오게 되어 있는 곳이 거기야."

"그쪽으로 앞장서." 내가 말했다.

우리는 묘의 뒤쪽으로 달려가서 공동묘지 깊숙한 곳으로 내달렸다. 나는 우리가 도망칠 수 있을 거로 생각했다. 그때 뒤쪽에서 총소리가 들렸다. 섬광이 나를 비추었다.

공포에 사로잡히자 나는 더 빨리 달렸지만 우리는 어둠에 갇혀 있었기에 어디에 있는지 알기가 어려웠다. 나는 튀어나온 묘비에 무릎을 부딪치며 발을 헛디뎌 땅바닥으로 넘어졌다. 다리가 타들어 가는 듯한 통증을 무시하고 나는 밖으로 나갈 수 있기를 기원하며 허둥지둥 기어갔다.

총성이 울려 퍼졌다. 나는 그 폭발음에 나도 모르게 고개를 숙였다. 욕설을 퍼부으며 나는 땅 위를 날듯이 더 빠르게 달렸다. 일상의 삶으로 되돌아갈 수 있기를 절박하게 바라면서. "나는 오늘 밤 죽지 않아." 나는 절규했다. "여기선 안 돼. 지금은 아니야."

말이 끝나기가 무섭게 번갯불이 번쩍이고 땅이 갈라지는 듯한 천둥소리가 뒤이었고 하늘이 열리며 양동이로 들이붓듯 비바람이 몰아쳤다. 어쩌면 이 폭풍우가 우리가 탈출하는 데 필요한 방패가 될지도 몰랐다.

오늘 밤 나는 살아남아야 했다. 집에 가야 했다. 나는 반드시….

1

카멜, 캘리포니아

9월 중순의 어느 목요일 오후 3시, 내 인생을 뒤바꿀 전화가 걸려왔다. 레이 프라이스의 이름이 내 핸드폰 화면에 떠올랐을 때 나는 언니의 의류 부티크에서 일하던 중이었다. 매장 안에서 전화를 받을 수는 없었기에 나는 차로 뛰어 들어가서 가까운 해변으로 차를 몰고 갔다. 해변에 차를 세우고 나는 그에게 다시 전화를 했다.

"너 됐어." 레이가 잔뜩 흥분한 목소리로 말했다. "퍼시픽 코스트 오케스트라에서 너를 이번 유럽 순회공연의 제2 바이올린 자리에 채용하고 싶대. 이건 일생일대의 기회야, 브린. 우린 11월에 시작해서 신년이 되는 순간 끝나는 8주 공연에 들어가. 넌 여덟 개 주요 도시에서 연주하게 될 거야. 파리가 마지막 도시가 되는 거고."

가슴이 팔딱거렸다. "정말이야? 그게 사실이라는 게 믿기질 않아."

"그건 네가 진짜 잘한다는 걸 넌 절대로 믿지 않기 때문이지."

"넌 항상 내 든든한 지원군이었어." 나는 감사하는 마음으로 말했다. 내가 레이를 만난 것은 9년 전 UCLA 음악 수업에서였다. 레이 역시 바이올린 전공자였는데, 우리는 금방 절친한 사이가 되었다. 그러나 같은 길에서 출발했지만, 대학을 졸업한 후 내가 세계 유수의 오케스트라에서 연주하는 꿈을 포기하고 언니와 함께 의류 부티크를 운영하기로 했을 때 우리의 길은 달라졌다.

부업으로 지역 오케스트라에서 연주 활동을 하고 개인 레슨으로 가욋돈을 벌긴 했지만 나는 어린 시절의 꿈으로 되돌아가기엔 너무 늦었다고 생각하고 있었다. 그런데 지난주에 레이가 내게 자기 오케스트라의 결원을 채우는 마지막 오디션에 와 달라고 했고, 나는 될 가능성은 거의 없다고 생각하면서도 한번 도전해 봤던 것이다.

"리허설은 10월 1일에나 시작될 거야." 레이가 말을 이어갔다. "하지만 월요일까지는 답을 해줘야 해. 결정하는 데 그리 오랜 시간이 걸릴 거로 생각하지는 않지만 말이야. 이걸 거절하는 건 말도 안 돼."

"거절하고 싶지야 않지. 하지만 언니와 얘기해 봐야 해." 이렇게 말하면서 나는 그 대화를 걱정하고 있었다.

"다니가 알면 분명 좋아서 까무러칠 거야."

"그럴지 잘 모르겠어." 내가 대답했다. 나는 우리가 하는 일에서 손을 떼게 될 것이고 그러면 다니의 기분이 좋을 리 없을 것이었다. 그건 다니의 가게이기 때문에 실제로 우리의 사업은 아니었지만, 다니가 4년 전에 처음 가게를 열었을 때부터 나는 줄곧 그 일을 돕고 있었다. 다니가 개인적인 시련을 겪고 있을 때 사업이 성장하도록 돕고 가게를 운영한 것도 나였다.

"다니가 왜 좋아하지 않을 거라는 거야?" 레이가 물었다. "넌 재능이 있어, 브린. 그런데 그걸 쓰지 않고 있잖아. 네 언니는 가게 운영을 도울 다른 사람을 찾을 수 있어. 그녀는 네가 이 일을 하기를 바랄 거야. 그냥 하겠다고 해."

"다니랑 얘기해 보고 바로 전화해 줄게. 하지만 월요일까지 시간이 있으니까 주말 동안 여기 일이 제대로 굴러가도록 해놓으려고 해."

"그래, 좋아. 축하해, 브린."

"고마워, 레이. 네가 내 얘기를 잘해 놓았다는 거 알고 있어."

"난 그냥 사실을 말해줬을 뿐인걸. 넌 함께 연주하는 게 행복했던 최고의 바이올린 연주자야."

"그 말은 네게 반사해야 하는걸. 내가 금방 연락할게."

핸드폰을 내려놓고서 나는 창문 너머로 하얗게 파도를 출렁이며 부서지는 태평양을 바라봤다. 폭풍이 불어오고 있었다. 그 바다가 마치 내 안에서 사납게 요동치는 감정의 메아리같이 여겨졌다. 나는 모든 것이 안정되고 편안한 삶이 제일 좋았다. 일이 승승장구하는 건 좋지 않았다. 그다음에는 보통 고통스러운 바닥 상태가 뒤따르기 때문이었다. 오늘은 바로 사실이라기엔 너무 좋은, 그런 날 중 하나였다.

그러나 그건 사실이었다. 나는 믿기지 않는, 유럽 순회 오케스트라 연주를 제안받았다. 믿기 어려운 기회였다. 나는 언니가 내 소식을 기뻐할 것이라고 믿고 싶었다. 우리는 언제나 서로를 위해 존재해 왔었다. 하지만 지난 몇 년간은 언니를 위해 내가 존재해 왔다고 할 수 있을 것이었다.

나는 대학을 졸업하고 언니와 함께 카멜로 이사했다. 언니의 진중한 남자친구가 졸업과 동시에 구혼했을 때였다. 스티브는 그때 막 로스쿨을 마치고 카멜에 있는 부모의 회사에 들어가려고 하고 있었다. 다니는 나와 함께 가지 않는다면 그곳으로 이사하고 싶어 하지 않았다. 그래서 나는 다니가 정착하고 결혼식을 준비하는 것을 도우려고 갔던 것이다. 영원히 그곳에 있을 계획은 아니었다. 하지만 결혼식이 끝나자 다니는 부티크를 차리고 싶어 했고 또다시 내 도움이 필요했다. 그다음엔 다니의 임신과 유산, 그에 따른 우울증이 연이었다. 언니에게는 내가 필요했고 나는 안 된다고 할 수가 없었다. 내게 언니가 필요했을 때 언니는 같이 있어 줬기 때문이었다.

　일곱 살 때 엄마가 돌아가신 이래 우리는 이 세상에 내동댕이쳐진 단둘이었다. 아빠가 옆에 있었지만 아빠는 비탄에 빠져 정신적으로, 그리고 정서적으로 우리를 외면했다. 아빠는 재혼할 때까지 그 비탄에서 헤어나지 못했었고, 그 후로는 두 번째 아내인 비키가 세상 전부가 되었다.

　그러나 아빠와 새엄마가 관심을 기울이지 않았어도 내겐 언제나 다니가 있었다. 나보다 22분 먼저 태어났다는 이유로 다니는 태어난 그 순간부터 언니 노릇을 해왔다. 다니는 대장 같은 성격으로, 항상 멀리 내다보고 내가 잘못을 저지르지 않는지 확인하고 제2의 엄마처럼 행동했다. 내게는 엄마의 역할을 해줄 언니가 필요했다. 나는 언니에게 많은 것을 빚지고 있었는데 지금 떠난다면 언니는 상처받을 것이었다. 그것은 비단 가게에 누군가를 고용해야 하기 때문만이 아니라 몇 번의 시도에 실패한 끝에 다니가 지금 임신 4개월째에 들어섰기 때문이었다. 일상에서 스트레스만은 꼭 피해야 하는 상황이었다. 지금은 떠날 수 있는 최적의 시간이 아니었다.

　하지만 적기라는 게 과연 있기는 한 걸까?

　아기가 태어나는 순간 다니는 아이와 함께 집에 있고 싶을 것이다. 그녀는 내가 부티크를 계속 운영하기를 원할 것이다. 그러나 아무리 언니를 사랑한다고 해도, 아무리 언니를 실망케 하고 싶지 않다고 해도 내 삶을 계속 유예하고 살 수는 없었다.

　핸드폰이 울렸고 다니의 이름이 화면에 떠올랐다. 그걸 본 순간 나는 거의 숨이 막힐 것 같았다. 내가 어디 있는지 다니가 궁금해하고 있다는 걸 알았다. 전화로 얘기할 수는 없었다. 이건 직접 만나서 해야 하는 얘기였다. 나는 가고 있는 길이라고 문자 메시지를 보냈다.

그리고 차를 출발시켰다.

몇 분 뒤에 나는 가게 뒤쪽 작은 주차장에 차를 집어넣고 숨을 깊이 들이쉰 다음 안으로 들어갔다. 사무실에 가방을 떨구고 탈의실을 거쳐 안으로 들어갔다. 진열대 세 곳이 꽉 차 있는 것 같았다. 놀라운 일도 아니었다. 스타 선수들이 참가하는 골프 대회가 열리는 관계로 시내에 관광객이 넘쳐나기 때문에 이번 주말은 특히 바쁠 것이었다.

다니는 어떤 손님을 상대로 가격표를 찍고 있었고 다른 직원인 대학생 매디는 옷걸이에 옷을 거는 중이었다. 나는 매디에게 웃음으로 인사한 다음 다니에게 갔다. 다니가 계산을 해주던 고객은 나를 보고는 앗 하고 다시 한번 쳐다보았다.

"두 사람이군요." 그녀는 놀란 듯 중얼거렸다.

나는 그렇게 놀라는 반응에 익숙해 있던 터라 미소를 보냈다. 비록 최근 몇 년간은 그런 일이 별로 많지 않았지만 말이다. 다니와 나는 똑같이 생긴 일란성 쌍둥이였다. 겉모습은 똑같아 보였지만 다니는 오른손잡이인 데 반해 나는 왼손잡이였다. 다니는 오른쪽 눈 밑에 주근깨가 있지만 나는 똑같은 주근깨가 왼쪽에 있었다. 그렇지만 우리는 머리카락도 갈색으로 같고 거의 보라색에 가까운 암청색 눈동자도 같았다.

그것 말고는, 세월이 흐르면서 우리는 각자 구별이 되도록 약간의 변화를 만들었다. 다니는 갈색 머리카락을 목 밑까지 오는 일자 단발로 잘랐고 나는 어깨 밑까지 길러서 굽슬굽슬한 웨이브를 하고 있었다. 다니는 유행하는 최신식 옷을 입지만 나는 좀 더 편안한 옷차림을 했고 보헤미안 스타일을 좋아했다.

"쳐다봐서 미안해요." 손님이 계속해서 말했다.

"전혀요." 다니가 말했다. "브린은 제 쌍둥이 동생이에요. 헤어 스타일을 바꾸고 옷도 다르게 입기 전까지는 오랫동안 사람들이 우리를 혼동했는데 그런 것도 꽤 재미있었답니다."

"서로 쳐다보다가 자기 얼굴을 보면 기분이 야릇할 것 같아요." 손님이 말했다.

"우리는 아무렇지도 않답니다." 내가 말했다.

"예쁘게 입으세요." 다니가 손님에게 쇼핑백을 건네면서 말했다.

"아, 벌써 예뻐진 것 같아요. 제일 친한 친구 결혼식에 딱 어울릴 거예요. 고마워요."

손님이 나가자 다니의 영업용 미소는 사라졌고 나를 보는 표정에는 짜증이 묻어났다. "어디 있었던 거야? 진료 예약이 있어서 내가 일찍 나가야 한다고 말했잖아. 스티브가 날 데려가려고 금방 이리 올 거야."

"아, 맞다." 나는 우리 둘의 인생을 흔들어 놓으려던 나의 계획은 기다려야만 할 운명이라는 것을 깨달았다. "미안해, 잊어버렸어."

"너 요즘 뭔가에 정신을 빼앗긴 것 같아. 제프 생각을 하느라 그래?" 다니는 내가 한 달 동안 데이트하고 있던 남자를 거론하며 물었다.

나는 그 질문에 깜짝 놀랐다. 제프에 대해 지난 한 주 동안 한 번도 생각해 본 적이 없다는 걸 깨달았던 것이다.

"너희 두 사람, 진지한 관계가 되어가는 중이야?" 다니가 기대를 담은 미소를 띠며 물었다.

"그와 그렇게 오래 만난 건 아니잖아. 좋은 사람이기는 하지만 난 잘 모르겠어…"

"넌 너무 까다로워, 브린. 제프는 직업도 좋고 스티브의 제일 친한 친구잖아. 너희 두 사람이 사랑에 빠진다면 얼마나 멋질지 한번 생각해 봐. 제프는 이미 가족이나 다름없어. 진짜 탐나는 사람이야.”

“난 탐나는 사람을 찾고 있는 게 아니야.”

“네가 마음을 좀 바꾸면 정말 좋을 텐데. 난 우리 애들이 함께 커 가면 좋겠어.”

“다니, 좀 진정해.” 나는 웃음을 터트리며 말했다. “내가 제프랑 계 속 사귄다고 해도 그렇게 빨리 일이 생기는 법은 없어.”

“알아. 난 단지 우리 둘 다 행복한 게 좋다는 거지. 그리고 최근에 넌 그다지 행복한 것 같지 않으니까.”

그녀의 말은 내가 행복해질 길을 찾았다는 말을 꺼내기에 딱 맞는 화두인 것 같았다. 그러나 바로 그때 스티브가 앞문을 통해 걸어왔 다. 형부인 스티브는 금발 머리에 푸른 눈의 매력적인 남자였다. 그는 남색 양복 차림이었다. 안경 너머로 피곤한 그의 갈색 눈이 엿보였다. 다니는 요전에 내게 재판이 진행 중이어서 그가 사무실과 법원에서 장시간 지내고 있다고 했었다.

그는 내게 다정하게 미소를 짓고는 다니에게로 가서 입맞춤했다. “나갈 준비 다 됐어?”

“응,” 그녀가 말했다. “살짝 긴장돼.”

“다 괜찮을 거야.” 그가 말했다.

“당신이 바로 그렇게 말해줬으면 했어.”

나는 그들 사이에 오가는 그 친밀함이 부러웠다. 그들은 결혼하 고서 가슴 아픈 일을 많이 겪었지만, 그로 인해 더 강하게 성장한 것 같았다. 나는 오늘 하는 검사 결과 좋은 소식만 들려 오길 바랐다. 그 들은 좀 편해져야 했다.

“가방 가져올게. 금방 올 거야.” 다니가 스티브에게 말했다.

다니가 뒤쪽 방으로 가자 스티브가 계산대로 건너왔다. “최근에

장인어른과 얘기해 본 적 있어, 브린?"

"아뇨, 왜요?" 나는 궁금해서 물었다.

"장모님이 좀 전에 내게 전화했어. 장인어른이 어디로 출장 간 건지 알고 싶어 하시더군. 직원은 장인어른이 포틀랜드에 갔다는데 그곳에서 보통 묵는 호텔에 안 계시대. 장모님 전화에도 답이 없고."

"왜 형부한테 전화한 거죠?"

"일요일에 내가 장인어른과 골프를 치기로 되어 있거든."

"아. 글쎄요, 아빠랑은 연락을 안 하고 있어서요. 소식을 듣는다면 나보다는 언니가 듣겠죠."

"다니와 얘기해 볼게." 그는 잠깐 있다가 말했다. "장인어른 얘기를 지금 하지는 말아 줘. 언니가 걱정할지 몰라. 언니가 편안하고 낙관적인 마음으로 진료를 보러 갔으면 좋겠거든."

그의 눈에 긴장감이 어린 게 보였다. 그는 전혀 편안한 상태가 아니었다. "아무 얘기도 안 할게요. 오늘 좋은 결과가 있으면 좋겠어요."

"나도 그래. 여기까지 오느라 많은 일들이 있었잖아."

"지금부터는 만사가 다 잘될 거예요." 나는 그를 안심시켰다. "아빠나 새엄마는 별로 걱정되지 않아요. 새엄마는 드라마를 찍으며 살고 있어요. 아빠한테서 100% 관심을 받지 못할 때마다 최악의 상황을 상상하면서 항상 불안해하죠. 하지만 아빠는 일 때문에 관심을 쏟지 못하는 거고 고객을 상대하고 있을 때면 핸드폰을 항상 확인하지는 않거든요. 아빠는 분명 아무 일 없을 거예요."

"그랬으면 좋겠네. 난 지금 다니가 어떤 일로도 스트레스받지 않았으면 해. 처제가 언니의 부담을 덜어줄 수 있도록 해준다면 뭘 해쥐도 난 정말 고마울 거야.”

그의 말에 나는 가슴이 내려앉았다. 다니에게 해야 할 말이 있는 이상 나는 다니의 부담을 덜어주겠다고 약속할 수가 없었다. 그러나 모든 일은 선후가 있는 법이다. 그들이 의사를 만나 모든 게 정확히 정상이라는 것을 확인하는 것이 우선이었다.

다니가 매장 안으로 돌아와서 내게 미소를 보냈다. “교대해 줘서 고마워, 브린. 네가 없었으면 어쩔 뻔했나 몰라.”

다니와 스티브가 나가고 난 다음에도 한참이나 그 말들이 허공을 맴돌았다. 내가 꿈꾸던 일을 하게 되면 다니는 나 없이 지낼 수밖에 없을 것이었다. 꿈의 직장을 잡을 **때**를 나는 살짝 수정했다.

그 일은 모험이었다. 연주를 형편없이 해서 일주일 만에 잘릴 수도 있었다. 그렇게 되면 안 한 것보다 더 큰 상처를 받을 터였다. 하지만 여태껏 나는 안정적으로 연주해 오고 있지 않은가.

자라면서 다니는 내가 옆길로 새도록 내버려 두는 법이 없었다. 찻길에 조금 가까이 가면 다니는 내 손을 잡고 나를 뒤로 확 당기곤 했다. 언니가 나를 단단히 붙잡고 있는 것에 대해 내가 항상 고마움을 느꼈던 것은 아니지만, 나는 거기 의지하고 있었다. 다니는 오랜 시간 나를 안전하게 지켜줬다. 그러나 남은 내 인생이 언니의 필요에 지배당하도록 내버려 둘 수는 없었다. 나는 스물일곱 살이었고, 다니와 나 둘 다 둘만의 관계를 넘어선 뭔가가 필요했다. 다니에게는 스티브와 부티크가 있고 아기도 생길 것이다. 이제는 내 차례였다.

그러나 지금은 하루를 마무리해야 했다. 이후 한 시간 동안 나는 너무 많은 생각을 하지 않으려고 할 수 있는 모든 일을 다 했다. 시계가 5시를 향해 가자 손님이 점차 줄어들었다.

매디가 데이트 나갈 준비를 하러 가고 내가 막 알림판을 ‘영업 종료'로 돌리려고 하는 찰나 문이 열리더니 제프 던바가 안으로 들어왔다. 남자답게 잘생긴 얼굴에 미소가 만연했다. 그는 회색 바지에 하늘색 셔츠를 입고 목에는 넥타이를 느슨하게 매고 있었다. 제프는 스티브 회사의 변호사이자 그의 절친한 친구 중 하나였다. 우리는 지난 몇 주간 데이트하고 있었고 나는 그가 마음에 들었다. 하지만 그런 마음이 어디로 갈지는 알 수가 없었다.

제프는 아무것도 흠잡을 데가 없었다. 매력적이고 다정했다. 우리 사이엔 조금 불꽃이 튀기도 했지만 함께 있지 않을 때면 나는 그를 생각하는 일이 거의 없었다. 그건 별로 좋은 신호가 아니었다. 그는 또한 나보다 다섯 살 연상이어서 안정적으로 정착하는 것에 나보다 훨씬 관심이 많았다. 이제 막 직업적 전환을 앞두고 있는 나로서는 그가 내 인생의 어디쯤 자리하게 될지, 아니 그가 그걸 원하기라도 할지 상상이 되지 않았다. 그러나 다니에게 말을 하기 전까지는 나는 그와 어떤 것도 시작할 수가 없었다.

"안녕, 브린." 그가 미소를 지으며 말했다. "오늘 밤 까사 마리아에서 즐거운 시간 보내는 거 어때요? 마르게리타 피자와 칩스, 과카몰리가 나를 부르네요."

술 한잔은 나쁘지 않았다. 하지만 오늘 밤 나는 감정이 너무 요동쳐서 아무렇지도 않은 척 데이트를 즐길 수가 없었다. 핸드폰 울리는 소리가 내게 대답을 피할 이유를 제공했다. "잠깐만, 핸드폰 좀 가져와야 해요. 다니가 병원에 있거든요." 나는 서둘러 사무실로 들어가서 가방에서 핸드폰을 꺼냈다. 안 좋은 소식을 전해오는 다니의 전화가 아니기를 나는 진심으로 바랐다.

제프가 나를 따라 사무실로 들어왔다. 눈에는 염려하는 기색이 어려 있었다. 하지만 화면에는 알지 못하는 번호가 떠 있었다.

"다니가 아니에요." 내가 말했다. 그러나 혹시 병원에서 걸려 온 것일지도 몰라서 나는 전화를 받았다. "여보세요?"

"브린 랜드리 씨인가요?" 어떤 여자가 물었다.

"네."

"저는 켄드라 밀러라고 해요. 샌프란시스코에 있는 세인트 메리 병원 간호사입니다."

"네." 그녀가 병원이라고 했을 때 내 머리는 곧장 다니에게로 달려갔다. 하지만 언니는 샌프란시스코에 있는 게 아니었다. "무슨 일이신데요?" 내가 물었다.

"나쁜 소식이 있습니다." 여자가 대답했다. "어머니가 위독한 상태예요."

숨이 목에 턱 걸렸다. "뭐라고요?"

"30분 전에 여기로 실려 왔습니다." 밀러 간호사가 말했다.

"그건 불가능해요." 갑자기 머리가 핑 돌았다. 나는 한 손으로 앞에 있는 책상을 붙잡았다. "제 새어머니는 로스앤젤레스에 계세요."

"그분은 제게 자기 이름이 킴 랜드리라고 했어요. 뭔가 혼선이 있기는 하지만 말이죠. 그분의 신분증에 있는 이름은 로라 호손이거든요."

나는 속이 뒤집혔다. "무슨 말인지 모르겠군요." 킴 랜드리는 우리 엄마의 이름이었다. 하지만 로라 호손은 내가 알지 못하는 사람이었다. "왜 제게 전화하시는 거죠? 제 전화번호를 어떻게 아셨나요?"

"그분의 핸드폰에 저장되어 있었어요. 저는 당신 어머니가 실려왔을 때 아주 잠깐 그분과 말을 나눴습니다. 당신과 당신 언니에게 미안하다는 말을 해달라고 했어요. 그리고 항상 당신들을 사랑했다는 것도요."

내 호흡은 너무 빨라지기 시작했다. 엄마는 내가 일곱 살이던 20년 전에 돌아가셨던 것이다. "뭔가 착오가 있는 게 분명해요. 사람을 잘못 찾으셨어요."

"그건 아닌 것 같군요. 그분의 지갑에는 그분이 브린과 다니라는 어린 여자아이들과 함께 찍은 사진이 있어요. 당신은 브린이죠? 맞나요?"

"네, 하지만···."

"제가 방금 그 사진을 사진 찍었어요. 사진을 당신에게 문자 메시지로 보낼게요." 간호사가 말했다.

나는 문자 메시지를 열었다. 화면을 보는 순간 몸이 칼에 찔리는 것 같았다. 나는 내 침실 탁자에 놓여 있는, 또한 다니의 침실 탁자에 놓여 있는 것과 똑같은 사진을 보고 있었다. 엄마가 돌아가시기 한 달 전에 공원에서 다니와 내가 함께 찍은 마지막 사진이었다.

"당신 어머니인가요?" 간호사가 물었다.

"네." 나는 단단하게 닫힌 입술 사이로 겨우 말을 밀어냈다.

"랜드리 씨, 병원으로 오셔야 해요."

"무슨··· 무슨 일이 일어난 거죠? 사고를 당했나요?"

"아뇨. 총에 맞았습니다."

그녀의 대답에 나는 다시 한번 충격을 받았다. "총에 맞았다고요? 누가 총을 쏜 거죠?"

"저는 모릅니다. 그 문제에 관해선 경찰과 얘기하시면 됩니다. 저는 단지 어머니를 뵙고 싶다면 지체하지 말라는 걸 알리고 싶을 뿐이에요. 상태가 위중하세요."

전화를 끊고 나서 나는 숨을 고르려고 갖은 애를 썼다.

"브린? 무슨 일이에요?" 제프가 걱정스럽게 다가오며 물었다. "귀신이라도 본 것 같은 얼굴이에요."

"방금 귀신 얘기를 들었어요."

"그게 무슨 말이에요?"

"우리 엄마요." 내가 짧게 말했다.

"새엄마 말이에요? 괜찮대요?" 그가 물었다.

나는 고개를 저었다. "새엄마가 아니에요. 우리 엄마요."

"어머니는 당신이 어릴 때 돌아가신 걸로 아는데요."

"나도 그랬어요. 그런데 샌프란시스코에 있는 어떤 병원에서 간호사가 방금 내게 전화를 했어요. 그녀 말로는 우리 엄마가 총에 맞아서 위독한 상태래요. 그녀는 내가 곧장 오기를 바라고 있어요."

제프는 못 믿겠다는 눈빛으로 나를 쳐다봤다. "분명 다른 사람을 착각했을 거예요."

"그녀가 내게 다니와 내가 엄마와 함께 찍은 사진을 보냈어요. 그게 그 여자의 지갑 속에 들어 있었대요. 그리고 그 여자는 자기 이름이 킴 랜드리라고 말했어요. 신분증에는 다른 어떤 이름이 있었지만요. 그런데 그녀의 핸드폰에 내 이름이 있었어요. 그래서 병원에서 내게 전화를 한 거예요. 그 여자는 나와 다니에게 미안하다는 걸 알리고 싶었대요." 내가 미처 소화도 하지 못한 말들이 내 입에서 쏟아져 나왔다.

"무슨 실수가 있는 게 분명해요." 그는 양미간을 찌푸렸다. "당신은 다니에게 전화해야 해요."

내게 무슨 문제가 생길 때마다 내가 항상 제일 먼저 전화를 거는 상대가 다니였지만, 다니는 지금 진료받는 중이었다. 언니는 아기가 괜찮다는 사실을 알게 될 것이었다. 언니에게 이 폭탄을 떨어뜨릴 수는 없었다. 적어도 무슨 일이 벌어지고 있는지를 알기 전까지는 말이다. "언니는 형부와 함께 병원에 갔어요. 초음파를 받고 있을 거예요. 지금 바로 전화할 수는 없어요."

"아버지한테 하는 건 어때요?"

"그럴 수 있겠네요." 나는 생명줄이라도 되는 듯 그 생각을 붙잡았다. 아빠의 번호를 눌렀지만 전화는 곧바로 음성 사서함으로 연결되었다. 스티브가 내게 아빠와 연락이 되지 않는다고 했던 게 생각났다. 나는 메시지를 남기지 않고 전화를 끊었다. 뭐라고 해야 할지 생각이 나지 않았기 때문이었다. "전화를 안 받아요."

"새엄마에게 해 보죠?"

"아뇨." 내가 말했다. 새엄마는 지금 내가 절대로 얘기하고 싶지 않은 사람이었다.

제프는 당황스러운 표정으로 나를 봤다. "어떻게 하고 싶어요?"

내 마음은 소용돌이치고 있었다. 하지만 그 질문에 대한 대답은 한 가지밖에 없었다. "샌프란시스코에 가야겠어요. 지금 바로 말이에요."

"세 시간 거리인데요. 지금 시간엔 더 많이 걸릴지도 모르고요."

"그럼 바로 출발해야겠어요."

"그건 잘못 생각하는 거예요." 제프가 말했다. "다니와 얘기를 나눠야죠."

"아뇨. 난 무슨 일이 벌어지고 있는지 알아야 해요. 그리고 나서 다니에게 말할 거예요. 제발 언니에게 말하지 말아줘요, 제프. 형부에게도 마찬가지예요. 약속해 줘요."

내 요구에 그는 불편해했다. "모르겠네요. 당신은 감정적으로 행동하고 있어요, 브린. 이건 잘못된 결정일 수 있어요."

"뭐, 결정은 내가 하는 거예요." 나는 잘라 말했다. "당신이 언니나 형부에게 말하기 전에 하루만 내게 시간을 줬으면 해요. 언니가 하룻밤이라도 축하의 시간을 가지길 바라니까요. 이건 아무 일도 아닐 수 있어요. 그러니까 언니에게 불필요한 스트레스를 줄 필요는 전혀 없어요."

"그래요. 난 아무 말 하지 않을게요." 제프가 말했다. 눈에는 불편한 기색이 보였다. "내가 같이 가주고 싶지만, 내일 약속이 너무 많네요."

"난 괜찮을 거예요." 나는 그를 정문으로 나가게 하고 문을 잠갔다. 그리고 자동차로 달려갔다. 시동을 걸면서 나는 일이 전혀 괜찮을 것 같지 않다는 걸 알았다. 내 앞의 세상이 막 뒤집어진 것이었다. 나는 앞서 레이에게서 받은 전화가 내 인생을 바꾸어 놓을 거라고 생각했었다. 하지만 이 전화가 그럴 거라는 무서운 느낌이 들었다.

2

샌프란시스코까지 세 시간의 운전은 막연한 불안과 혼란 속에 지나갔다. 운전한 지 한 시간 만에 비가 내리기 시작했지만 그것도 전혀 마음을 가라앉혀 주지는 못했다. 엄마의 생을 앗아간 폭풍우가 생각났기 때문이었다.

아니, 어쩌면 그게 아니었을 수도….

그러나 엄마가 살아 있다는 것은 믿을 수 없는 일 같았다. 그 여자는 이름이 달랐잖아, 나는 스스로 되뇌었다. 로라 호손. 바로 차를 타는 대신 잠깐 시간을 내서 온라인에서 로라 호손을 검색해 봐야 했는지도 몰랐다. 그러나 지금은 이미 늦었다. 어쨌거나 나는 샌프란시스코로 가고 있었다.

차창의 와이퍼가 계속해서 비를 옆으로 밀어 뿌리는 동안 나는 엄마가 돌아가신 그날 밤을 생각하고 있었다.

우리는 로스엔젤레스에 살고 있었다. 아빠는 우리가 제일 좋아하던 동화책을 읽어주고 나서 우리를 침대에 눕혔다. 보통은 잠자리에서 아빠가 책을 읽어주는 일은 없었다. 그건 엄마가 하는 일이었기 때문이다. 엄마는 우리가 누워 있는 침대 속으로 비집고 들어와서 우리가 잠들 때까지 동화책을 읽으며 얘기를 나누곤 했다. 그러나 그날 밤에 엄마는 다른 지방에 가고 없었다. 어릴 적 친구를 만나러 뉴올리언스로 간 것이었다. 아빠가 우리에게 핫도그와 마카로니 치즈로

저녁을 차려줬다. 아빠는 최대한 빨리 동화책을 읽어주고 우리를 침대에 눕힌 다음 불을 끄고 방문을 닫았다.

1분도 채 지나지 않아 나는 침대에서 빠져나와 다니에게 장난감 말을 갖고 놀자고 했다. 우리는 자야 한다고 다니가 말했다. 다니는 규칙을 따르는 것을 좋아했다. 나는 다니의 말을 무시하고 동물 농장을 가지고 놀기 시작했다. 결국 다니도 침대에서 나와서 내 옆으로 왔다. 취침 시간이 지나도록 우리가 깨어 있었던 게 처음은 아니었다. 우리는 야간 조명 불빛 아래 우리의 작은 세상에서 노는 것이 좋았다.

어느 때쯤, 아빠의 핸드폰이 울리는 소리가 들렸다. 가까이서 들리는 큰 소리였다. 아빠가 현관으로 나왔다. 다니와 나는 취침 시간을 지나서 놀고 있는 걸 들킬까 봐 얼어붙었다. 하지만 그때 아빠가 소리를 질렀다. "아아, 맙소사! 아아, 맙소사!"

우리는 놀던 걸 중단하고 서로를 바라봤다. 뭔가 단단히 잘못된 것이었다. 아빠는 목소리를 높이는 사람이 아니었다. 화가 나면 아빠는 조용해졌다.

그 후에 몇 차례 더 전화가 울렸다. 그리고 매번 아빠의 목소리는 더욱더 높아졌다. 다니와 나는 문 쪽으로 기어갔다. 나는 다니의 손을 잡았다. 나는 무서웠다. 뭔가 나쁜 일이 일어났다는 것을 알았다.

현관문이 열렸다 닫히는 소리가 들렸다. 우리는 엄마가 일찍 돌아온 것이기를 바라면서 복도로 살금살금 나갔다. 그러나 아빠는 이웃에 사는 메리 카펜터라는 여자와 얘기를 나누고 있었다. 그 여자가 팔로 아빠를 감싸 안았다. 아빠는 떨고 있었다.

나도 몸이 떨리기 시작했다. 다니가 내 손을 꽉 쥐었다. "아무 일 없을 거야, 브린." 다니가 내게 말했다.

나는 대답 대신 울었다.

그때 아빠가 우리를 보았다.

"너희는 자고 있어야 하는데." 아빠가 우리에게 다가오며 말했다. 눈에는 눈물이 가득했다.

"무슨 일이에요, 아빠?" 내가 물었다.

아빠는 무릎을 바닥에 떨구고 양팔을 벌려 마음이 놓이는 그 따뜻한 품속으로 우리를 둘 다 감싸 안았다. "아무 일 없을 거야. 너희는 다시 자러 가렴. 아빠는 좀 나가봐야 해. 메리 아줌마가 너희들 옆에 계실 거야."

"아빠가 있으면 좋겠어요, 아빠." 다니가 말했다.

"아빠 금방 돌아올게." 아빠가 약속했다. "브린을 잘 돌봐줘."

"그럴게요." 다니가 대답했다. 다니는 항상 책임지는 것을 좋아했다.

"난 아빠를 따라가고 싶어." 아빠가 밖으로 나가자 내가 말했다.

"그럼 안 돼." 다니가 내게 말했다.

"엄마가 왔으면 좋겠어." 내가 또 말했다.

"나도 그래." 다니가 내 눈을 보며 말했다. "하지만 우린 씩씩해야 해, 브린. 우린 울면 안 돼. 자러 가자."

우리는 방으로 들어갔다. 다니는 자기 침대로 가지 않고 내 침대로 왔다. 다니가 내 옆에 있어 줘야 했다. 무서움에 사로잡힌 나는 혼자 있고 싶지 않았기 때문이었다.

과거의 기억들이 밀려들자 눈에 눈물이 고이는 게 느껴졌다. 나는 다시는 엄마를 보지 못했다.

거의 일주일 동안 다니와 나는 엄마가 뉴올리언스를 휩쓸고 간 무시무시한 폭풍우 때문에 그곳에 더 오래 머물게 된 것으로 생각하고 있었다. 결국 우리는 허리케인이 엄마를 덮쳐 엄마가 하늘나라로 갔다는 말을 듣게 되었다.

나는 그 말이 무슨 뜻인지 알지 못했었다. 단지 엄마가 이제 우리 옆에 더 이상 없다는 것, 그리고 이제 아무것도 예전과 같지 않으리라는 것을 알았을 뿐이었다.

내 생각이 맞았다. 엄마가 돌아가신 후 우리의 생활은 극적으로 달라졌다. 아빠는 슬픔의 껍질 속으로 들어가 버렸다. 아빠는 우리를 돌봐줄 유모를 고용하고 일에 파묻혔다. 다니와 나는 아빠의 마음속 제일 끝자리가 되어버렸다.

4년 뒤 비키가 아빠와 결혼했다. 잠시, 나는 다시 가족이 생기게 될지도 모른다고 생각했다. 하지만 6개월 만에 새엄마는 아빠에게 말해서 우리를 기숙학교로 보냈다.

우리는 둘 다 가고 싶지 않았지만 어떤 점에서는 멀리 있는 학교에 있는 것이 마음 편하기도 했다. 아빠 옆을 까치발로 지나거나 새엄마에게 아주 착하게 굴지 않아도 되었으니까 말이다. 우리는 그냥 우리 자신으로 지낼 수 있었다.

내가 음악적 기량을 진짜로 갈고닦은 것은 기숙학교에서였다. 엄마가 바이올리니스트여서 나는 엄마가 돌아가시기 전에 엄마에게서 기초를 배웠었다. 하지만 기숙학교에서 바이올린은 내게 현실로부터의 도피처였고 나는 바이올린을 정말, 정말 잘 켜게 되었다.

고등학교를 졸업한 후 다니와 나는 UCLA에 들어갔는데 나는 음악 전공으로 입학했지만 결국에는 경영학으로 전공을 바꾸었다. 우리는 실용적인 사람이 되어야 한다고, 그래야 이 세상을 스스로 헤쳐 나갈 수 있다고 다니가 나를 설득했기 때문이었다. 다니와 나는 많은 점에서 달랐지만, 우리가 공통으로 싫어하는 한 가지가 있다면 그것은 예측 불가능한 상황이었다. 아마도 하루아침에 우리의 인생이 극적으로 바뀌었기 때문이었을 것이다. 우리는 다시는 통제 불능인 상태를 느끼고 싶지 않았다.

그러나 지금 나는 그렇게 느꼈다. 그리고 그건 끔찍했다.

엄마가 살아 있다면 나는 좋을 것이다.

다른 한편으로, 엄마가 죽지 않았다면, 도대체 이 기나긴 세월 동안 어디에 있었다는 말인가?

엄마가 살아 있다는 걸 아빠는 알았을까? 새엄마는?

그런 물음들이 머릿속을 맴돌았고 불안한 마음 때문에 나는 액셀을 더 세게 밟았다. 병원에 도착하면 아마도 그에 대한 답이 바로 앞에 나타날지 몰랐다. 나는 총에 맞았다는 여자가 우리 엄마가 아니라는 것을, 이 모든 일은 해괴한 착오라는 것을 알게 될 것이고 그러면 다시 평범한 일상으로 돌아갈 수 있을 것이었다.

마침내 병원 주차장에 들어갔을 때, 시간은 저녁 8시가 되어 있었다. 비는 그쳤지만 날씨는 추웠고 안개가 끼어서 그렇지 않아도 살 떨리는 목적지의 분위기가 더욱 으스스하게 느껴졌다. 차에서 내리기 전에 나는 핸드폰을 확인했다. 제프와 레이, 그리고 다니에게서 온 문자 메시지들이 줄을 이루고 있었다. 샌프란시스코 경찰청의 알랜 그린맨 경위에게서도 가능한 한 빨리 전화해 달라고 부탁하는 음성 메시지가 와 있었다. 엄마, 아니, 사람들이 우리 엄마라고 생각하는 여자에 관한 일임이 분명했다.

모든 문자 메시지는 나중에 보기로 했다. 나는 차에서 내려 로비

문을 향해 걸어갔다. 안에 들어가서 나는 곧바로 4층에 있는 집중치료실로 향했다. 약과 표백제 냄새 때문에 이미 메스꺼운 상태이던 속이 뒤집어졌지만, 나는 꾹꾹 눌러 참았다.

간호사실에 도착하자 아까 내게 전화했던 켄드라 밀러라는 여자가 내게 엄마의 수술이 끝났다고, 그리고 뇌의 부상이 치유될 수 있도록 약물을 투여해 엄마를 혼수상태에 있게끔 했다고 말했다. 엄마는 머리와 어깨에 총을 맞은 것 같았다. 현재로서는 안정적인 상태지만 뇌 손상 여부를 판단하기는 시기상조라고 했다.

나는 최대한 주의 깊게 이야기를 듣고 있었지만, 심장이 너무 빨리 뛰어서 거의 집중할 수가 없었다. 밀러 간호사가 나를 복도 아래쪽으로 이끌었을 때 나는 극심한 공포에 휩싸였다.

한 발짝 한 발짝 내디딜 때마다 달아나고 싶은 마음이 간절해졌다. 내가 여기서 뭘 하고 있는 건지, 왜 혼자 여기 와 있는 건지 알 수가 없었다. 나는 혼자는 이 일을 해낼 수 없었다. 다니에게 말을 했어야 했다. 손가락이 얼얼해지는 느낌이 들었다. 다니에게 손을 내밀고 싶었다. 다니가 내 옆에 있었으면 했다. 다니와 함께 이 일을 대면하고 싶었다. 그러나 다니를 배제한 것은 나였다. 나는 이 긴장된 상황에서 다니를 보호하는 쪽을 택했던 것이다. 그것은 옳은 결정이었지만, 그럼에도….

간호사가 손짓으로 방 안을 가리켰다. 나는 숨을 들이마시고 앞으로 움직였다. 병상에 있는 사람은 튜브를 주렁주렁 달고 기계에 연결되어 있었다. 나는 한참이 걸려서야 그 사람의 몸에서 얼굴로 시선을 옮겨갈 수 있었다.

그녀는 엄마와 흡사한 모습은 아니었다. 적어도 내가 기억하는 엄마는 아니었다. 길었던 엄마의 갈색 머리카락은 희끗희끗한 새치를 내보이며 어깨선까지 짧아져 있었다. 머리에는 널찍한 붕대가 감겨 있었다. 얼굴은 매우 창백했고 숨소리는 거의 들릴 듯 말 듯 했다. 눈이 감겨 있어서 내가 기억하는 짙고 푸른 보랏빛 눈빛이 맞는지 볼 수가 없었다. 그러나 한참 동안 그 얼굴을 보고 있노라니 마음 깊은 곳이 울렸다. 나는 그 얼굴을 알고 있었다. 그 코와 입을 알고 있었다. 나와 똑같이 왼쪽 눈 밑에 있는 주근깨를 알고 있었다.

나는 그 사실에 명치를 한 대 맞은 것 같았다.

이 여자는 우리 엄마였다.

이 병상에 있는 여자는 한때 나를 사랑했고 내게 노래를 불러주고 나와 함께 웃었던 사람이었다. 그녀는 내게 언제나 내 곁에 있을 것이라고 말했었지만 그건 거짓말이었다. 그녀는 나를 버렸다. 그녀는 다니를 버렸다. 우리는 그녀가 죽었다고 생각했다. 아빠는 우리에게 엄마가 죽었다고 말했었다.

아빠가 거짓말을 했던 걸까? 아빠는 비밀을 알고 있었던 것일까? 아니면 아빠 역시 엄마가 죽었다고 생각했을까?

나는 갑자기 어지러웠다. 충격과 감정의 동요가 나를 휘감았다. 나는 어떻게 생각해야 할지를 몰랐다. 엄마가 살아 있다는… 하지만 간신히 살아 있다는 사실을 받아들이는 건 힘들었다.

그 사실을 깨닫자 상반된 감정들이 또다시 물결을 이루며 샘솟았다. 엄마는 20년 전에 돌아가신 게 아닌지는 모르지만, 왜 우리를 버렸냐고, 왜 우리에게서 멀리 떨어져 살아왔냐고 물어볼 기회가 생기기 전에 돌아가실지도 몰랐다.

나는 병상 난간을 한 손으로 붙잡았다. 우리 엄마였지만 그와 동시에 낯선 사람이 된 여자의 얼굴을 보자 온몸이 떨렸다. 나는 어디를 봐야 할지 몰랐다. 시선을 집중할 수가 없었다. 여자의 얼굴이 내 앞에서 어른거렸다.

"괜찮으세요?" 밀러 간호사가 물었다. 그녀의 날카로운 목소리가 나를 현실로 되돌려 놓았다. "랜드리 씨?"

"모르겠어요." 나는 힘없이 중얼거렸다.

"자리에 좀 앉는 게 어때요? 제가 물을 좀 가져올게요."

나는 고개를 끄덕이고는 옆에 놓인 의자 쪽으로 휘청휘청 걸어가서 힘없는 다리를 내려놓았다. 간호사가 물 한 컵을 부어주자 나는 그 물을 끝까지 다 마셨다. 그냥 물일 뿐이라고 해도 긴장을 누그러뜨릴 뭔가가 필요했던 것이다.

"더 필요한 것 없어요?" 간호사가 연민의 눈길로 물었다.

그녀는 나이 든 여자였고 상냥하지만 지친 눈빛이었다. 자기 앞에서 사람들이 무너져 내리는 것을 익히 봐왔을 터였다.

"엄마의 담당 의사가 가까운 곳에 있나요?"

"라이커 박사는 퇴근했어요. 하지만 오늘 저녁에 어머니의 상태에 변화가 있을 거로 생각하지는 않았어요. 내일 아침에 회진하러 올 겁니다."

"엄마가 어디서 총에 맞았는지 아세요?"

"자택 바깥 보도에서 그랬다고 알고 있어요. 아까 형사 한 사람이 여기 왔었습니다. 당신에게 소식을 전했다는 말을 그에게 했어요. 그가 분명 당신에게 연락할 거예요."

"제게 메시지를 남겼더군요. 제가 아직 전화를 못 했어요." 나는 잠깐 있다가 말했다. "엄마의 핸드폰과 지갑이 있다고 말씀하셨죠?"

"그랬죠. 하지만 모든 걸 경찰에 넘겼답니다. 원하는 게 있으면 경찰에게서 받아야 할 거예요."

"알겠습니다. 또 엄마가 간호사님께 저와 제 언니에게 미안하다

고, 우리를 사랑한다고 말해달라 부탁했다고 하셨는데요. 뭐가 미
안한지 말했나요?"

"아뇨. 그건 아니에요. 그렇지만 어머니는 당시 상태가 말이 아니
었어요. 몇 마디만 겨우 할 수 있을 뿐이었답니다."

목에 맺힌 단단한 느낌이 점점 커졌다. "우리를 완전히 잊지는 않
았나 보네요." 나는 떨리는 숨을 들이쉬었다. "우리 엄마는 20년 전
에 돌아가셨다고 했어요. 우리는 엄마의 장례를 치렀고요. 그래서 간
호사님 전화를 받았을 때 크게 충격을 받은 거예요."

그녀의 눈빛에 놀라움이 스쳐 갔다. "저는 그런 줄 몰랐어요. 어머
니와 직접 말씀을 나눌 기회가 있길 빌게요."

"저도 그러길 바랍니다. 엄마 곁에 잠깐 앉아 있어도 될까요?"

"얼마든지요. 저는 11시에 근무를 교대할 거예요. 하지만 당신 전
화번호를 차트에 남겨 놓을게요. 뭐든 변경사항이 있으면 누군가 당
신에게 알려줄 거예요. 또, 라이커 박사에게 아침에 당신에게 전화하
라고 메모도 남겨 놓을게요."

"감사합니다." 그녀가 나가자 나는 일어나서 다시 한번 오래도록
엄마를 응시했다. 엄마가 살아 있다는 사실에 충격을 받았지만, 그런
동시에 돌아가실지도 모른다는 사실에 겁이 났다. 내 속에는 너무나
많은 감정이 흐르고 있었다. 나는 주체할 수가 없는 느낌이었기에 생
각을 좀 할 필요가 있었다. 엄마를 뒤로하고 나는 그 방에서 나왔다.

병원을 나오자 차갑고 축축한 공기가 얼굴을 때렸다. 나는 안도의
숨을 내쉬었다. 나의 엄마였던 여자 옆에서 벗어나서, 생명을 유지해
주는 그 장치들에서 벗어나서 바깥에 있는 것만으로도 한결 나은 느
낌이었다. 나는 차 안으로 들어가서 이제 어떻게 할지를 고민했다.

몇 군데 전화를 해야 한다는 것은 분명했다. 다만 누구에게 먼저

전화를 걸어야 할지 알 수가 없었다. 좀 더 많은 내용을 알게 되면 언니와 아빠에게 말을 하는 게 좀 더 쉬워질 것이었다.

나는 그린맨 경위의 번호를 누른 후 그가 전화를 받자 안도했다. "저는 브린 랜드리라고 해요. 아까 저한테 전화하셨더군요."

"그렇습니다." 그가 말했다. "당신 어머니인 로라 호손에 대해 몇 가지 물어볼 게 있습니다. 경찰서로 오실 수 있나요?"

"으음, 네. 여기는 세인트 메리 병원인데요. 저는 이 지역 사람이 아니에요. 경찰서는 어디 있나요?"

"거기서 10분도 걸리지 않습니다."

"알겠습니다." 나는 그가 줄줄 불러주는 주소를 핸드폰에 입력한 후 말했다. "곧 가겠습니다."

핸드폰을 내려놓자 전화가 걸려 와 진동했다. 다니의 이름이 화면에 떠올랐다. 나는 언니와 얘기를 나눌 마음의 준비가 되어 있지 않았다. 그래서 음성 사서함으로 넘어가도록 내버려 두었다. 그런 다음 음성 메시지를 확인했다.

"아기는 모든 게 완벽해." 다니가 흥분된 목소리로 말했다. **"그리고 아들이래. 믿을 수 있어? 나한테 아들이 생긴대."**

나는 다니의 말에 미소를 지었다. 눈에 눈물이 차올랐다.

"쌍둥이가 아니라 조금 서운하네." 다니가 계속 말했다. "우리가 같이 자란 건 정말 특별했잖아. 하지만 모든 게 좋은 만큼 욕심부리면 안 되겠지. 스티브와 난 방금 자축 만찬을 마치고 돌아왔어. 시간 될 때 전화해. 사랑해."

"나도 사랑해." 나는 속삭였다.

다니에게 전화해서 축하해 주고 싶었다. 오랜 시간 끝에 찾아온 이 순간을 함께 나누고 싶었다. 그러나 다니는 내가 어디 있는지, 뭘 하고 있는지 물을 것이고 나는 오늘 밤은, 언니가 모든 것에 너무나 기분이 좋은 이때만큼은 이 얘기를 하고 싶지 않았다. 내일 전화하면 된다. 바라건대, 그때쯤이면 좀 더 많은 걸 파악하게 될 것이다.

나는 다니에게 얼른 문자 메시지를 보냈다. 소식 들으니 정말 행복해. 난 지금 영화 보는 중이야. 내일 연락할게. 진짜 얼른 함께 자축하고 싶다.

다니는 웃는 얼굴 이모티콘으로 답했다. 나는 핸드폰을 내려놓았다.

그런 다음 경찰서로 차를 몰았다. 더 나쁜 소식을 듣게 되지 않기를 바라면서.

3

알랜 그린맨 경위는 왕년에 축구깨나 했을 것같이 생긴 남자였다. 그는 떡 벌어진 어깨에 회색 양복이 탄탄하게 조이는 다부진 체격이었다. 얼굴은 사각형이고 머리카락과 턱수염은 갈색이었는데 새치가 듬성듬성 나 있었다. 그가 나를 조사실로 데려가자 나는 조금 위축되었다. 피해자에 관한 정보를 들으려고 온 게 아니라 내가 무슨 나쁜 짓을 저지른 것만 같았다. 길고 좁은 테이블을 두고 서로 마주 보고 앉자 그는 뭔가 가늠해 보려는 듯한 시선을 내게 던졌다. 그런 다음 말했다. "어머니는 어떠신가요?"

"모르겠어요. 의식이 없으세요. 간호사는 위중한 상태라고 했어요. 좀 더 많은 건 내일쯤 알게 될 거라는군요."

"유감이군요."

그의 말은 진심이기보다는 예의를 차린 것처럼 들렸지만, 조금 있다가 보니 피곤한 눈빛에서부터 구겨진 셔츠까지 그의 모든 것이 피로하고 지쳐 보였다.

"어머니에게 총을 쏠 동기가 있을 법한 사람을 압니까?"

"아뇨. 어머니에 관해서는 제가 드릴 수 있는 말씀이 전혀 없습니다. 저는 일곱 살 때 어머니가 돌아가신 걸로, 20년 전 뉴올리언스 허리케인 때 목숨을 잃은 걸로 생각했습니다. 그런데 오늘 밤, 어떤 간호사가 제게 전화해서 어머니가 살아 있다고, 총에 맞았다고 했어요. 넋이 나갔다는 말로도 제 상황을 다 표현할 수는 없습니다. 저는 누군가와 혼동을 한 게 분명하다고 생각했어요. 그 여자분의 신분증에는 이름이 로라 호손이라고 되어 있었지만, 저희 어머니의 이름은 킴 랜드리니까요." 나는 숨을 내쉬었다. "하지만 병원에 도착해서 얼굴을 보자 저는 맞는 사람이라는 걸 알았어요. 그분은 제 어머니였습니다. 20년 전에 돌아가신 게 아니었어요. 하지만 이제 돌아가실지도 모르겠네요." 나는 눈을 깜박여서 두 눈에 고인 분노와 절망의 눈물을 흩트려 냈다.

그린맨 경위는 의자 깊숙이 몸을 파묻고 우람한 양팔로 팔짱을 꼈다. 그는 한참 동안 생각에 잠긴 시선을 내게 보냈다. "그건 꽤나 대단한 이야기군요."

"이야기가 아니라 일어난 일이에요. 어머니는 어디서 총을 맞았나요?"

"거주지 앞 보도에서요. 3시 10분에 당신 어머니가 집에서 걸어나가는 모습이 길 건너편 현관 카메라에 찍혔습니다. 15m쯤 가다가 쓰러졌어요."

"총을 쏜 사람은요?"

"카메라에 잡히지 않았어요. 아직은요. 우리는 더 많은 보안 카메라 화면들을 찾으러 이웃 지역을 탐사하고 있습니다. 총은 길 건너편 집들 사이에서 발사된 것으로 보입니다만 아직은 조사하는 중입니다."

"총을 쏜 사람은 걸어서 움직였나요? 이웃에 사는 사람인가요?"

"제가 그 질문에 대답할 수 있으면 좋겠군요, 랜드리 씨."

나는 그가 전해준 몇 가지 사실들을 곰곰이 생각하며 얼굴을 찌푸렸다. "주변에는 아무도 없었나요? 대낮이었는데요."

"안타깝게도, 목격자는 찾지 못했습니다. 개를 데리고 산책하던 한 여성이 총소리를 들었지만 어디서 난 소리인지 몰랐다가 모퉁이를 돌고 나서야 어머니의 몸이 바닥에 있는 것을 봤다고 했습니다."

나는 어머니의 몸이라는 말에 움찔했다. 그 말은 마치 엄마가 이미 죽은 것 같은 느낌을 주었던 것이다. 그러나 그건 아니라고, 나는 마음속으로 말했다.

"이웃들은요? 그들을 조사했나요?" 내가 물었다.

"몇몇 사람들과는 말을 나눴습니다. 대부분은 집에 없었거나 아무것도 보지 못했습니다. 어머니는 하딩 예술학교의 음악 교사로 일하고 있더군요. 저는 교장인 조앤 헌트와 얘기를 했습니다. 그녀는 제게 당신 어머니에게 총을 쏘고 싶은 사람은 상상할 수가 없다고, 로라는 친절하고 생각이 깊은 교사로서 학생과 직원 모두가 정말 좋아한다고 했습니다. 그녀는 학교에서 누군가 당신 어머니에게 감정이 생길 만한 사건이 있었는지 알지 못한다고 합니다."

그의 말은 몇몇 빈칸을 채워 주었지만 내 머릿속에 더 많은 질문이 생겨나게도 했다. "어머니는 독신입니까? 결혼했나요? 아이들은 있나요?"

"헌트 교장은 호손 씨가 독신이고 자신이 아는 한 결혼한 적이 없다고 했습니다. 아이들도 없고요. 당신이 여기 있고 당신 이름이 호손 씨의 핸드폰에 딸로 저장된 걸로 봐서 그건 사실이 아님이 분명하지만 말입니다."

"어머니의 핸드폰을 갖고 계시는 것 맞죠? 연락처에 사람들이 많이 있었나요? 제 언니나 아빠의 번호가 있었는지 궁금합니다."

"핸드폰에는 당신 번호 외에 열 개의 전화번호가 있었습니다. 그중 세 개는 하딩 학교 교사의 번호고 두 개는 어머니의 북클럽 회원이라는 지인들 번호였습니다. 하나는 치과 번호였고 다른 하나는 이 지역 식당 번호, 세 개의 번호에는 이름이 없었습니다. 그 번호들로 전화했지만 아무도 받지 않았습니다. 그중 하나는 톰 웰스라는 남자의 음성 사서함으로 연결되더군요. 당신이 그 이름을 알 것 같지는 않군요."

"네. 어머니의 현재 인생에 관계된 어떤 사람의 이름도 저는 모를 겁니다. 이름 없이 저장된 번호들 중 하나 정도는 알 수 있지도 않을까 싶지만요. 제가 그 핸드폰을 봐도 될까요?"

"제가 가져오죠."

나는 그가 방을 나가자 의자에 몸을 깊숙이 파묻었다. 내가 뭘 알고 있는지 생각하느라 내 머리는 핑핑 돌아갔다. 엄마는 음악 교사였다. 이웃과 친구들이 있었고 북클럽에 가입해 있었고 어쩌면 남자 친구도 있을지 모른다. 몸을 숨기고 살던 사람에게 어울리는 일은 아니었다. 다른 한편으로 엄마는 로라 호손이라는 이름을 쓰고 있었다. **그게 엄마의 진짜 이름이었을까? 킴 랜드리는 가명이었을까?**

그린맨 경위가 커다란 비닐봉지를 들고 조사실로 돌아왔다. 봉지 안에는 밤색 가죽 지갑이 들어 있었다. 그 옆에는 스마트폰이 있었다. 그는 그걸 꺼내서 내게 건넸다.

"비밀번호가 뭐죠?" 나는 핸드폰이 켜지자 나타난 숫자들을 보며 물었다.

"0413. 당신의 어머니가 그 비밀번호를 간호사에게 주며 당신에게 전화해 달라고 부탁했답니다. 그래서 우리로서는 핸드폰을 열기 위해 애쓰지 않아도 되었고요."

나는 심장이 뛰었다. "그건 제 생일이에요."

"놀랍지 않군요." 그가 고개를 끄덕이며 말했다. "사람들은 대부분 의미 있는 숫자를 사용하니까요."

나는 핸드폰을 다시 쳐다보며 연락처를 훑어 내렸다. 다니의 번호는 거기 없었다. 또다시 이상야릇한 느낌이었다. 다른 전화번호도 다 내가 알지 못하는 것들이었다. 엄마는 아빠 번호나 엄마의 친구였다가 우리의 새엄마가 된 비키의 번호를 연락처에 넣지 않았다.

"뭐라도 떠오른 게 있습니까?" 그린맨 경위가 물었다.

나는 고개를 저었다. "아뇨." 나는 문자 메시지를 클릭해서 아래로 쭉 내렸지만 몇 개 되지 않았고 대부분은 업무 관련이거나 북클럽에 관한 것이었다. "엄마는 문자 메시지를 많이 사용하지 않았네요."

"온라인에도 흔적이 없었습니다." 그가 말했다. "어머니는 매우 조용한 삶을 살고 있었습니다." 그는 자기 노트북을 내려다봤다. "생일로 보면 어머니는 마흔아홉 살이 되는군요." "신분증에는 생일이 5월 2일로 되어 있습니다."

나는 고개를 저었다. "엄마의 생일은 2월 9일이에요. 엄마가 어떻게 킴 랜드리로 일생을 살다가 그 후 다른 사람이 될 수 있었는지 저는 이해가 안 됩니다. 다른 이름으로 된 신분증을 어떻게 얻을 수가 있었을까요? 그 이름과 일치하는 주민등록번호를 어떻게 만들 수 있었죠? 엄마는 일을 하고, 그런 만큼 세금을 내는 게 분명해요. 은행 계좌는 있나요?"

"있습니다. 1만 2천 달러가 든 입출금 계좌가 있고 또 다른 1만 달러 정도의 예금 계좌가 있습니다. 살고 있는 건물이 어머니 소유인데 집이 2층으로 되어 있고 1층에는 스튜디오 아파트가 있습니다. 우리는 그곳의 임차인인 남자와 얘기를 나눴습니다. 그는 총격이 있던 시각에 집에 있지 않았고 그곳으로 이사 온 것은 불과 한 달 전이라고 했습니다. 그는 당신 어머니에 관해 제가 당신에게 말씀드린 내용 이상의 것을 알지 못했습니다." 그는 말을 잠깐 멎었다. "가짜 신분을 만드는 게 불가능하지는 않습니다만 보통 비용이 많이 들죠. 집 외에 우리가 찾아낸 다른 자산은 없습니다. 하지만 당신과 대화를 나누고 나니 당신 어머니의 총격은 제가 애초에 생각했던 것보다 더 복잡한 사안이라는 걸 깨달았습니다."

"엄마가 예전에는 다른 사람이었다는 것 때문에요?"

"그렇죠. 사람들이 종적을 감출 때는 대부분 그럴 만한 충분한 이유가 있게 마련입니다. 생명에 위협을 느끼는 걸 포함해서 말이죠. 아마도 어머니의 과거가 어머니의 발목을 잡은 것 같군요." 그는 펜을 꺼냈다. "어머니의 이름이 킴 랜드리였다고 하셨죠. 또 말씀해 주실 수 있는 당신이 알고 있는 내용은요?"

"엄마는 로스앤젤레스에서 태어났어요."

"결혼 전 성은 뭐였죠?"

나는 잠시 생각했다. "설리번인 것 같아요. 아빠에게 물어보면 알 수 있을 거예요."

"좋습니다. 아버지에 대해 말씀해 주실까요? 성함이 어떻게 되시죠?"

"로스 랜드리입니다."

"지금 어디 계십니까?"

"잘 모르겠어요. 아직 아빠에게 말씀드리지 못했어요. 저는 엄마가 살아 있다는 걸 가족 누구에게도 말하지 않았습니다. 사실이라고 생각하지 않았거든요. 그 간호사가 실수한 거라고, 병원에 있는 그 여자분은 엄마의 친구, 그러니까 엄마와 우리 자매가 찍은 사진을 어떤 경위에선지 갖게 된 누군가일 거로 생각했어요."

"그렇군요." 그가 고개를 끄덕이며 말했다. "그 사진을 봤습니다. 어머니의 집 열쇠와 함께 비닐봉지 속에 있습니다. 우리는 그 열쇠로 어머니 집에 들어갔습니다."

"집에서 뭐라도 찾으셨어요?"

"특별한 건 아무것도요. 가족은 누구누구입니까?"

"아빠는 엄마가 돌아가신 후, 아니 사라져 버린 후 재혼했어요. 새엄마의 이름은 비키 랜드리입니다. 새엄마는 엄마의 친구이기도 했어요. 제 언니인 다니가 있고, 형부가 있습니다. 그게 다예요. 양가 조부모님들은 다 제가 태어나기 전에 돌아가셨고 부모님은 형제자매가 없었어요." 나는 숨을 쉬었다. 그게 너무나 필요했다. "이것 또한 사실이 아닌 게 아니라면요." 나는 양손으로 관자놀이를 눌렀다. "너무 혼란스럽군요."

"사태를 파악하실 수 있도록 저희가 돕겠습니다. 아버지와 어머니는 사이가 어땠습니까?"

"좋았다고 생각해요. 하지만 저는 일곱 살이었고, 그러니까 모르겠네요. 아빠는 엄마의 죽음으로 비탄에 빠진 듯했어요. 수년간 슬픔에 잠겨 지냈죠. 결국은 새엄마와 결혼했지만 몇 년의 시간이 흐른 뒤였어요. 저는 항상 아빠가 엄마를 정말로 사랑했다고 생각했어요. 엄마 얘기를 자주 하지는 않았지만 얘기를 할 때면 아빠 목소리에 사랑이 묻어나니까요."

형사는 몇 가지를 더 써넣었다.

"저는 엄마가 여태 살아 있다는 걸 아빠가 알았다고는 믿지 않아요." 내가 덧붙여 말했다.

"알겠습니다." 그는 이렇게 말했지만 그다지 믿는 느낌은 아니었다.

그를 비난할 수는 없을 것 같았다. 나 자신도 무엇이 진실인지 더는 알 수가 없었던 것이다.

"어디 사시죠?" 그가 계속 물었다.

"카멜이요. 언니와 형부도 그곳에 삽니다. 아빠와 새엄마는 로스앤젤레스에 살고 계세요. 아빠는 일 때문에 출장을 많이 다닙니다."

"무슨 일을 하시는데요?"

"IT 회사 영업 일이에요."

"아버지와 언니의 정보가 필요합니다."

"가족들에게는 제가 먼저 얘기하고 싶어요. 이런 소식은 제게서 들어야 해요."

그는 다시 한번 뭔가를 가늠하는 듯한 시선으로 나를 보더니 펜을 내려놓았다. "당신 어머니가 죽지 않았음에도 당신 아버지가 당신들에게 죽었다고 말했다면 그가 거짓말을 했을 가능성이 큽니다. 이때까지 살아 있었다는 걸 알고 있을 가능성 말입니다."

그런 생각이 내게 떠오르지 않았던 것은 아니었다. 하지만 그가 그토록 간단명료하게 그 말을 내뱉자 나는 등줄기가 서늘해졌다. 나는 아빠가 그런 거짓말을 할 수 있었다는 것을 믿고 싶지 않았다. 마찬가지로 엄마가 그럴 수 있었다는 것도 믿고 싶지 않았다. 그러나 누군가는 거짓말을 했던 것이다. 그 때문에 가슴이 철렁 내려앉는 느낌이었다.

"또한 당신 어머니가 자취를 감춘 이유가 당신 아버지 때문일 수도 있습니다." 형사가 한마디 더 했다.

"저는 그게 사실이라고 생각하지 않아요. 아빠는 훌륭한 분이에요. 어떤 면으로도 위험한 사람이 아니라고요. 제가 가족들에게 얘기할게요. 하지만 저는 과거보다는 현재가 중요하다고 생각합니다. 엄마에게 총을 쏜 사람이 누군지 경찰이 알아내야죠."

"그럴 생각입니다. 하지만 과거와 현재가 얽혀 있을 가능성이 있습니다. 이번 사건은 개인적인 것으로, 사전에 준비된 것으로 보입니다. 총을 쏜 자는 당신의 어머니가 집을 나오기를 기다렸습니다. 그자는 주변에 있는 어떤 카메라에도 포착되지 않고 사라질 수 있었습니다. 그 일대를 잘 알고 있었다는 뜻이죠."

"아빠는 이 도시를 몰라요. 전 아빠가 지난 몇 년간 여기 온 적이 있다고는 생각하지 않아요."

"확실한가요? 당신은 방금 그가 여행을 많이 다닌다고 했습니다. 그가 어디로 다니는지 항상 알고 있습니까?"

그의 질문에 확신하며 '네.'라고 하고 할 수 있으면 좋았겠지만 나는 그럴 수가 없었다. "아뇨." 내가 시인했다. "하지만 저는 아빠가 개입되어 있을 가능성이 거의 없는 상황에서 경위님이 아빠에게 초점을 맞추지 않으셨으면 합니다."

"저는 사실이 이끄는 대로 따라갑니다. 오늘 밤 이곳에 머무실 건가요?"

"네. 어디든 방을 구할 겁니다."

"그럼 내일 얘기하도록 하죠. 충격이 좀 가라앉고 나면 일이 좀 선명히 보일 수도 있고, 아니면 도움이 될 만한 게 기억날지도 모릅니다."

"알겠습니다. 그런 게 뭐가 있을지 상상도 되지 않지만 말이에요." 그가 일어섰고 나도 자리에서 일어났다. "제가 엄마의 가방을 가져가도 될까요?"

그는 머뭇거렸다. "어머니의 핸드폰은 제가 계속 보관하겠지만 가방은 이미 다 조사했고 내용물 사진도 찍었으니까 가져가셔도 됩니다."

"엄마 집 열쇠도 주셨으면 좋겠어요. 사시는 곳을 보고 싶습니다."

"열쇠는 가방 안에 있습니다."

그린맨 경위는 나를 회의실 바깥으로 안내하고 손을 뻗어 나가는 문을 가리켰다.

차 안으로 돌아와서 나는 문을 잠그고 안전벨트를 맸다. 그리고 숨을 내쉬었다. 그런 다음 엄마의 핸드백을 열었다. 별로 볼 것이 없었다. 그러나 나는 검정 지갑부터 보기 시작했다. 지갑에는 로라 호손의 이름과 샌프란시스코 주소가 적힌 운전면허증이 있었다.

로라 호손의 얼굴은 엄마의 얼굴과 일치했다. 같은 이름으로 된 신용카드가 한 장, 그리고 엄마가 나와 다니를 안고 있는 사진이 한 장 있었다. 낡고 색 바랜 사진이었다. 한 귀퉁이가 찢겨 나갔고 가운데는 구부러져 있었다. 지폐 칸에는 20달러짜리가 두 장 있었고 동전들이 몇 개 있었다. 지갑 말고는 립글로스 한 개, 돋보기안경, 선글라스, 휴대용 휴지, 그리고 음악 공연 프로그램으로 보이는 뭔가가 있었다. 또한 음표같이 생긴 고리에 달린 열쇠 몇 개가 있었다.

실망감이 밀려왔다. 나는 엄마의 삶을 엿볼 수 있는 좀 더 많은 단서를 보게 되길 바랐던 것이다.

나는 가방을 내려놓고 손을 뻗어 핸드폰을 잡았다. 아빠의 번호를 눌렀다. 신호음이 네 번 울리고는 또다시 음성 사서함으로 넘어갔다. 나는 이번에는 메시지를 남겼다. "저 브린이에요." 나는 아빠가 내 목소리와 다니의 목소리를 항상 구별하지는 못한다는 것을 알기에 그렇게 말했다. "좀 이상한 소식이 있어요. 가능한 한 빨리 아빠와 얘기해야 하는 일이에요. 다니는 아직 아무것도 몰라요. 그러니까 다니에게 전화하지 말고 저한테 전화해 주세요. 급한 일이에요, 아빠. 정말이지 최대한 빨리 저한테 연락해 주셔야 해요."

나는 핸드폰을 내려놓고 다음에 뭘 할지 고민하기 시작했다. 호텔을 찾아야 했다. 하지만 지금으로서는 잠을 잘 수가 없었다. 나는 너무 초조하고 흥분한 상태였다. 엄마가 어떤 인생을 살았는지 더 알아야 했다. 나는 엄마의 가방에서 신분증을 꺼내 거기 있는 주소를 차 내비게이션에 입력했다. 그리고 차를 출발시켰다.

엄마는 병원에서 10분 거리에 살고 있었다. 60년대 히피 운동이 성행했던 것으로 유명한 하이트 애쉬버리에서 몇 블록 떨어진 곳이었다. 지금 그곳은 카페와 타투 가게, 구제 의류 가게들이 성시를 이루고 있었다. 유행의 첨단을 걷는 주스 가게, 찻집, 화랑, 그리고 유기농 마켓들이 구식 상점들과 나란히 있었다. 가게들은 다 문을 닫았고 몇몇 술집과 식당들만 영업 중이었다.

나는 상업 지구를 벗어나서 몇 블록 더 간 다음 엄마가 사는 거리로 꺾어 내려갔다. 엄마의 집 앞에 차를 대고 나자 맥박이 뛰기 시작했다. 빅토리아풍의 3층짜리 건물이었다. 진입로에는 회색 트럭이 세워져 있었다. 집 안 어디에도 불빛은 보이지 않았지만, 나는 그 차가 엄마의 것일까, 아니면 세입자의 것일까 궁금했다.

나는 엄마의 열쇠를 손에 쥐고 차에서 내렸다. 등줄기에 식은땀이 흘러내렸다. 적막한 곳이었다. 너무도 적막했다. 엄마가 총에 맞은 곳이 정확히 어디인지 알 수 없었다. 거리는 지금 아주 캄캄했고 제일 가까운 가로등은 20미터쯤 떨어진 곳에 있었다. 어쩌다가 엄마가 흘린 핏자국을 지나쳐 걸었을지도 모른다고 생각하자 속이 뒤집혔다. 그래서 나는 재빨리 엄마의 집으로 가는 계단을 향해 움직였다. 건물 앞에 다가서자 왼쪽 옆에 문이 보였다. 스튜디오 아파트의 문일 것이 분명했다. 나는 현관으로 가는 다른 쪽 계단으로 올라갔다.

문 앞에서 나는 잠시 주저했다. **나는 여기서 뭘 하는 걸까? 내가 정말 엄마의 집으로 들어가고 있는 걸까?** 그 사람은 한때는 우리 엄마였는지 모르지만 그건 멀고 먼 옛날 일이었다. 엄마는 지금 내게 낯선 사람이었다.

그렇지만 엄마는 내게 전화해 달라고 간호사에게 부탁했다. 엄마는 사과하고 싶었던 것이다. 엄마는 거짓 죽음을 선택했던 이유를 내게 말하지 못했지만 어쩌면 이 집 안에 그 단서들이 있을지도 몰랐다. 나는 열쇠 뭉치를 꺼내 들고 한 번에 하나씩 돌려봤다. 운 좋게도 세 번째 시도 만에 성공할 수 있었다. 문이 열렸다.

내부는 어두웠다. 다행히도 문 바로 안쪽에 전기 스위치가 있었다. 불이 들어오자 긴 복도가 밝혀졌고 몇 개의 방문들이 쭉 늘어서 있었다. 입구 바로 오른쪽에 응접실이 있었다. 나는 문을 닫고 불을 몇 개 더 켜면서 응접실로 이동했다.

응접실은 색감이 풍부하고 아름다웠다. 벽은 삼면이 하늘색이고 한 면은 고동색이었다. 흰색 소파가 놓여 있었고 벽난로를 사이에 두고 양쪽으로 꽃무늬 의자들이 마주 보고 있었다. 가구들마다 밝은 색 쿠션이 놓여 있고 뒤쪽으로 장식 덮개가 걸쳐져 있었다. 벽에는 그림들이 잔뜩 걸려 있었지만 사진은 없었다.

나는 응접실에서 나와서 집의 나머지 부분들을 탐색했다. 방의 크기나 무색무취한 장식으로 보아 손님용 침실인 것 같은 방과 그 맞은편에 손님용 욕실이 있었다. 복도를 좀 더 따라가자 주방과 거실이 나왔고 계단이 있었다. 계단을 올라가니 침실과 욕실이 있었다.

침실에는 창문이 열려 있어서 창에 걸린 커튼이 산들바람에 나부끼고 있었다.

침대에는 부드러운 솜이불과 베개가 흐트러져 있었는데 한쪽 면에서만 누군가 자고 일어난 듯했다. 집 안에는 남자가 살고 있었던, 아니 성별을 불문하고 누군가 같이 살고 있었던 흔적은 없었다.

나는 계단을 다시 내려와서 주방과 거실을 둘러봤다. 이곳에도 역시 사진은 없었다. 하지만 엄마의 인생을 보여줄 어떤 단서들이 있을 것임이 분명했다.

거실을 한 바퀴 둘러보고서 나는 살짝 탄식했다. 한쪽 구석에 바이올린이 있었던 것이다. 그 바이올린이 나를 과거로 돌아가게 했다.

엄마는 거의 매일 밤 바이올린을 켰고 내가 유치원에 들어가기도 전에 바이올린을 가르쳤다. 뭐라 설명할 수는 없지만, 우리를 묶어준 것은 음악이었기에 그 악기를 보자 깊고 뼈아픈 고통이 온몸을 흘러 내렸다. 엄마가 돌아가신 뒤 나는 엄마 곁에 머물고 싶어서 계속 바이올린을 켰다. 엄마의 얼굴이 점점 흐릿해졌을 때 바이올린을 켜면 그 얼굴이 되살아났다. 음악을 통해 엄마는 내게 계속 살아 있었다. 엄마에 대한 그리움이 사무쳐서 내 한쪽이 없어진 것만 같았던 끔찍한 나날들을 버텨낸 것도 그 덕분이었다.

나는 거실을 가로질러 그 바이올린을 집어 들고 나무와 현들을 손 가락으로 훑어 내렸다. 그 바이올린은 엄마가 나와 같이 연주했던 것은 아니었다. 엄마는 뉴올리언스로 가면서 바이올린을 두고 갔던 것이다. 하지만 이 바이올린은 오래된 것 같아 보였다. 사용감이 많으면서 동시에 세심하게 관리된 흔적이 보였다.

무더운 여름밤에 창문을 열어놓고 침대에 누워 있으면 정원에서 엄마가 연주하던 선율이 허공을 맴돌던 기억이 나면서 나는 더 많은 감정에 휩싸였다. 그 음악 소리는 언제나 내 마음을 다독였고 이 세상 모든 것이 제자리에 있는 것 같은 기분이 들었었다. 나는 엄마의 연주 소리를 들으며 잠이 들었고, 그러면 그 음악이 내 꿈을 가득 채우곤 했었다.

갑자기 딸칵 하는 소리가 나는 바람에 머리가 핑글 돌았다. **집 안에 누군가 있는 것이었다!** 현관문이 열렸다가 닫혔다. 과감하고 단호한 발소리가 복도를 걸어왔다.

공포의 물결이 나를 덮쳤다. 나는 방을 휙 둘러봤다. 주방 옆에 뜰로 나가는 뒷문이 있긴 했지만, 발소리는 점점 더 가까워지고 있었다. 도망칠 길이 없었다. 단호한 결의가 비치는 까만 눈의 어떤 남자가 손에 야구 배트를 들고 안으로 들어왔을 때 나는 바이올린을 방패처럼 앞에 붙들고서 헉하고 놀란 숨을 들이켰다.

4

"가까이 오지 마." 나는 그 남자가 한 걸음을 내딛자 명령하듯 말하고는 한 걸음 물러섰다.

"당신은 대체 누구야?" 그가 의심에 찬 눈빛으로 위협하듯 캐물었다.

야생적인 무성한 갈색 머리카락을 거의 어깨까지 늘어뜨린 그는 30대 초반으로 보였다. 턱수염 면도 자국이 짙게 난 그 얼굴은 놀라우리만큼 매력적이었다. 그는 색 바랜 청바지와 자주색 티셔츠를 입고 있었는데 옷은 물감 자국들로 도배되어 있었고 근육질의 양팔에는 문신이 그득했다.

"내 말에 대답해." 야구 배트를 여전히 무기처럼 움켜쥐고서 그가 명령했다. "당신 여기서 뭘 하는 거야?"

"당신은 여기서 뭘 하는 거지?" 내가 맞받아쳤다. "여긴 우리 엄마 집이야. 당신은 누구야?"

"당신 엄마 집이라고?" 그가 되물었다. 배트를 내려놓는 그의 눈빛에는 놀라움이 가득했다. "로라에게 딸이 있다고?"

"딸이 둘 있어. 하지만 그 사람이 우리 엄마였을 때는 이름이 킴이었지."

"그게 무슨 말인지 ― 이름이 킴이었다고요?" 그가 혼란스러운 듯 물었다.

"우선, 당신이 누군지 말해요."

"케이드 베컴입니다. 아래층에 살고 있어요."

나는 숨을 내뱉었다. "아, 경찰이 말했던 세입자가 당신이군요."

"그래요. 여기 위층에서 누군가 돌아다니는 소리가 들리기에, 그리고 오늘 일어났던 일이 있고 보니, 무슨 일인지 점검해보는 게 좋겠다고 생각했습니다."

"야구 배트가 아니라 총을 들고 왔어야죠. 엄마는 총에 맞았잖아요."

"압니다." 그가 간결하게 말했다. "들었어요."

"하지만 그 일이 일어났을 때 당신은 여기 없었다고요?"

"나는 갤러리에 있었어요. 어머니가 병원에 후송된 지 한 시간 뒤에 여기 왔죠. 경찰이 여기서 조사를 하고 있더군요. 어머니는 어떠신가요?"

"위중하지만 당장은 안정된 상태예요."

"그 정도에 머물고 있다니 천만다행이네요."

"갤러리에 있었다고 했나요?" 내가 물었다.

"나는 화가입니다."

그게 그의 셔츠에 물감이 묻어 있던 이유였던 것이다.

"당신은 이름이 뭔가요?" 그가 이어 말했다.

"브린 랜드리예요." 나는 그가 내게 말한 내용을 그냥 믿어도 되는 건지 어떨지 몰라 이맛살을 찌푸렸다. "신분증 갖고 있나요?"

"당신은요?" 그가 맞받아 물었다.

"있어요."

"좋아요. 그럼 보여줘요." 그는 자기 지갑을 꺼내어 내게 면허증을 건넸다. 거기 있는 이름과 그의 얼굴은 일치했지만, 주소는 아래층이 아니었다.

"당신은 뉴욕에 산다고 되어 있는데요." 내가 지적했다.

"지난달까지 뉴욕에 살았죠. 운전면허증을 아직 바꾸지 못했어요."

"아니면, 이 모든 이야기를 지어냈을지도 모르죠. 그리고 당신은 진짜 아래층에 사는 사람이 아닐지도요."

"그럼 내가 어떻게 열쇠를 갖고 있겠어요?"

"훔쳤을 수도 있죠."

"그러지 않았어요. 당신 신분증을 좀 봅시다."

나는 바이올린을 내려놓고 가방에서 지갑을 꺼내 면허증을 내밀었다.

"카멜이라. 여기서 몇 시간 떨어진 곳이네요. 그렇죠?" 그가 면허증을 돌려주면서 물었다.

"네. 병원에서 엄마가 총에 맞았다는 전화를 받자마자 여기로 운전해 왔어요."

"마음이 아팠겠군요."

"그랬죠. 하지만 그 정도 표현은 약과예요. 난 엄마가 오래전에 돌아가셨다고 생각하고 있었거든요."

놀라움이 그의 눈을 스쳐 갔다. "뭐라고요? 왜요?"

"그랬다고 들었으니까요. 무슨 얘기냐면 이런 거죠. 우리 엄마의 이름은 킴 랜드리였어요. 결혼해서 딸이 둘 있었죠. 20년 전에 엄마는 뉴올리언스에 있는 친구를 만나러 갔는데 허리케인이 그곳을 강타했죠. 엄마는 그 폭풍우 속에서 돌아가셨다고 했어요. 우리는 장례식을 치렀어요. 아빠는 재혼했고요. 우리는 그렇게 살아왔어요. 간호사가 오늘 내게 전화했을 때 난 어떤 착오가 있을 거로 믿었지만, 그게 아니었어요. 로라 호손이 우리 엄마예요. 엄마는 여태까지 다른 이름으로 계속 살아 있었는데 나는 전혀 몰랐던 거예요.”

“미치겠네요.” 그가 중얼거렸다.

“나도 그런 느낌이에요.”

“그 간호사는 어떻게 알고 당신에게 전화한 거죠?”

“엄마가 의식을 잃기 전에 간호사에게 내 전화번호가 엄마의 핸드폰에 있다고, 내게 미안하다고 말해줬으면 한다고 말했나 봐요. 그게 무슨 뜻인지 모르겠지만 말이에요.” 나는 목소리에 쓰디쓴 감정을 숨기지 못하고 그렇게 덧붙였다. 갑자기 감정이 복받쳐왔다. 나는 소파로 비틀비틀 걸어가서 털썩 앉았다.

케이드는 야구 배트를 내려놓고 맞은편 의자에 앉았다. 그의 눈은 내 얼굴에 고정되어 있었다. “숨을 몇 번 깊이 쉬도록 해봐요.” 그가 조언했다.

“가슴이 너무 답답해요.”

“알아요. 자, 한번 해봐요. 들이쉬고 내쉬고, 천천히, 그리고 편안하게.”

나는 그가 하라는 대로 했고, 조금 나아진 기분이 들었다.

“얼굴색이 돌아오고 있어요.” 그가 반가운 듯 말했다. “난 당신이 그 자리에서 금방 기절하는 줄 았었어요.”

“나도 그랬어요.” 나는 또다시 숨을 들이쉬었다. “오늘 일어난 일에 대해서 당신은 뭐라도 아는 게 있나요? 엄마가 총을 맞은 곳이 어디죠? 엄마에게 적이 있었나요? 당신은 엄마에 관해 뭐라도 알고 있어요? 아님, 그냥 집주인일 뿐인가요?” 질문이 쏟아져 나왔다.

“천천히요. 내가 아는 걸 말해 줄게요. 하지만 안타깝게도 별로 많지는 않아요.”

"오늘 일부터, 총격부터 말해봐요."

"내가 집에 온 건 4시쯤이었어요. 거리에 경찰차들이 가득했어요. 이웃 사람 하나가 내게 로라가 보도에서 총에 맞았다고 하더군요. 하지만 어디서 총탄이 날아왔는지는 모르고요. 119에 전화한 사람은 많았지만 응급조치를 하려 한 사람은 몇 명 없었어요. 구조대는 상당히 빨리 온 걸로 알고 있어요."

"알겠어요. 오늘 일어난 일 말고 우리 엄마에 관해 당신은 뭘 알고 있나요?"

"음악가이고 음악을 가르치고 있다는 거요. 예술을 사랑해서 나 같은 화가들을 크게 후원하고 있답니다."

그 작은 정보에 나는 눈을 크게 올려 떴다. "그게 무슨 말이죠?"

"당신 어머니가 몇 년 전에 내 작품을 하나 사겠다고 나를 찾아왔어요. 그렇게 만난 거예요." 그가 벽에 있는 그림을 향해 고개를 까딱했다. "저게 그거예요."

내 시선은 폭풍이 몰아치는 화면으로 옮아갔다. 거대한 파도가 출렁이는 물 위에 까닥거리고 있는 작은 보트가 하나 있고 파란색과 녹색, 그리고 회색이 혼재된 그림이었다. 멀리 보이는 한 점 불빛이 보트를 부르고 있었지만, 보트는 그곳에 이르지 못할 것 같은 느낌이었다. "아름다운 작품이네요. 동시에 불안하고 어둡기도 하고요." 나는 시선을 다시 그에게로 휙 돌렸다. "미안해요. 무례하게 굴 생각은 없었어요."

"저걸 보고 사람들이 딱 그런 느낌을 받기를 바라는걸요. 뭔가 불확실하고, 안정되지 못한, 그런 느낌요."

"정말요? 저 보트는 해안에 도달하게 되나요?"

"당신 생각에는요?"

"난 모르죠. 가끔은 안 좋은 일이 그냥 생기곤 하잖아요. 사람들이 항상 집으로 오는 건 아니고요. 인생은 생존을 위한 전투일 수도 있어요."

"딱 맞는 말이에요."

나는 그 그림을 다시 한번 돌아다봤다. 겹겹이 많은 층이 있는 그림이었다. 볼 때마다 매번 새로운 어떤 것이 보일 것 같은 느낌을 받았다. "당신은 정말 재능이 있네요."

"저건 초기 작품들 중 하나랍니다." 나와 다시 한번 시선이 마주치자 그가 말했다. "지금은 물감과 캔버스를 다른 재료들과 섞는 데 점점 흥미를 느끼고 있죠. 내 작품은 계속해서 진화하고 있어요. 그렇지만 당신 어머니 얘기로 되돌아가서…"

"당신은 엄마가 당신 그림을 구매했을 때 엄마를 만났다고 했죠. 그게 어디였나요?"

"시애틀에서 했던 전시회에서였어요. 한 2년쯤 전이죠. 전시회가 끝난 후 내게 연락해서 저 그림을 사고 싶어 했어요. 폭풍우는 자기 인생에 대한 은유라고 하더군요. 그림을 팔고 나서 우리는 친구가 됐죠. 당신 어머니는 다른 작품들을 보고 싶고, 할 수 있으면 내 활동을 지원하고 싶다고 했어요. 몇 달 전에 이쪽 갤러리에 내 얘기를 해 줬죠. 그들이 내게 전시회를 제안하자 당신 어머니가 내게 그 전시회를 준비하는 동안 아래층을 사용하면 어떻겠냐고 했답니다."

"마음이 넓으신 것 같군요." 나는 이상하게 울분이 터졌다. "그러니까, 당신은 그냥 세입자가 아니로군요?"

"네. 나도 역시 많이 베푸시는 분이라고 생각했답니다. 당신 기억에는 어머니가 예술에 관심이 많았나요?"

"네. 엄마는 주말마다 우리를 박물관에 데려가곤 했어요. 항상 그림과 음악이 있었죠. 어떤 때는 둘이 같이 있기도 했고요. 나는 그림보다는 음악을 더 좋아했어요. 엄마는 바이올린을 연주했고, 나의 첫 선생님이기도 했죠. 엄마가 돌아가신 후 나는 계속 바이올린을 켰어요. 음악이 우리를 연결해 주고 있다고 느꼈거든요." 내 시선은 테이블 위에 놓인 바이올린으로 향했다. "엄마는 여전히 연주를 하고 있는 것 같네요."

"굉장히 재능이 있으시죠." 케이드가 말했다. "전문적으로 연주를 하신 적이 있는지는 모르겠지만 밤늦게 바이올린을 켜는 소리가 자주 들리거든요. 실력이 좋으세요."

"나도 밤에 엄마가 바이올린 켜는 소리를 듣곤 했어요. 정말 아름다운 음률이었죠. 하지만 외로움과 그리움이 느껴지기도 하는 소리였는데…. 적어도 내가 기억하는 소리는 그랬고, 그건 내가 바이올린을 켤 때 느끼는 감정이기도 해요."

"당신도 음악가인 거예요?"

나는 그 질문에 어떻게 대답해야 할지 정말 알 수가 없었다. "때로는요. 엄마가 가족 얘기를 한 적이 있나요?"

"로라는 내게 가족이 없다고 했어요. 그 점이 후회스럽다고, 가족이야말로 이 세상에서 제일 중요하다고 했죠. 당신 어머니가 상당히 슬퍼했기 때문에 난 그 얘기를 계속 끌어가지 않았어요."

그의 말에 나는 화가 났다. "엄마에겐 가족이 있었어요. 엄마가 우리를 멀리 떠난 거죠. 그리고 우리는 엄마 때문에 몹시 슬펐고요. 어떻게 그렇게 우리에게 상처를 줄 수가 있었을까요? 어떻게 남편과 자식들이 자신을 죽었다고 생각하게 만들 수 있었던 거죠?"

그의 표정이 어두워졌다. "모르겠습니다. 당신 아버지는요? 아버지는 뭐라고 말씀하시죠?"

"아직 아빠와 연락이 되지 않고 있어요. 하지만 나와 언니에게 엄마가 돌아가셨다고 한 건 아빠였어요. 나는 아빠가 속은 게 아니었다고도 믿을 수 없어요. 그러나 확실히는 모를 일인 거겠죠." 나는 아버지가 거짓말쟁이일 수 있다는 것 역시 생각하고 싶지 않아서 화제를 돌렸다. "엄마의 친구들은요? 엄마에게 친구가 있었나요? 남자친구는요?"

"사람들이 찾아왔던 적은 몇 번 있어요. 어느 날 이른 아침에 집에서 나가는 어떤 남자와 마주친 적이 있는데, 이름은 모르겠어요. 미안하네요. 당신에게 더 많은 얘기를 해줄 수 있으면 좋을 텐데 말이죠. 어머니 핸드폰 갖고 있나요? 연락처를 볼 수 있다면 거기서부터 시작해볼 수 있을 것 같은데요."

"엄마의 연락처를 봤는데 겨우 몇 개의 전화번호만 있었어요. 좀 이상하게 느껴졌어요. 내 핸드폰에는 수백 개의 전화번호가 있고, 몇 년간 보지 않은 사람들 이름도 있거든요. 연락처가 왜 그렇게 적은 걸까요?"

"모르겠네요."

"엄마의 핸드폰은 아직 경찰이 갖고 있어요. 그들이 모든 사람에게 연락하는 중이에요. 엄마가 총에 맞은 이후 지금까지 경찰은 별로 많은 걸 알아내지는 못한 것 같더군요. 내가 얘기를 나눈 형사 말로는 목격자도 전혀 없고 총을 쏜 사람이 찍힌 카메라도 없대요. 엄마는 그냥 바닥으로 쓰러졌다고 해요. 경찰이 엄마의 학교 관계자를 조사했지만, 엄마가 어떤 협박을 받았을 가능성을 아는 사람은 아무도 없는 것 같아요."

"어쩌면 '묻지 마' 사건인지도 모르죠."

"그린맨 경위는 그렇게 생각하지 않아요. 그는 그 사람이 엄마를 기다리고 있었고, 카메라를 피하는 법을 알고 있었다고 믿더군요."
말을 하면서 나는 내가 케이드보다 더 많은 답을 알고 있다는 사실을 깨달았고, 그래서 잠시 말을 멈췄다. 나는 이 남자에 관해서 아무것도 아는 게 없었다. 엄마가 그와 어떤 사이였는지 나는 알지 못했다. 빌어먹을, 이 사람이 바로 이 건물에서 엄마에게 총을 쏘았을 수도 있지 않은가.

상상력이 극으로 치닫자 불안감이 엄습했다. 나는 마음속으로 진정하자고 되뇌었다. 케이드는 그저 도움을 주었을 뿐이고, 엄마를 아는 사람 중에, 아니 적어도 현재의 그 여자를 아는 사람 중에 내가 얘기를 나눌 수 있는 유일한 사람이었다.

"엄마는 어떤 사람인가요? 성격이라든가, 뭐 그런 건요?" 내가 물었다.

"로라는 상냥한 분이에요. 얼굴에 항상 미소를 띠고 계시죠." 케이드가 말했다. "말을 걸기 편한 분이지만 사생활은 지키는 분이기도 해요. 우리는 한 번도 깊은 대화를 나눈 적은 없어요. 예술에 관한 얘기가 아니라면요. 하지만 그건 당신 어머니의 문제가 아니라 제 개인적인 문제일 뿐이에요." 그는 조금 있다가 말했다. "그분은 죽은 척 위장하고 아이들과 남편에게서 도망칠, 그런 사람으로 보이지는 않는걸요."

"하지만 그랬답니다."

"분명 이유가 있었을 겁니다."

"죽음을 위장한 일을 정당화해 줄 어떤 이유도 나는 상상할 수가 없어요. 하지만 난 엄마가 왜 떠났는지 알아내야 해요." 나는 잠깐 있다가 말했다. "호텔에 가려던 참이었는데, 오늘 밤은 여기 있어야 할지도 모르겠군요."

"당신 어머니는 괜찮다고 하실 게 분명해요. 그렇지 않다면 당신에게 전화하라고 간호사에게 말하지도 않았을 겁니다. 자 그럼, 당신 이야기를 해보는 게 어때요?" 케이드가 물었다. "당신이 카멜에 산다는 건 알고 있어요. 무슨 일을 하나요?"

"언니와 함께 의류 부티크를 운영하고 있어요." 그 사실을 전하면서 나는 내가 제안받은 일자리를, 내 인생의 크나큰 변화가 곧 생기려 하고 있다는 사실을 지난 몇 시간 동안 까맣게 잊고 있었다는 것을 깨달았다.

"당신 언니는 왜 오늘 당신과 같이 오지 않았어요?"

"무슨 일이 일어났는지 언니에게 말하지 않았어요. 언니는 지금 위험성이 큰 임신 초기여서 어찌 된 일인지 알기 전까지는 언니 마음을 괴롭히고 싶지 않았어요. 여기 와서 이 모든 게 착오였다는 걸 알게 되리라 생각했거든요. 그런데 아니에요. 엄마가 살아 있다는 사실에 행복해야 하는데 물음표가 너무 많아요."

"힘든 상황이네요." 그가 말했다.

"당신은 몰라요."

"약간은 압니다. 당신 어머니가 살아 돌아온 것에 관해서가 아니라 부모를 잃는다는 게 어떤 건지를 안다는 점에서요. 네 살 때 아버지가 돌아가셨거든요."

"저런, 안됐네요."

"만약 아버지가 실제로 돌아가시지 않았다는 걸 내가 알게 된다면 뼛속까지 충격을 받을 겁니다." 케이드가 내 눈을 마주 보며 덧붙였다. "이걸 다시 찾은 기회로 생각하는 게 좋을지도 몰라요."

"그렇게 생각하고 싶지만, 솔직히 말해서 다른 어떤 감정보다 분노가 더 치밀어요. 그런 다음엔 죄책감이 들어요. 엄마가 살아 있는 걸 엄청난 기적이라고 내가 생각하지 않는다는 것 때문에 말이에요. 엄마가 20년간 기억상실증에 걸려서 가족을 버리고 떠났다는 걸 모른다면 말이 될지도 몰라요. 그러나 엄마 핸드폰에 내 전화번호가 있는 만큼 그런 일이 있었다고는 생각되지 않는군요." 나는 손으로 머리카락을 쓸어내렸다. "복잡한 일이에요."

"그래요." 그가 맞장구쳤다. "무슨 일인지 알아내게 되겠죠." 그는 야구 배트를 쥐더니 일어섰다. "난 가봐야겠군요. 무슨 문제라도 있으면 아래층에 내가 있을 거예요."

"알겠어요." 나는 일어나서 그를 따라 문 쪽으로 갔다. 희한하게도 나는 그가 나간다는 사실에 낙심하고 있었다. 엄마에 관해 더 많은 얘기를 듣고 싶을 것이었다. 그러나 그는 내가 어떤 걸 더 물을지 마음속으로 정리하기도 전에 가버렸다. 나는 그가 갑자기 서둘러 나가버린 것이 의아했다. 그는 엄마와 자기 사이에 관해 말하는 것이 즐거워 보였었다. 그러고는 바로 갈 시간이 되었다고 했던 것이다.

나는 한숨을 내쉬었다. 아래층에 사는 그 음울하게 잘생긴 남자가 어떤 사람일지 알아내는 일을 차치하고라도 내게는 걱정할 일이 태산이었다. 나는 그의 뒤로 문을 잠그고 거실로 돌아왔다. 책장으로 가서 소설책 수십 권의 제목들을 손가락으로 훑어갔다. 내가 원하는 건 더 개인적인 어떤 것이었다. 사진첩이 있었으면 했다. 일기나 기록이 있었으면 했다. 나는 엄마가 누구였는지, 지난 20년간 무엇을 하고 지냈는지 알고 싶었다. 그러나 책장에는 아무것도 없었다.

나는 책상으로 건너가서 노트북 컴퓨터를 열었다. 핸드폰과 같은 비밀번호를 넣었지만 열리지 않았다. **그러면 너무 쉬운 거겠지**, 나는 그렇게 생각하며 한숨 쉬었다.

다음 행보를 고민하고 있을 때 내 핸드폰이 울렸다. 새엄마 비키였다. "여보세요?" 나는 새엄마가 내게 전화한 이유를 궁금해하며 말했다. 우리는 가족의 대소사가 아니라면 거의 얘기를 나누는 일이 없었다.

"아빠하고 통화했니, 브린?"

"아뇨. 아빠한테 메시지를 남겼지만 전화는 오지 않았어요."

"좋지 않은 일이야. 로스는 화요일부터 내 전화나 문자 메시지에 전혀 답하지 않고 있어. 난 많이 걱정돼. 다니와 스티브도 아빠한테서 소식을 못 들었대. 너희 아빠가 일 때문에 바쁜 건 알지만 보통은 문자 메시지에 답을 하잖아. 특히 너나 다니가 보낸 메시지에는 말이야."

"항상 바로 하시는 건 아니에요." 나는 그녀를 일깨워 주었다. "문자 메시지나 전화에 답하는 데 며칠씩 걸린 적도 있어요. 아빠는 일하고 있으면 그 일에 완전히 매몰돼서 나머지 생활은 잊어버리잖아요."

새엄마는 짜증스럽고 화난 듯한 한숨을 내쉬었다. "뒷전에 남겨지는 건 반갑지 않아."

그건 내가 아는 일이었다. 새엄마는 언제나 많은 관심을 원했다. 그리고 아빠는 대부분 새엄마가 원하는 대로 하는 것 같았다. "내일은 분명 전화하실 거예요."

"아마도 그렇겠지. 난 그냥 뭔가 이상한 기분이 들어. 설명할 수는 없는데 말이야. 그 사람은 최근에… 비밀스러워졌어. 뉴올리언스에 며칠간 다녀온 뒤부터 그래. 나는 그 여행이 나쁜 기억을 되살아나게 한 건 아닐까 생각했어. 너희 엄마가 죽은 후, 일주일 동안 엄마를 찾으려고 애썼던 그때 이후 아빠가 그곳에 간 건 처음이란 말이지."

새엄마에게 엄마가 살아 있다는 말을 할지 말지 마음속에서 싸우다 보니 근육이 팽팽하게 긴장되었다. 그러나 다니나 아빠와 얘기를 나누기 전에 그녀에게 먼저 말을 할 수는 없었다. "새엄마 생각에 우리 부모님은 행복했나요?" 나는 대신 이렇게 물었다.

수화기 건너편에서는 잠깐 말이 끊어졌다. "이상한 질문이네. 당연히 두 사람은 행복했지. 서로를 아주 사랑했단다." 새엄마는 잠깐 있다가 말했다. "나는 로스가 킴을 사랑했던 식으로는 결코 나를 사랑할 수 없다는 걸 항상 알고 있단다. 하지만 그건 괜찮아. 나도 너희 엄마를 사랑했으니까 말이야. 그녀가 죽었을 때 내 마음은 처참했었다."

나는 엄마가 돌아가시지 않았다고 외치고 싶었다. 그러나 새엄마가 내게서 그 말을 처음 듣는 사람이 되어서는 안 되었다. "저 가봐야 해요. 제 생각에 아빠는 분명 괜찮으실 거예요."

"아빠가 네게 전화하면 나한테 말해주겠니? 내게 연락하라고 아빠에게 부탁해 줄래?"

"그럴게요." 나는 약속한 다음 전화를 끊었다. 아빠가 모든 사람과 연락을 끊고 있었다는 사실에 나는 마음이 불안했다. 아빠는 어쩌면 뭔가를 알았을 것이다. 아빠가 그냥 일에 정신이 팔려있는 거였으면, 그래서 우리 중 한 사람에게 곧 전화를 해줬으면, 하고 나는 바랐다.

나는 핸드폰을 손에 들고 계단을 올라가 엄마의 침실로 갔다. 작은 드레스룸으로 들어가서 엄마의 옷들을 봤다.

옷걸이에 걸린 윗옷과 원피스를 쭉 훑어가다가 나는 숨이 턱 막혔다. 몇몇 옷에는 가격표가 그대로 붙어 있었는데 그 가격표에 낯익은 로고가 보였다. … **두 자매 부티크였다.**

엄마는 우리 가게의 옷을 갖고 있었다. 온라인에서 주문했을 것임이 분명했다. 엄마가 가게 안에 있었다는 건 상상할 수가 없었던 것이다. **하지만 어떻게 우리 가게를 알았을까?**

엄마가 웹사이트에 갔다면 다니와 나를 소개하는 부분을, 우리가 왜, 그리고 어떻게 그 회사를 시작했는지를 읽었을 것이다. 비록 그건 사실 다니가 회사를 시작했던 이유일 뿐이지만 말이다. 나는 그냥 '두 자매'의 '두' 부분을 채워야 해서 거기 있는 것이었다.

나는 또다시 감정이 복받쳐 오르는 것을 느끼면서 덜덜 떨며 숨을 들이쉬었다. 나머지 옷들을 살펴 가자 그 새 옷들 말고 오래된 윗옷과 원피스들이 나타났다. 선반의 맨 끝에 두꺼운 빨간 스웨터가 있었다. 옛날의 기억이 머릿속에 섬광처럼 떠올랐다. 엄마는 떠나던 날 그 스웨터를 입고 있었다. 엄마는 나를 꼭 안아줬었다. 그래서 나는 엄마의 품이 얼마나 부드럽고 따뜻했는지 기억하고 있었다.

나는 그 스웨터를 선반에서 끄집어 내려서 얼굴에 꼭 눌러보았다. 엄마가 제일 좋아하는 향수에서 나는 치자 향을 여전히 맡을 수 있었다. 수년간 내게 위안을 주던 향이었다. 눈물이 차올랐다. 너무 버거웠다. 이 모든 건 너무 버거운 일이었다.

나는 스웨터를 침실로 가져가서 침대에 누운 다음 그 스웨터로 내 몸을 감쌌다. 감정을 너무 많이 쏟아낸 나머지 지친 느낌이었다. 나는 눈을 감았다. 어둠이 나를 감싸자 엄마의 두 팔이 나를 감싸 안고 있다는 생각이 들었다. 내가 어린아이였을 때 나를 안아주던 그 느낌이었다.

나는 그것만은 생각해도 된다고 마음속으로 말했다. 다른 모든 것은 기다려야만 하는 것이었기에….

5

한밤중에 개 짖는 소리에 나는 잠이 깼다. 일순간, 나는 내가 어디 있는 건지 몰랐다. 극심한 공포가 밀려들었지만, 방의 가구들이 눈에 들어오자 있었던 모든 일이 기억났다. 개 짖는 소리가 점점 거세지자 나는 침대 속에서 몸을 웅크렸다. 개의 주인은 어디 있는 걸까 의아했다. 나는 창밖을 내다보려고 얼른 침대를 빠져나왔다. 그때 바깥에서 쾅 하는 커다란 소리가 들렸다.

잠시 뒤 어떤 사람의 형상이 집 옆으로 달아나는 것이 보였다.

나는 빠르게 방망이질 치는 가슴을 안고 핸드폰을 가지러 아래층으로 뛰어 내려갔다. 바보같이 핸드폰을 아래층에 두고 왔던 것이다. 나는 핸드폰을 거머쥐고 현관문을 향했다. 문 옆에 있는 창문 틈으로 바깥을 유심히 살폈지만 아무도 보이지 않았다. 그리고 개는 잠잠해져 있었다.

그때 다른 문이 열리는 소리가 들리더니 케이드가 보도 쪽으로 걸어갔다. 그는 맨발에 웃통도 벗은 상태로 검정 트레이닝 바지를 입고 있었다. 현관문을 열었더니 문 옆에 화분이 뒤집어져 산산조각 나 있는 것이 보였다.

케이드가 뒤를 돌아봤고 출입구에 있던 나를 발견했다. "괜찮아요?" 그가 집 쪽으로 돌아오면서 물었다. "난 당신이 여기 있는지 호텔로 간 건지 반신반의하고 있었어요."

"여기 계속 있었어요. 잠들어 버렸거든요." 내 시선은 화분으로 옮겨갔다. "누군가 현관에 있었어요. 집 안으로 들어오려고 했는지 몰라요."

그의 입술이 음울하게 굳어졌다. "그러느라 말도 안 되게 시끄러웠군요." 그는 손으로 헝클어진 머리카락을 훑으면서 중얼거렸다. 피곤한 눈빛이었다. "그렇지만 들어오지는 못했네요."

"그래요." 나는 여전히 쿵쿵거리는 심장 소리를 들으며 말했다. "옆집 개가 짖기 시작했거든요. 그래서 겁을 먹고 도망간 것 같아요."

"그 소리에 깼답니다."

"나도 그랬어요." 나는 그의 눈을 마주보았다. "이건 엄마와 관련된 게 분명해요. 그렇죠?"

"그런 것 같아요." 그가 중얼거렸다.

"경찰에 전화해야겠어요."

그는 아래층으로 가서 자기 집 문을 닫고는 다시 계단을 올라와서 집으로 들어왔다.

나는 경찰에 전화를 걸어 비상 배치 담당자에게 누군가 집에 침입하려 했다고, 그리고 이 일은 그 전에 일어난 총격과 관련된 것일 수 있다고 말했다. 담당자는 경찰관을 보내 건물을 점검하겠다고 했다.

"사람이 온대요." 나는 케이드에게 말했다. "하지만 아무도 발견하지 못하겠죠. 그 사람은 달아났어요. 어둠 속에서 어떤 형상을 봤는데 모습이 제대로 보이지 않았어요. 남자인 것 같았지만 그것조차 확실히는 말 못하겠어요."

"경찰이 주위를 둘러보고 보고서를 작성해서 당신 어머니 사건을 담당하는 형사에게 무슨 일이 일어났는지 알리겠죠. 누군가 여기로 침입하려 했다면, 그들이 원하는 뭔가가 있는 게 틀림없어요."

내 시선이 그의 시선을 붙들었다. "어떤 종류의?"

"난 모르죠. 집을 한번 둘러봤어요? 뭐 특이한 거라도 본 건요?"

"나한테만 특이한 건 있었어요. 엄마는 언니와 내가 하는 부티크에서 산 옷들을 갖고 있었어요. 새 옷들이었어요. 가격표가 달려 있었거든요. 엄마가 우리 가게에 들어왔을 리는 없어요. 우리가 알아봤을 테니까요. 그러니까 엄마는 그 옷들을 온라인에서 구매한 게 틀림없어요." 나는 머리카락을 귀 뒤로 넘겼다. "미안해요. 당신이 물은 건 이게 아닌데 말이죠. 어쨌거나 나는 옷들을 보고 피곤해져서 엄마 침대에 누웠어요. 다른 건 찾아보지 않았어요."

"음, 아직 시간이 있어요. 내가 도울게요." 그가 제안했다.

"정말요? 피곤하지 않아요?"

"난 내일쯤으로 생각하고 있는 건데요." 그가 고쳐 말했다.

"아, 그러죠." 창문을 통해 불빛이 번쩍이는 게 보였다. "경찰이 왔어요."

나는 문으로 가서 여성 경관을 안으로 들어오게 했다. 나는 그녀에게 일어난 일을 말했고 그사이에 그녀의 동료가 집 주변과 정원을 둘러봤다. 그는 몇 분 뒤에 돌아와서 옆쪽 문 잠금장치가 부서져 있고 누군가 뒷문에 뭔가를 억지로 끼워서 열려고 한 것으로 보인다고 했다. 그는 화분이 깨져 있던 현관문에서도 동일한 흔적을 찾아냈다.

나는 엄마의 도어록이 침입을 거뜬히 차단할 정도로 튼튼했던 것으로 보여서 안심하기는 했지만, 그런 내용을 듣고 보니 기분이 나아지지 않았다.

"이 내용을 그린맨 경위에게 보고하겠습니다." 그 여성 경관이 말했다. "경위님은 아마 아침에 당신을 면담하려 하실 거예요."

"와주셔서 감사합니다." 내가 말했다.

"천만에요." 그녀가 대답했다.

그들이 집에서 나가자 나는 그들을 뒤로하고 문을 잠그고서 다시 한번 케이드를 향해 돌아섰다. "당신은 자러 가고 싶겠죠."

"당신은 뭘 하려고요?" 그가 물었다.

나는 머뭇거렸다. "난 호텔로 가야 할 것 같아요."

"지금은 한밤중인데요."

"근처에 어디라도 있겠죠."

"아주 가까운 곳에는 없어요."

"그러면 여기 그냥 있을 수도 있겠군요. 지금 다시 누가 오지는 않을 거로 생각되는데, 안 그래요?"

"아마도요. 내가 손님 방에서 있을 수는 있어요. 그렇게 해서 당신 마음이 좀 더 놓인다면요. 누가 침입하려고 하면 나를 거쳐 가야 할 거예요."

"그들이 총을 갖고 들어오면 당신을 통과할 수 있죠." 나는 이 말을 하지 않을 수가 없었다. 비록 그가 근육으로 다져진 관능적인 가슴팍에 문신이 그득한, 만만찮은 외모의 남자라는 점은 인정해야만 했지만 말이다. 나는 입술을 훔치면서 억지로 시선을 그의 얼굴로 다시 보냈다. 그를 옆에 있게 하는 것은 미친 짓일지도 몰랐다. 그러나 나는 혼자 있고 싶지 않았다. "그렇게 말해줘서 고마워요." 내가 말했다. "당신이 여기 있어도 난 괜찮을 것 같아요."

"그럼 내가 여기 있을게요."

서로를 응시하자 나는 새로운 류의 긴장감을 의식하게 되었다. 내 인생을 더 복잡하게 만들 필요는 없었다. "그럼 난 위층으로 갈게요." 내가 말했다.

"잘 자요."

"잘 자요." 나는 재빨리 복도를 따라 걸어가서 위층으로 올라갔다. 엄마의 침실로 들어가서 나는 문을 잠그고 핸드폰을 침대 옆 탁자에 놓았다. 그리고 다시 한번 침대에 누웠다. 잠시 후 나는 빨간 스웨터를 움켜쥐고 그 속에 몸을 파묻었다.

나는 두려웠고 외로웠다. 내게는 다니가 필요했다. 엄마가 필요했다. 누군가가 필요했다. 그러나 최소한 내게는 아래층에 케이드가 있었다. 나는 그에 관해 아무것도 알지 못했다. 하지만 엄마는 그를 자기 집에 살도록 할 만큼 그를 잘 알았다. 엄마는 신뢰하지 않는 사람을 가까이 있게 할 사람이 아닐 것이다. 그러니까 나도 역시 그를 신뢰해야만 했다. 내가 실수를 하는 것이 아니기를 나는 바랐다.

나는 잠이 전혀 올 것 같지 않다고 생각했지만, 어느 순간 잠들어 버렸다. 잠에서 깼을 때는 커튼 사이로 햇빛이 들어오고 있었고 시계는 8시 반을 가리키고 있었다. 나는 침대에서 얼른 빠져나와 핸드폰을 손에 쥐고 문을 열었다. 그리고 계단을 내려갔다. 집은 너무나 고요했다. 주방에 다다르자 커피 향이 풍겨 왔다. 실제로, 커피가 커피포트에 가득했다. 그리고 그 옆에는 손으로 쓴 메모가 있었다.

일하러 갑니다. 필요하면 전화해요. 케이드.

그는 자기 전화번호도 남겨 놓았다. 나는 고마움을 느꼈다. 거의 알지도 못하는 남자에게 이토록 강한 유대감을 느낀다는 것이 은밀하고도 야릇해서 이상하고 낯설기는 했지만 말이다. 그러나 그러고 보면 어제 오후 내 전화벨이 울린 그 순간부터 일어난 모든 것이 낯

설고 불편했다.

　나는 머그잔에 커피를 채웠다. 한 모금씩 마실 때마다 기분이 조금씩 나아지고 마음이 차분해졌다. 새로운 하루였다. 태양이 빛나고 있어 한결 나았다. 태양이 내게 내가 발을 내디딘 이 비밀과 거짓의 세상을 비출 한 줄기 빛을, 조금의 통찰력을 줄지도 모른다.

　커피를 들고서 나는 집을 한 바퀴 돌았다. 모든 것이 정돈된 상태인 것 같았다. 현관문의 걸쇠가 풀려 있었지만 그건 분명 케이드가 집을 나선 어느 시점부터였을 것이다. 그걸 보자 그가 나를 깨워서 다시 잠글 수 있도록 해야 했다는 생각이 들었다. 그러나 최소한 아래의 도어록은 여전히 무탈했다. 나는 걸쇠를 걸고 다시 주방으로 가서 냉장고를 열었다. 그러고 보니 어제 점심시간 이후로 아무것도 먹은 게 없었다. 엄마의 냉장고는 차곡차곡 채워져 있었는데 잘라 놓은 과일 그릇과 그릭 요거트가 나를 불렀다.

　아침을 먹으면서 나는 문자 메시지를 확인했다. 다니는 오늘 치과 예약이 있어 일찍 자리를 비워야 한다며 자기 대신 자리에 있어 주기를 원했다. 그건 분명 내가 할 수 없는 어떤 일이었다.

　레이가 보낸 문자 메시지가 그다음이었다. 언니와 어떻게 얘기가 됐냐고 묻는 것이었다. 그걸 보자 다니와 그 얘기를 해야 했지만 아직 못 하고 있다는 게 생각났다.

　하지만 다니에게 엄마가 살아 있다는 말을 한 후 어떻게 그걸 의논한단 말인가? 나는 내 꿈이 서서히 멀어져 가는 것을 느낄 수 있었고 그건 사실 그렇게 놀랄 만한 일도 아니었다. 나는 꿈꾸던 일이 실현되려는 순간이면 그걸 포기하게 하는 어떤 일이 일어나곤 했었다. 그게 내 인생사였다. 다니와 내가 최고로 행복한 생일 파티를 하고 난 바로 다음에 엄마가 돌아가셨을 때부터 시작된 일이었다. 좋은 일이 있으면 항상 나쁜 일이 뒤따랐던 것이다. 나는 오래전에 그걸 터득한 바 있었다.

레이에게 답장해야 하는 시한은 아직 며칠 더 남아 있었다. 먼저 해야 할 일부터 해야 한다.

나는 핸드폰을 꺼내 들고 다니의 전화번호를 눌렀다.

"응," 다니가 말했다. 기분 좋은 목소리였다. "내 문자 메시지 봤어? 오늘 오후에 가게 볼 수 있지?"

"아니, 안 되겠어."

"왜 안 돼? 제프랑 약속 있는 거니?"

"아니."

"그럼 뭐가 문제야, 브린?"

나는 이미 변한 다니의 말투를 들을 수 있었다. 다니는 내가 자기 계획대로 움직이지 않는 것을 좋아하지 않았다.

"브린," 다니가 조급하게 말했다. "무슨 일이 있는 거야?"

"많은 일이 있어." 나는 말했다. "너무 많아서 어디서부터 얘기를 시작해야 할지 모르겠어."

내 말 뒤로 침묵이 이어졌다. 조금 있다가 다니가 말했다. "아빠 때문이야? 새엄마가 오늘 아침에 내게 전화했어. 새엄마는 아빠가 바람을 피운다고 생각해."

"그래서 전화한 건 아니야."

"그럼 말해." 다니는 초조한 듯 말했다. "무슨 일이 됐건, 그냥 말해."

"만나서 이 얘기를 할 수 있으면 좋을 텐데."

"그럼 만나자. 넌 어디 있어?"

"만날 수가 없어. 난 샌프란시스코에 있어." 나는 갑자기 메말라 버린 입술을 적시며 그냥 계속 말하자고 마음속으로 생각했다.

"샌프란시스코라고? 도대체 거기서 뭘 하고 있는 거야?"

"어제 네가 진료하러 가고 난 후에 전화를 한 통 받았어. 여기 시내 어떤 병원의 간호사에게서 온 전화였어."

"어머나, 세상에! 아빠야? 아빠한테 무슨 일이 생긴 거야?"

나는 정말로 다니가 추측을 그만두도록 해야 했고, 그건 내가 바로 그 얘기를 해야 한다는 뜻이었다. 나는 폭탄을 던져야만 했다.

"그 전화는 엄마에 관한 거였어." 내가 말했다.

"엄마라고?" 다니가 되물었다. "엄마가 왜?"

"엄마는 20년 전에 돌아가신 게 아니었어, 다니. 어제 엄마가 샌프란시스코에 있는 자기 집 밖에서 총에 맞았어. 간호사는 내게 엄마를 보고 싶다면 바로 와야 한다고 했어." 내 말은 침묵으로 이어졌다. "다니? 거기 있어? 내 말 들었어?"

"들었다고 생각되지 않아. 넌 말이 안 되는 소리를 하고 있어, 브린."

"엄마는 돌아가시지 않았어. 여태까지 계속 살아 있었다고."

"그건 불가능해. 착오가 있는 게 틀림없어." 다니가 느릿느릿 말했다.

"병실로 들어가서 엄마를 보기 전까지는 나도 똑같이 그렇게 생각했어. 그 사람은 의식이 없었지만, 엄마였어. 우리 엄마였다고. 하지만 지금 엄마는 위중한 상태야. 의식이 돌아올지 모르겠어."

"이해가 안 돼."

"나도 마찬가지야. 하지만 엄마는 다른 이름으로 살고 있었어. 엄마는 지난 20년 동안 다른 사람으로 살아온 거야. 엄마는 샌프란시스코에 집을 갖고 있어. 음악 학교에서 일하고 있고. 그리고 엄마 핸드폰에는 내 전화번호가 있었어. 엄마가 간호사에게 내게 전화해 달라고, 미안하다고, 우리를 사랑한다고 말해달라고 했어."

"죽은 걸로 위장해서 미안하다고?"

"그냥 미안하다고만 했어."

"그래서 그 간호사는 내가 아니라 네게 전화해야 하는 거였고?" 목소리에 상처가 묻어 있었다.

"엄마한테는 네 번호가 없었어. 결혼하면서 네가 이름을 바꿔서 그런 것 같아."

"그렇지만 네 전화번호는 있었다고? 그리고 엄마가 너한테 전화하라고 했다고?"

"엄마가 정확히 어떤 말을 했는지 난 몰라. 넌 엉뚱한 데 초점을 맞추고 있어. 엄마가 살아 있지만, 겨우겨우 살아 있단 말이야. 머리와 어깨에 총을 맞았어. 엄마는 의식이 없어."

"누가 그랬어?"

"경찰은 모르는 상태야. 하지만 그들은 '묻지 마' 사건이라고는 믿지 않아. 내가 경찰서에 가서 경위에게 엄마가 20년간 다른 인생을 살아왔다고 하자 그는 엄마가 숨어 산 데는 이유가 있을 것이고 그것 때문에 엄마가 추적당한 게 아닌가 의심스러워했어." 나는 잠깐 말을 중단했다. 항상 말이 많은 다니가 질문을 더 많이 해댈 것으로 생각해서였다. 그러나 다니는 말이 없었다. "난 아빠에게 전화했어." 내가 말을 이었다. "아빠는 전화를 받지 않았고, 내가 중요하게 할 말이 있다고 했음에도 전화해 주지도 않았어."

"아빠에게 엄마가 살아 있다고 말했어?"

"아니. 문자 메시지로 그런 말을 하고 싶지는 않아."

"내가 어제 전화했을 때 왜 얘기하지 않았어?"

"넌 진료 중이었고 행복해하고 있었잖아. 난 그런 기분을 앗아가고 싶지 않았어. 그 사람이 엄마라는 걸 확실히 알기 전에는 말이야."

"알았어. 너는 지금 어디 있는 거야?" 다니가 물었다.

"엄마 집이야. 경찰이 엄마 가방을 줘서 주소를 알았고 열쇠도 갖게 됐어. 뭔가 답을 찾을 수 있을 거로 생각했어."

"찾았어?"

"아직은."

"나한테 문자로 주소를 보내줘. 가게를 봐줄 사람을 찾는 대로 바로 갈게."

"넌 그냥 기다리는 게 맞을 수도 있어, 다니. 일이 어떻게 되어가는지 내가 말해줄 수 있어. 난 네가 스트레스받지 않았으면 좋겠어."

"그러기엔 너무 늦었지." 다니가 잘라 말했다. "그리고 내 눈으로 엄마를 봐야겠어."

"형부랑 같이 올 수 있어?"

"오늘 재판이 있어."

"네가 여기로 혼자 차를 몰고 오는 거 싫어. 형부도 그건 원하지 않을 거라고 난 생각해."

"아니, 이건 너나 스티브가 결정할 문제가 아니야. 난 갈 거야. 넌 어제 내게 얘기했어야 해."

"난 네 저녁을 망치고 싶지 않았던 거야. 사랑해, 다니."

"나도 널 사랑해." 다니는 잠시 말을 멎었다가 말했다. "역시 네 말이 맞을지도 모르겠다. 난 샌프란시스코로 가지 말아야 하는지도. 네가 그냥 집에 와야 하는 걸지도 몰라. 엄마는 20년간 우리를 떠나 있었어. 자기 인생에서 우리를 원하지 않았던 거라고, 브린. 넌 엄마에게 아무것도 갚아야 할 게 없어."

"난 무슨 일이 있었던 건지 알아야겠어. 왜 엄마가 우리를 떠났는지 알아내야 해. 하지만 나 혼자 할 수 있어." 나는 혼자서 그 일을 하고 싶지는 않았다. 그러나 나는 정말로 언니를 보호하고 싶었다.

또다시 긴 침묵이 이어졌다. "아니, 내가 갈 거야. 그런데 브린, 넌 정말 진실을 알면 상황이 나아질 거로 생각하는 거니?"

"더 나빠질 상황은 없어." 내가 말했다. 하지만 전화를 끊고서 나는 과연 그게 사실일지 의문스러웠다.

6

다니와 말을 나눈 뒤 나는 머그잔에 커피를 새로 채우고 주방을 정리했다. 그런 다음 병원에 전화했다. 몇 분 뒤 나는 엘리자베스 라이커 박사와 연결되었다. 그녀는 말이 빠른 예리한 여성으로서 의학 용어를 많이 섞어 썼는데 나로서는 거의 이해되지 않는 말들이었다.

"그냥 어머니가 회복될지 아닐지, 오늘 깨어날지 아닐지 말씀해 주실 수 있을까요?" 그녀가 드디어 한숨을 돌리자 나는 이렇게 물었다.

"어머니는 앞으로 24시간 더 진정 상태로 있게 될 겁니다." 그녀가 대답했다. "우리는 어머니의 상태를 면밀하게 관찰 중이고 향후의 치료와 진단에 관한 추가적인 결정은 내일 내릴 수 있게 되길 희망하고 있습니다."

"희망하신다고요?" 나는 그 한 단어를 낚아채며 물었다. "그건 어머니가 회복될 거란 뜻인가요?"

"더 단정적인 말은 할 수가 없네요. 하지만 어머니는 잘 버티고 있고, 그건 좋은 일입니다."

"알겠습니다. 감사합니다. 이따가 제가 어머니를 뵈러 가겠습니다." 통화를 끝마치고 나서 나는 어쩔 줄 몰라 하며 주방 조리대를 손가락으로 두드렸다. 그런 다음 내 여행 가방을 가지러 차로 나갔다. 전날 너무 서둘러 집을 나섰던 까닭에 나는 뭐가 필요할지, 얼마나 오래 머물게 될지 정확히 알지 못한 상태로 되는 대로 아무 옷이

나 가방 속에 던져 넣었던 것이다. 인제 보니 짐을 많이 챙겨 넣은 것 같아 다행스러웠다. 이제는 언제 떠나게 될지 모르기 때문이었다.

집에서 나왔을 때 트럭이 여전히 진입로에 있는 것이 보였다. 차고 문이 두 개 있기는 했지만 나는 그게 케이드의 차일 것이라 짐작했었다. 어쩌면 엄마의 차일 수도 있었다. 엄마가 트럭을 몬다는 건 이상하게 여겨졌다. 하지만 그러고 보면 내가 엄마에 관해 정말로 아는 것은 무엇이었던가?

길을 따라 내려가다 보니 보도에 검붉은 얼룩이 있는 것을 보였다. 나는 곧바로 그것이 피라는 것을, 엄마의 피라는 것을 알았다. 나는 부지불식간에 걸음을 멈추고 이쪽저쪽 돌아봤다. 어디서 총을 쏜 건지 궁금했던 것이다. 엄마가 총에 맞은 형태와 총알이 튀어 나간 방향으로 판단하면 경찰은 생각하는 바가 분명 있었을 것이다. 그러나 그렇다면 그들이 내게는 그걸 알려주지 않았음이 확실했다.

좋은 동네였다. 한두 가구로 구성된 3층짜리 건물이 대부분이었다. 분명 모든 집이 비쌀 것 같았는데, 엄마가 어떻게 이런 집을 산 건지 의아했다. 음악 교사의 급여는 그리 많지 않을 테니까 말이다. 풀어야 할 의문이 또 하나 더 생긴 셈이었다.

차 트렁크를 열었을 때 바로 길 건너편 집에서 누군가 창문으로 나를 보고 있는 것이 언뜻 보였다. 그러더니 커튼이 닫혔다. 아무 일도 아닐 터였지만 어젯밤 사건 이후 나는 불안감을 느끼고 있었다. 엄마가 병원에 있는 틈을 타서 누군가 분명 집 안으로 침입하려 했던 것이다. 조심해야 했다.

나는 작은 여행 가방을 꺼내고 차를 잠갔다. 그런 다음 서둘러 집으로 돌아갔다. 다니에게 어딘가 다른 곳에서 만나자고 해야 할 것 같았다. 하지만 다니는 왜 그래야 하냐고 끝도 없이 물을 것이고 끝에 가서는 엄마가 사는 곳을 보고 싶어 할 것이었다.

집 안으로 돌아와서 나는 짧게 샤워를 했다. 더 서둘러 샤워를 마친 것은 엄마의 샴푸에서 딱 엄마 같은 냄새가 나서 감정이 더욱 고조되었기 때문이었다. 오래 샤워를 하면 엉엉 울게 될 것 같아서 나는 성큼 밖으로 나와서 짙은 색 청바지와 크림색 스웨터를 입었다. 경계심이 한층 더 강해져서 일을 실행할 준비가 된 느낌이 들었다. 어떤 걸 할지 고민 끝에 나는 집을 나서서 엄마가 근무했던 학교로 향했다.

그린맨 경위는 교장과 얘기를 나눈 바 있었다. 나는 같은 일을 해야 했다. 또한 나는 엄마가 지내던 곳을 보고 싶었다. 나는 핸드폰으로 그 학교에 관한 정보를 빠르게 검색해서 그곳이 오디션을 통해 입학한 400여 명의 학생들로 구성된 음악, 무용, 연극 전문 공립 특수목적 고등학교라는 것을 알게 되었다. 직원 중 일부의 사진이 웹사이트에 있었는데 로라 호손은 거기 없었다. 엄마가 일부러 그런 것이 아닐까 하는 생각이 들었다.

학교에 도착해서 나는 방문객 주차 공간에 차를 세우고 정문으로 들어가서 행정실로 갔다. 복도에 음악 소리가 부드럽게 울리고 있기는 했지만, 학교 안은 조용했다. 금요일 아침 9시가 지난 시간이었기에 모든 학급이 수업 중인 것이 분명했다.

학교 행정실장인 날카로운 눈매의 나이 든 여성이 무슨 일이냐는 듯한 눈길을 보냈다. "어떻게 오셨나요?"

"저의 어머니인 로라 호손에 관한 일로 교장 선생님을 뵙고 싶습니다."

여성의 눈이 휘둥그레졌다. "로라의 따님이라고요? 그녀에겐 자식이 없는 걸로 알고 있었는데요."

"딸이 둘 있고, 제가 그중 한 명입니다. 제 이름은 브린 랜드리입니다."

"미안해요. 난 몰랐어요. 우리는 모두 로라 때문에 매우 상심해 있고 그녀가 회복되기를 기도하고 있답니다."

"감사합니다. 교장 선생님을 뵙고 싶은데요."

"지금 시간이 되시는지 제가 보고 오겠습니다." 실장은 자리에서 일어나서 뒤쪽에 있는 문으로 사라졌다. 그녀는 잠시 뒤에 돌아왔다. "헌트 선생님께 지금 가시면 됩니다."

나는 모퉁이를 돌아서 그녀를 따라 복도를 걸어가서 넓은 사무실로 들어갔다. 안쪽 정원을 향해 창들이 나 있는 방이었다.

교장은 실장보다 훨씬 젊었고 붉은 머리에 갈색 눈의 40대 초반 정도로 보이는 여성이었다. 그녀는 일어나서 내 손을 잡았다.

"어머니 일은 정말 애석합니다." 그녀가 말했다. "저는 조앤 헌트라고 합니다."

"브린 랜드리예요."

"저를 보자고 하신 이유는요, 랜드리 씨?"

"저는 어머니의 삶에 관해 알아보려 하고 있습니다. 그런데 여기서 근무하시는 걸로 들어서요."

"그렇습니다. 어머니는 이 학교에 10년간 재직하고 계세요." 조앤은 골똘히 생각하는 눈빛이었다. "딸이 있다는 얘기는 들은 적이 없는데요."

"어머니는 20년 전에, 저와 언니가 일곱 살 때 저희 곁을 떠났습니다."

그녀의 눈에 충격의 빛이 감돌았다. "저는 몰랐습니다." 그녀가 중얼거렸다.

"어머니에게 자식이 있는 줄 몰랐다고 하신 게 저의 첫 번째 물음에 대한 대답인 것 같군요."

"그녀는 제게 가족이 없다고 했습니다."

"어머니는 저희를 떠나면서 그걸 기정사실로 만든 것 같네요." 나는 쓰디쓰게 말했다. "어쨌거나, 교장 선생님께서는 어머니를 10년간 보신 거죠?"

"아뇨. 저는 이곳에 온 지 이제 3년 되었습니다. 하지만 우리는 아주 친밀하게 함께 일해왔어요. 그녀는 훌륭한 음악 교사입니다. 자기 소질을 잘 몰랐던 아이들에게서 눈부신 재능을 끌어내 주곤 했죠."

또다시 억울한 마음이 요동쳤다. 엄마는 나와 언니를 제외한 모든 사람을 북돋워 주고 보살펴 줬던 것이다. 엄마는 케이드의 예술 활동을 후원했고 학교에서 일하면서 아이들이 자신들의 열정을 추구하도록 격려했다. 그러나 다니나 내게 엄마는 등을 돌린 것밖에는 아무것도 해준 것이 없었다.

한편으로 나는 문밖으로 나가서 그냥 가버리고 싶었다. 그러나 또 다른 내 마음은 여전히 모든 것을 알고 싶었다.

"어머니에게 혹시 적이 있었는지 아시나요?" 내가 물었다. "어머니를 괴롭힌 사람은요? 친구나 동료와 어떤 문제가 있었다고 말씀하신 적은요?"

조앤은 연민을 담은 눈빛으로 나를 봤다. "경찰이 제게 똑같은 질문들을 했어요. 그 모든 것에 대한 대답은 '모른다.'입니다. 로라는 학교나 집에서 어떤 문제가 있었다고 말한 적이 없습니다. 제가 다른 직원들에게 물었더니 그들은 다 같은 말을 했어요. 누가 보든지 그녀는 행복한 사람이었습니다."

"그럼 어머니는 독신인가요? 어머니에게 누군가 있었나요?"

"미안합니다. 저는 모르겠어요."

"어머니는 여기서 오래 일했어요. 좀 더 많은 걸 알지도 모르는 다른 교사가 있을까요?"

"그린맨 경위의 요청으로 제가 주변에 두루 물어봤습니다. 그에게 몇몇 사람들을 알려줬으니까 그가 더 조사하고 있었을 거예요. 그와 얘기하셔야 할 것 같습니다. 저보다는 그가 당신에게 더 많은 걸 말해줄 수 있을 거예요."

"그와 얘기해 보겠습니다. 하지만 저는 단지 어제 어머니께 일어난 사건만큼이나 어머니가 어떤 사람인지, 무엇을 좋아하는지, 취미가 뭔지도 알고 싶은 거랍니다. 저희를 떠난 후 어머니가 어떤 사람이 되었는지 알고 싶달까요."

"음, 그게, 가만있자," 조앤은 잠깐 있다가 말했다. "당신 어머니는 정말 멋진 바이올리니스트이자 피아니스트예요. 목소리가 아름다운 분이고요. 가끔, 학생들의 반주에 맞춰 노래를 부르시곤 했죠. 이곳 학교에서는 굉장히 적극적인 분이에요. 분기마다 콘서트를 개최하고 계시고요. 내일 밤에 하나가 열리거든요. 어제 어머니는 그 콘서트 리허설을 하고 계셨어요." 조앤의 목소리가 사그라들었다. "아이들은 이 사건 때문에 모두 큰 충격을 받은 상태예요. 우리는 콘서트가 있기 전에 당신 어머니를 위한 촛불 기도를 하려고 해요. 오시고 싶으면 오세요. 아이들이 어머니를 위하는 마음을 보여주고 싶어 하니까 오시기 제일 나은 시간일 것 같아요. 물론, 우리는 어머니가 그때쯤에는 더 회복되길 바라고 있습니다."

"말씀 고맙습니다."

"아마도 콘서트에는 관심이 없으시겠지만, 어머니가 어떤 걸 만들어냈는지 보면서 콘서트장에 자리해 주신다면 우리로서는 대환

영이에요."

"어머니가 준비한 걸 보고 싶네요. 저도 어머니에게서 바이올린을 처음 배웠답니다." 내가 말했다. "어머니 덕분에 그 악기를 사랑하게 됐죠. 어머니가 떠난 이후 저는 매일매일 바이올린을 켰어요. 사실 꽤 잘하게 되었고요. 다음 달에는 오케스트라에서 연주하게 될 거예요." 나는 말을 중단했다. "죄송해요. 제가 왜 이런 얘기를 했는지 모르겠어요."

조앤은 눈에는 동정하는 눈빛이 가득했다. "지금은 힘든 상황이죠. 한 가지는 제가 확실히 말씀드릴 수가 있어요. 로라는 좋은 사람이에요. 과거에 그녀에게 어떤 일이 있었는지는 모르지만, 학교에서 그녀는 모든 사람에게 아주 관대한 분이랍니다. 어떤 문제가 있으면 항상 제일 먼저 나서서 돕곤 하지요."

"네, 그렇다고 알게 되니 반갑네요." 조앤이 설명한 배려심 많은 사람은 내가 알고 있던 엄마와 정확히 맞아떨어졌다. 그러나 바로 동일한 그 여자가 자기 남편과 자식들을 버렸던 것이고 나는 그 이유를 아는 데까지 단 한 발짝도 다가가지 못했다.

종이 울리자 조앤이 일어섰다. "저는 가봐야 할 것 같습니다."

"말씀 나눠 주셔서 감사합니다. 내일 촛불 기도 때 뵙겠습니다. 아마도 그때 다른 교사들과 얘기해 볼 수 있겠죠."

"그럼요."

교장실에서 걸어 나오다가 나는 학교에서 나오는 한 무리의 아이들 속에 갇히는 형국이 되었다. 계단을 내려가니 바깥에서 즉석 공연이 벌어지고 있었다. 나는 노래하고 춤추는 소리를 들으려고 잠깐 멈춰 섰다. 너무나 어리고, 너무나 자유롭고, 희망과 낙관으로 가득 찬 아이들이었다. 그 모습을 보니 내가 천 년을 산 사람같이 느껴졌다.

엄마가 우리 곁에 계속 있었다면 어땠을까, 엄마가 이 아이들을 도 왔던 것처럼 내 음악을 도왔다면 어땠을까 하는 생각을 멈출 수가 없었다. 그랬다면 나는 경영학을 전공하거나 언니와 함께 의류 부티 크를 운영하는 쪽으로 가지 않았을지도 몰랐다. 어쩌면 벌써 유명 오 케스트라의 제1 바이올리니스트가 되었을지도 몰랐다.

나는 고개를 내저었다. 나는 그쪽 길로 갈 수가 없었다. 나는 방향 을 돌려 주차장을 향했다. 그때 어떤 남자가 나를 멈춰 세웠다. 그는 검은 머리에 피부가 황갈색으로, 정장 바지와 회색 모직 코트를 입고 있었다. 50대일 것 같아 보였다.

"실례합니다." 그가 말했다.

"네?" 나는 경계하며 물었다.

"빤히 쳐다봐서 미안합니다만 당신은 내가 아는 어떤 사람과 너무 나 똑같이 생겼군요."

"로라 호손 말씀이신가요?"

"그렇습니다. 친척인가요?"

"네. 그분은 제 어머니예요."

"어머니라고요? 정말요?" 그는 놀란 목소리로 물었다. "그녀에게 딸이 있는지 몰랐어요."

"처음 듣는 말이 아니에요." 나는 한숨을 쉬며 말했다. "엄마의 친 구분이신가요?"

"그래요. 그녀에게 무슨 일이 생겼는지 들었답니다. 여기로 와서 뭐라도 아는 사람이 있는지 봐야겠다고 생각했어요. 여기 학교에 근 무하는 사람들과 제일 친한 걸로 알거든요."

"그 사람들은 아는 게 별로 없는 것 같아요."

"당신은요?" 그가 물었다. "어머니 상태가 어떤지 말해줄 수 있나요?"

"엄마는 생사의 갈림길에서 싸우고 있어요. 그게 제가 아는 전부예요."

"경찰은 누가 그랬는지 아나요? 누군가 대낮에 그녀에게 총을 쐈다는 사실을 믿을 수가 없어요. 온라인을 들여다봤지만 아무런 내용도 찾지 못했답니다."

"저는 아무것도 모른답니다. 죄송해요." 내 핸드폰이 진동했다. 나는 가방에서 핸드폰을 꺼내서 다니에게서 온 문자 메시지를 봤다. 다니는 엄마의 집에서 20분 거리에 있었다. 나는 곧 만나자고 답 문자를 보냈다. "미안합니다만, 저는 가봐야 해요. 성함이….'

"해리슨입니다." 그가 말했다. "마크 해리슨. 어머니가 아무 문제 없길 바랍니다."

"저도요." 나는 말을 멈추고 호기심 어린 시선으로 그를 쳐다봤다. "어머니를 어떻게 아세요?"

"우리는 몇 달 전에 여기 학교에서 만났답니다. 내 의붓딸이 여기 다니고 있어요. 딸이 당신 어머니를 좋아해요. 자기가 만나본 선생님 중 최고라고요."

"다들 그런 것 같네요." 나는 이런 엄마의 모습을 아는 모든 사람에게 또다시 질투심이 꿈틀거리는 것을 느꼈다.

"아주 솔직하게 말하자면," 그가 말을 이었다. "난 단지 그녀의 학생 중 한 명의 의붓아버지이기만 한 건 아니랍니다. 어머니와 몇 번 데이트하기도 했어요."

"데이트하고 계신다고요?" 나는 놀랐고, 그에 관해 한층 더 궁금해졌다. 그는 준수하게 생긴 나이 지긋한 남자로서 피부색과 검은 머리, 그리고 검은 눈으로 보아 스페인이나 이탈리아 사람, 아니면 여러 나라 혈통이 섞인 것 같기도 했다.

마크가 미소를 지었다. "우리 나이에 그런 걸 데이트라고 해야 할지는 확실히 모르겠지만, 우리는 저녁을 먹고 영화를 보러 가곤 했어요."

"제가 듣기로는 데이트 같군요. 얼마나 오랫동안 교제하신 거죠?"

"몇 주 됐어요. 그냥 서로를 알아가기 시작하는 중인데 지금 이런 일이. 난 충격에 빠져 있답니다. 누가 어머니를 쐈을까요?"

"전 상상할 수가 없어요. 엄마가 자기를 성가시게 하거나 협박하는 사람이 있다는 얘기를 한 적은 없었나요?"

"단 한마디도요. 그녀에겐 친구들이 많아 보였고, 그녀는 사소한 불만을 갖고 괴로워하지 않는 사람이에요. 드라마 같은 인생을 추구하지 않죠. 그게 내가 높이 사는 점이에요."

딱 우리 엄마였다. 나는 언젠가 엄마가 아빠에게 자기는 비키를 좋아하지만 비키가 남에 대한 소문을 떠들기를 너무 좋아하고 분란을 자주 일으키는 건 정말 싫다고 말하는 걸 들은 적이 있었다. 당시에 나는 그게 무슨 뜻인지를 정말 알지는 못했으나, 나이가 들어가고 새엄마인 비키를 점점 알게 되면서 엄마 말의 근거를 알 수 있었던 것이다.

"경찰은 용의자가 있나요?" 마크가 물었다.

"제게 말해준 바로는 없어요."

"저런, 이 일을 저지른 사람이 누구든 경찰이 찾을 거라고 난 확신해요."

"그러길 바라요. 가능하시면 그린맨 경위와 얘기해 보시는 게 좋겠어요. 제가 알기로, 그 경위는 엄마의 친구들과 얘기하고 싶어 하거든요."

"그의 전화번호가 있나요?"

"네." 나는 핸드폰을 꺼내 그에게 전화번호를 알려주었다. "그렇게 해주신다면 감사하겠어요. 경위는 가능한 한 많은 도움이 필요할 거예요."

"내가 아는 게 많지는 않지만, 아는 걸 공유하게 된다면 좋겠죠. 어머니의 면회는 가능한가요?"

"그건 잘 모르겠어요. 어머니는 위중한 상태예요. 그러니까 제 생각엔 안 될 것 같아요. 아마 가족만 가능할 거예요."

그는 입술을 굳게 다물고 눈빛이 어두워지면서 고개를 내저었다. "그래요, 어머니 안부를 내가 물었다고 전해주세요. 그리고 가능하게 되면 바로 보러 가겠다고요."

"엄마가 깨어나면 그렇게 하겠습니다. 지금은 의식이 없어요."

"안타깝네요. 좋은 소식이 들리기를 기대하고 있었는데 말이죠. 어머니를 위해 기도하겠습니다."

기도가 좋은 결과를 낳는 것을 한 번도 본 적은 없지만, 나는 그 말을 거부할 생각은 없었다. "감사합니다. 만나 봬서 반가웠어요, 해리슨 씨."

"마크라고 불러 주세요. 당신 이름을 못 들었네요."

"죄송해요. 저는 브린이에요. 브린 랜드리."

그는 고개를 끄덕였다. "당신 어머니가 내게 딸이 있다는 걸 말하지 않았다는 게 아직도 믿기지 않네요. 오랫동안 어머니를 보지 못했다고 했는데, 이유가 뭔가요?"

"제가 어릴 때 헤어지게 됐어요." 나는 그 이야기 전부를 또다시 하고 싶지 않아서 그렇게 말했다.

"저런, 난 로라가 아무 문제 없을 거라고 믿습니다." 마크가 자신

있게 말했다. "그녀는 강한 여자예요. 당신은 어머니를 되찾을 겁니다."

"그러길 바랍니다." 나는 인사를 하고 서둘러 주차장을 향해 갔다. 내 차에 거의 다 왔을 때 길을 가로질러 걸어가는 어떤 남자가 눈에 들어왔다. 아는 사람 같았다. 그가 고개를 돌렸을 때 나는 헉 하고 탄식했다.

심장이 방망이질 쳤다. 내가 틀렸어야 했다. **아빠일 수는 없었다. 아빠가 샌프란시스코에, 엄마가 일하던 학교에 있을 수는 없었다.**

나는 뒤늦게야 그 길을 향해 갔지만 그 남자는 사라지고 없었다.

비슷한 사람을 보고 내가 상상한 것이어야 했다. 나는 아빠 생각을 하고 있었으니까 말이다. 그래서 아빠를 봤다고 생각했던 것이다. 그러나 아무리 머릿속으로 합리화해도 그런 합리화를 믿기가 어려웠다.

본 것은 본 것이었다. 나는 핸드폰을 꺼냈다. 문자 메시지나 음성 메시지는 없었다. 아빠는 왜 내게 전화하지 않았던 걸까? 여기 샌프란시스코에 있었기 때문일까? 아빠는 엄마가 총에 맞았다는 것을 알았을까?

그 형사의 말이 머릿속에 울려 퍼졌다. **당신 어머니에게는 아마도 당신과 당신 아버지를 떠나야 할 이유가 있었을 겁니다.**

아빠가 엄마에게 상처를 줬다는 건 말도 안 되는 일이었다. 두 사람은 언제나 서로를 너무나 사랑했었다. 그건 이치에 맞게 느껴지지 않았다.

하지만 더 이상 뭐가 이치에 맞는지 내가 알기라도 한 것일까?

나는 차로 돌아와서 안에 탔다. 내게 필요한 건 집으로 가서 언니를 만나는 거였다. 내 인생에서 내가 전적으로 신뢰할 수 있는 한 사람과 얘기를 나누는 게 필요했다.

하지만 학교에서 멀어지면서 나는 아빠에 대한 의문을 거둘 수가 없었고, 아빠가 샌프란시스코에, 죽은 것으로 알려져 있던 아내가 지금 일하는 곳에 나타나게 될 타당한 이유를 하나도 생각할 수가 없었다.

7

다니는 내가 엄마의 집 앞에 주차한 지 30초 만에 그 거리에 차를 몰고 왔다. 나는 손을 내저어 진입로를 가리켰다. 다니는 트럭 옆에 주차를 하고 차에서 내렸다. 우리는 서로의 품 안으로 달려들어 몇 번씩 한참 동안 부둥켜안기를 되풀이했다. 예전에도 수도 없이 그랬던 것처럼. 우리는 힘을 내기 위해, 그리고 희망을 간직하기 위해 항상 서로에게 의지해 왔다. 내게는 바로 지금 그 두 가지가 다 필요했다.

마침내 우리는 서로 떨어졌다. "너 괜찮아?" 다니가 물었다. 다니의 눈은 내가 말하지 않을지도 모르는 진실을 찾아 내 얼굴을 탐색하고 있었다.

나는 다니에게는 절대로 거짓말을 할 수가 없었다. "아니. 눈곱만큼도 괜찮지 않아." 나는 눈을 깜박여 눈물을 떨구었다. "네가 와서 정말 기뻐."

"처음부터 내가 여기 있었어야 해. 넌 내게 말을 했어야 해, 브린. 네가 제일 먼저 전화를 건 사람은 나였어야 했다고."

"어쨌든, 지금 여기 왔잖아. 나는 너 말고는 아빠한테만 전화했을 뿐이고 아빠와는 얘기조차 하지 못했어."

"제프에게 말했잖아. 오늘 아침에 너랑 얘기한 직후에 그 사람이 집에 왔어. 네가 걱정된다고 했어. 그리고 자기는 아무 말도 하면 안 되는데 그래도 그런 큰 비밀을 내게 숨길 수는 없었다고 했어."

나는 분노가 치밀었다. "그 사람은 너한테 그런 말할 권리가 없어. 내가 그에게 말하지 말라고 했어. 그와는 끝이야."

"바보같이 굴지 마. 그 사람은 걱정이 되었던 거야."

"그는 내게 약속하고서 그걸 어긴 거야. 약속을 지키지 못하는 사람은 내 인생에 한 명이면 족해."

다니의 눈빛이 짜증에서 근심으로 바뀌었다. "제프 얘기는 그만하자."

"엄마는 다른 인생을 살았어, 다니. 우리 엄마는 자기를 사랑하는 사람들이 있고 엄마도 그 사람들을 사랑한 것 같아. 그들 중 누구도 우리 얘기는 들은 적도 없어. 엄마는 떠나면서 우리를 자기 인생에서 지워버린 거야. 엄마는 가버렸고 두 번 다시 우리를 생각하지 않았어." 다니의 눈에 야릇한 그림자가 스쳐 갔다. 나는 인상을 썼다. "왜 그래?"

"아무것도 아니야." 다니가 재빨리 말했다. "안으로 들어가자. 난 엄마 집을 보고 싶어."

다니가 내게 말하지 않고 있는 것이 있었다. 그러나 나는 진입로에서 말을 나누고 싶지는 않았다. "그래. 따라와."

"저긴 누가 살고 있어?" 다니가 아래층으로 가는 문을 가리키며 물었다.

"케이드 베컴이라는 사람. 화가야. 엄마는 그의 작품을 몇 년 전에 알게 돼서 이 지역 갤러리에서 전시회를 열 수 있도록 도와줬어. 그가 시내에 있는 동안 저 집에서 지내게 해줬고."

"넌 그 사람에 대해 많은 걸 알고 있는 것 같네."

"우린 어제 만났어." 나는 현관문의 잠금장치를 풀어서 열었다. "그는 내가 이 집에 무단 침입했다고 생각했고 나도 마찬가지로 생각했어. 하지만 그런 뒤에 그의 사연을 들었던 거야." 다니가 내 말에 귀를 기울이지 않고 있다는 것을 깨닫자 내 목소리는 잦아들었다. 다니는 주변을 둘러보고 엄마의 흔적을 찾느라 정신이 없었다. 내가 처음 왔을 때 그랬던 것처럼. "사진 같은 건 전혀 없어." 내가 말했다. "하지만 욕실 샴푸에서 엄마 냄새가 나."

"세상에." 다니는 숨을 내쉬며 내게 화난 눈빛을 보냈다. "그런 얘기를 왜 나한테 하는 거야?"

"넌 그 사람이 진짜 엄마인지 알고 싶은 거잖아. 이 집을 보고서는 알 수 없을 거야. 그렇지만 그 사람을 보면 알게 돼."

다니는 복도를 걸어갔고 나는 그 뒤를 따라갔다. 나는 다니가 바이올린을 집어 드는 걸 지켜봤다. "엄마는 여전히 연주하는 것 같네."

"맞아. 엄마는 예술 고등학교에서 음악을 가르치고 있기도 해. 모두들 엄마를 좋아해. 특히 아이들이. 엄마는 그 아이들이 열정을 추구하고 훌륭한 음악가가 되도록 독려해주고 있었어. 아이들을 격려해 주고 싶은 그 간절한 마음이 우리에게는 이르지 않았던 거지."

다니는 바이올린을 소파 테이블에 내려놓았다. "난 엄마가 우리를 완전히 잊었다고는 생각하지 않아, 브린."

그 말에 나는 깜짝 놀랐다. "무슨 이유로 그렇게 말하는 거야? 엄마는 죽은 걸로 위장했어, 다니. 그게 충분히 인식이 안 되나 봐. 네게는 나만큼 이 상황을 받아들일 시간이 없었으니까 그렇겠지. 하지만 엄마는 20년 동안 기억상실증에 걸렸던 게 아니야. 엄마는 기억을 잃었던 게 아니라고. 다른 인생을 살기로 선택한 거지. 엄마는 로라 호손이라는 이름으로 된 신분증을 갖고 있어. 신용카드, 은행 계좌, 그리고 이 집이 있고." 나는 손을 허공에 휘저으며 말했다. "엄마는 직업도 있고 북클럽 회원이기도 해. 마크 해리슨이라는 이름의 남자와 사귀고 있는 것 같았어. 내가 학교에서 그 사람을 만났어.”

“정말이야? 엄마가 누군가와 사귄다고?”

“그래. 그리고 엄마는 그 사람에게 우리 얘기를 한 번도 한 적이 없어. 교장이나 동료들, 아래층에 사는 남자에게도 말하지 않았어.”

“넌 정말 화났구나, 브린.”

“그래. 넌 왜 안 그래?” 이상야릇한 눈빛이 다시 한번 다니의 눈을 스쳐 갔다. “내게 말하지 않고 있는 게 뭐야, 다니?”

다니는 머뭇거렸다. “난 그냥 엄마가 우리를 잊었다고 생각하지는 않는다는 거야. 그게 다야.”

“무슨 근거로?”

“모르겠어.”

나는 다니의 말을 믿지 않았다. “알고 있잖아. 나한테 말해.”

그녀는 내 눈을 다시 보더니 입술을 훔쳤고, 그리고 말했다. “내 생각에… 엄마를 한 번 봤다는 생각이 들어.”

그녀의 말에 나는 또 한 번 충격을 받았다. “엄마를 봤다고 생각한다니, 그게 무슨 뜻이야? 언제 그랬다는 거야?”

“고등학교 졸업식 때. 넌 머리를 다듬으러 가고 없었어. 난 무대로 나갈 준비를 하며 줄을 서 있었고, 옆에는 많은 사람이 무리 지어 서 성거리고 있었어. 사람들 사이를 둘러보다가 멀리 한쪽 구석에, 나무 밑에 어떤 여자가 있는 걸 봤어. 그 여자가 나를 보고 있었는데, 그런데 —”

“그게 엄마였어?” 나는 믿을 수가 없어서 물었다.

“우리는 한순간 눈이 마주쳤어. 그리고 그때 누군가 우리 사이로 지나갔고, 그래서 그 여자를 더는 볼 수가 없었어. 사람들이 다 지나가고 났을 때 그 여자는 사라지고 없었어."

나는 놀라서 다니를 쳐다봤다. "왜 내게 말하지 않았어?"

"난 그게 내 상상이었다고 생각했어."

"다니," 나는 호흡을 가다듬었다. "뭐라도 말을 했어야지."

"그게 사실인지조차 모르는 상황에서 네 마음을 뒤집어 놓을 말은 하고 싶지 않았어. 넌 어젯밤에 전화했을 때 내게 말하지 않았잖아." 그녀는 내게 그 사실을 일깨웠다. "마찬가지 일이었어."

"그렇지 않아. 넌 임신 중이잖아. 넌 힘든 일을 겪어왔고 스트레스 없이 지내야 한단 말이야. 나는 고등학교 때 그런 어떤 문제도 없었어. 그 일을 감당할 수 있었을 거라고."

"그건 아마 엄마가 아니었을 거야. 설령 그랬다 하더라도 그 여자는 순식간에 사라졌어."

"엄마가 지금 살아 있다는 걸 안 이상 난 그게 엄마였다고 확신해." 나는 다니가 맞았다는 생각이 들어 말을 멈췄다. 우리 엄마는 우리를 완전히 잊은 것이 아니었다. "엄마는 위층에 있는 옷장 속에 우리 가게 옷들도 갖고 있어. 가격표가 붙어 있는 옷들이야. 분명 온라인에서 주문했을 거야."

"정말이니? 엄마가 우리 옷을 갖고 있어?"

"그래. 설마 우리 가게에서도 어느 날 엄마를 봤다고 말하는 건 아니겠지?"

"아니, 당연히 아니야. 엄마가 우리 옷을 샀다는 걸 믿을 수가 없어." 다니는 당황스러운 듯 고개를 내저었다. "아빠는 어쩌면…."

"아빠는 왜?" 나는 다니가 말을 끝내기도 전에 물었다.

"그냥 아빠는 뭔가 알고 있지 않을까 궁금한 것뿐이야."

"나도 그래. 졸업식장에서 엄마를 봤다고 생각한다는 말을 아빠에게 했어?"

"응. 아빠는 그냥 나를 꼭 안아주며 엄마가 하늘에서 내려다보고 있을 거라고 했어. 엄마의 영혼은 나와 함께 있다고. 난 유령을 본 게 아니라고, 진짜 사람을 봤다고 했어. 아빠는 내가 잘못 본 거라고, 그냥 그러길 바랐던 거라고 했지. 난 엄마가 살아 있다는 걸 아빠가 안다고는 생각하지 않아."

"난 잘 모르겠어. 오늘 좀 전에 엄마 학교에서 아빠를 봤다고 생각했어. 그 사람은 내가 미처 따라가지 못한 사이에 사라졌어. 나도 속으로 아빠를 상상했다고 생각했지만 그런 것 같지 않아. 아빠가 샌프란시스코에 있다는 생각이 들어."

다니의 눈이 휘둥그레졌다. "가능할 것 같지 않은 일이야."

"이 시점에서는 뭐든지 가능해." 나는 숨을 내쉬었다. "경찰은 엄마의 과거가 엄마를 추적해 찾은 게 아닐까 의심한다고 내가 말했잖아. 엄마를 추적한 게 아빠라면 어쩌지?"

"아빠가 엄마에게 총을 쐈을 리는 없어." 다니가 말했다. "세상에, 브린. 어떻게 그런 생각을 할 수가 있어?"

"난 그렇게 말하진 않았어. 그렇지만 아빠가 우리 전화에 답을 안 하는 게 이상하잖아. 우린 아빠와 얘기해야 해, 다니."

다니가 자기 핸드폰을 꺼냈다. "내가 다시 전화해 볼게."

"뭐라고 할 거야?"

"모르겠어. 생각해 보자." 다니는 핸드폰의 스피커를 켰다. 신호음이 네 번 울리더니 음성 사서함으로 넘어갔다. 다니는 얼굴을 찌푸리더니 말했다. "아빠, 저 다니예요. 전화해 주세요. 급한 일이에요. 뭔가 지독히도 잘못된 일이 있어요. 브린과 전 아빠와 얘기를 해야 해요."

전화를 끊고 우리는 다시 한번 시선을 마주했다. 살면서 수없이 그랬던 것처럼 우리는 같은 생각을 하고 있는 것 같았다.

"아빠가 우리한테 전화하지 않고 있다는 이유만으로 아빠에게 무슨 잘못이 있다고 할 수는 없어." 다니가 말했다.

"아빠가 무슨 잘못이 있는 게 아니면 좋겠어. 난 이 모든 게 다 착오이길 바라지만, 그런 게 아니야."

"엄마를 봐야겠어, 브린."

"알아. 하지만 괜찮겠어? 난 스트레스 때문에 너나 아기가 다치는 게 싫어."

"난 괜찮을 거야. 내가 널 항상 돌봐 왔잖아. 안 그래?"

"그랬지." 다니는 항상 강한 쪽이었는데, 지금 그런 강인함이 보여서 나는 안도했다. 내게도 그런 힘이 이입되는 게 필요했다. "네가 내 옆에 있으니까 이 일을 헤쳐 나가는 게 훨씬 쉬울 거야."

"그럼 병원에 가서 엄마를 보자. 그런 다음 우린 카멜로 돌아가는 거야."

나는 다니를 놀란 눈으로 쳐다봤다. "엄마를 그냥 보고 떠날 수는 없어."

"여기서 우리가 뭘 할 건데?" 다니가 도전적으로 말했다.

"진실을 밝혀야지. 진실을 알게 되면 상처받을 거라고 네가 생각한다는 건 알아. 하지만 난 이미 상처받고 있어. 난 무슨 일이 있었는지 알아야 해."

"20년 전 일이야. 그리고 엄마가 깨어나지 못하고 돌아가신다면 엄마의 비밀도 함께 묻히게 될 거야."

나는 다니의 강한 눈빛을 마주 봤다. "어쩌면 그래서 누군가 엄마를 쏜 건지도 모르지. 그들의 비밀을 지키려고."

"만일 그랬다면, 우리가 절대로 하지 말아야 할 일이 그 비밀을 찾아내려 하는 거야."

"다니 —"

그녀는 한 손을 들어 올렸다. "그 일은 나중에 얘기하자. 난 엄마의 얼굴을 보기 전까지는 결정할 수가 없어."

8

우리는 막 정오가 되려 할 때 병원에 도착했다. 그린맨 경위와 몇 몇 보안 요원들을 비롯하여 여러 사람이 간호사실 주위에 모여 있었다.

"뭔가 안 좋은 일이 있나 봐." 나는 다니에게 말했다.

"무슨 말이야?" 다니가 물었다.

내가 대답할 틈도 없었다. 그린맨 경위가 대화를 나누고 있던 보안 요원을 놔두고 우리를 향해 걸어왔던 것이다.

"랜드리 씨, 막 전화하려던 참이었습니다." 그의 시선이 내게서 다니에게로 옮겨가더니 눈이 휘둥그레졌다. "잠깐만요. 두 사람이 있는 건가요? 어젯밤에 저와 얘기한 사람은 누구죠?"

"그건 저예요." 내가 말했다. "이쪽은 제 언니, 다니예요. 무슨 일이 있는 건가요? 왜 여기 와 계세요? 우리 엄마는 괜찮은가요?"

"1시간 전에 누군가 당신 어머니를 공격했습니다."

"뭐라고요?" 내가 충격을 받고 물었다. "어떻게 그런 일이 있을 수 있죠?"

"그 남자는 수술복을 입고 의료용 두건을 쓰고 마스크를 하고 있었어요." 형사가 대답했다. "간호사가 병실로 들어갔을 때 그는 기계의 연결을 끊으려 하고 있었습니다. 그는 간호사를 밀치고 달아났어요. 다행히도, 어머니의 상태는 달라지지 않았습니다. 지금 어머니의 병실에 경호 요원을 배치하는 중입니다."

딱딱 끊어지는 그의 짧막한 단어들은 머릿속에 제대로 입력되지 않았다. 그러나 한 가지는 분명했다. 어제 엄마를 살해하려 했던 사람이 누구든, 그는 하려던 일을 끝내려고 오늘 다시 왔다는 것이다.

"'묻지 마' 사건이 아니었군요." 내가 중얼거렸다.

"그렇습니다." 그가 단호하게 말했다.

"이해가 안 되네요." 다니가 끼어들었다. "이 모든 사람이 주위에 있는 여기 이 병원에서 누군가 엄마를 죽이려 했다고요? 그 사람은 어떻게 빠져나갈 수가 있었죠? 경비가 있잖아요. 카메라들이 있고요."

"네, 하지만 얼굴을 가리고 있었기에 그자를 식별하기가 어렵습니다. 그는 뒤쪽 계단을 통해 건물을 빠져나가서 주차장으로 사라졌습니다. 그러나 우리는 막 수사를 시작하고 있습니다. 우리는 그자를 찾을 겁니다."

"엄마에게 총을 쏜 사람과 동일 인물이라고 생각하시나요?"

"그게 제가 추측하는 바입니다." 그가 눈을 찌푸렸다. "제가 또 수하 경관에게서 듣기로는 어젯밤에 어머니 집에 문제가 있었다고 하더군요."

"문제라고요? 무슨 문제요?" 다니가 나를 날카롭게 쳐다보며 물었다.

"누군가 바깥에 있었어요." 내가 말했다. "현관에 있는 화분이 엎어져 있었고요. 안으로 들어오려 했지만 그렇게 하지 못한 것 같았어요. 다른 건 다 말짱했어요."

"도어록을 바꾸고 당신은 어디 다른 곳에 묵어야 합니다." 형사가 말했다. "무슨 일이 벌어지고 있건 간에 아직 끝난 게 아니에요."

"저는 엄마와 교제하고 있는 마크 해리슨이라는 사람과 얘기를 나눴어요. 그에게 경위님 성함과 전화번호를 줬습니다. 그가 전화하겠다고 했어요. 그는 엄마 학교의 학부모예요."

"고맙습니다."

"우리가 지금 엄마를 봐도 되나요?" 내가 물었다.

그는 고개를 끄덕이고 우리를 복도로 데리고 내려가서 경호 요원에게 안내했다. 그런 다음 말했다. "제가 연락드리죠. 그동안 우리는 어머니의 안전을 위해 할 수 있는 모든 일을 다 하겠습니다."

"감사합니다." 나는 문을 열고 안으로 들어갔다.

다니는 안에 들어오자 걸음을 멈췄다. 그 눈에 어린 극심한 공포를 나는 볼 수 있었다.

"너 괜찮아, 다니? 넌 이렇게 하지 않아도 돼." 내가 말했다.

"해야 하는 일이야. 다만 하고 싶지 않을 뿐이지." 다니는 턱을 치켜들고 숨을 들이쉰 다음 말했다. "좋아, 이제 됐어."

내가 다니의 손을 잡았고, 우리는 함께 병상으로 다가갔다.

엄마는 어젯밤과 똑같은 모습이었다. 1시간 전에 일어난 일이 무엇이었건 간에 눈에 보이는 변화는 전혀 없었다. 엄마는 움직임 없이 창백했고 생기가 없었다.

"진짜 엄마구나." 다니가 입속말로 중얼거렸다. "지금까지 내내 내 속의 어떤 나는 네가 잘못 알았다고 생각하고 있었어."

그 말에 나는 기분이 상했지만, 우리 엄마가 돌아가신 게 아니라 그냥 자취를 감춘 것이라는 진실을 받아들이기가 얼마나 어려운지 나 역시 알고 있었다.

다니가 나를 향해 얼굴을 돌렸다. "엄마가 깨어날 거라고 생각해?"

"오늘은 아니야. 엄마의 뇌가 회복될 수 있도록 엄마를 진정시키고 있다고 의사가 말했어. 하지만 엄마는 잘 버티고 있으니까 희망을 품어야 해."

"이 사람이 엄마라는 게, 혹은 누군가 엄마를 죽이려 했다는 게 난 아직도 믿기지 않아."

"두 번이나." 내가 말했다. "엄마에게는 어떤 어두운 비밀이 있는 게 틀림없어. 그래서 우리를 떠나신 걸 거야. 엄마는 우리가 위험에 빠지는 걸 원치 않으셨어."

"그게 최선의 이유겠지. 하지만 진짜 이유가 아닐지도 모르고."

"알아. 하지만 난 엄마가 우리를 사랑했다고, 우리를 잊지 않았다고 믿고 싶어."

다니는 입술을 깨물었다. 눈에는 눈물이 그득 고여 있었다.

"왜 그래?" 내가 물었다.

"이건 내 잘못이야."

"네 잘못이라고? 왜 그런 말을 해?"

다니의 눈에 죄책감이 스쳐 지나갔다. "졸업식에서 있었던 일을 너한테 전부 얘기한 게 아니야."

나는 위가 뒤틀렸다. "내게 말하지 않은 게 뭐야?"

"내가 그 여자, 나무 아래 서 있는 여자를 봤을 때 그 사람이 내게 손을 흔들었어. 자기한테 오기를 원하는 것처럼 말이야. 그렇지만 난 너무 두려웠어. 나는 고개를 돌려버렸어. 그 사람은 나를 계속해서 쳐다봤지. 나는 그 사람을 쳐다보지 않았어."

나는 다니의 말에 배신감을 느꼈다. 다니는 내 제일 친한 친구이자 언니였고 나의 다른 반쪽이었는데 이 세월 동안 내게 엄청난 일을 숨기고 있었던 것이다. "그게 다야? 그 얘기를 할 때마다 점점 더 많은 얘기가 나올 것 같아서 그래." 나는 화난 목소리로 말했다.

"너한테 말하지 않았던 건 너를 보호하고 싶어서였어, 브린. 엄마가 돌아가셨을 때 넌 너무나 슬퍼했어. 몇 주 동안 울었잖아."

"너도 그랬어."

"너 같지는 않았어. 너는 엄마가 제일 아끼는 딸이었어. 나보다 엄마와 공통점이 더 많았고."

"그건 사실이 아니야."

"네겐 음악이 있었지. 난 엄마와 공유한 게 하나도 없었어."

"난 우리가 어땠는지 거의 기억나는 게 없어, 다니. 하지만 기억하는 건 엄마가 우리를 둘 다 사랑했다는 거야." 나는 잠시 말을 중단했다. "그러니까, 내게 사실대로 말해 줘. 졸업식장에서 넌 그 사람이 엄마라는 걸 알았던 거야?"

"난 그 사람이 엄마일 리가 없다고 생각했어. 그건 아빠도 마찬가지였고. 아빠는 내게 내가 엄마를 그리워해서 엄마가 거기 있기를 바란 거라고 했어."

"나한테 말을 했어야지."

"난 네 마음을 아프게 하고 싶지 않았어. 지금도 그래. 나는 네가 나와 함께 오늘 카멜로 돌아가야 한다고 생각해."

나는 곧바로 고개를 가로저었다. "아직은 돌아갈 수 없어. 우린 아직 무슨 일이 벌어진 건지 모르잖아."

"누군가 엄마를 죽이려 한다는 건 알지. 어젯밤에 그 집에 누군가 침입하려 했다는 걸 내게 말했어야지. 너는 계속 혼자 있었잖아. 네가 다칠 수 있었단 말이야."

"아무튼, 나도 너를 걱정시키고 싶지 않았어. 케이드가 밤에 있었으니까 나 혼자 있었던 건 아니야."

"케이드라고?"

"아래층 남자."

"누가 침입하려고 한 일이 있고 난 뒤에 모르는 어떤 남자를 밤에 있게 했단 말이야?" 다니가 믿지 않는다는 듯 물었다. "넌 무슨 생각을 했던 거야?"

"한밤중에 일어난 일이었고 난 무서웠어." 나는 잠깐 있다가 말했다. "엄마는 케이드를 신뢰했어."

"그건 네가 모르는 일이야."

"엄마는 그의 작품 활동을 지원하고 있었어. 그가 갤러리에서 전시회를 열도록 해주셨다고. 엄마는 아래층에 그 사람을 살도록 했어. 그를 신뢰한 게 분명해."

"난 모르겠어." 다니는 모호하게 말했다.

"어쨌든, 내가 아는 건 어제뿐만 아니라 20년 전에도 엄마에게 무슨 일이 있었는지 알기 전까지는 카멜로 돌아가지 않으리라는 거야."

"그건 너무 위험해, 브린. 형사가 한 말 들었잖아. 넌 엄마 집에 있으면 안 된다고 했어."

"그럼 난 호텔 방을 얻을 거야. 하지만 샌프란시스코를 떠나지는 않아. 아직은 안 돼."

"미쳤어. 네가 여기 그냥 있는 건 안 돼. 가게에는 네가 필요해. 엄마는 네 인생을 뒤집어 놓을 자격이 없어. 넌 더 큰 그림을 생각할 필요가 있어."

"오늘은 떠날 수 없어." 나는 다니에게 새로운 일을 제안받았다는 걸, 나의 장기적인 계획을 말해야 한다는 걸 알고 있었다. 그러나 다루어야 할 너무나 많은 다른 일들이 있었기에 그 말을 차마 입 밖에 낼 수가 없었다.

"네가 여기 있으면 난 네 걱정을 하게 될 거야." 다니가 우겼다. "그리고 난 너와 같이 있을 수가 없어. 우리 아기를 위험에 처하게 할 수는 없다고."

"네게 그렇게 해달라고 절대로 부탁하지 않을 거야."

"하지만 네가 위험에 처해 있는 것도 싫단 말이야. 그런데 그렇게 될 거라고. 엄마는 어떤 끔찍한 일에 휘말렸던 게 분명해. 엄마가 살면서 어떤 일을 했는지 모르지만, 그것 때문에 네가 이미 겪은 것보다 더 큰 일을 겪는 건 싫어. 난 널 사랑해, 브린. 우린 자매잖아. 우린 함께 있어야 해."

언제나 그랬던 것처럼 다니의 말은 설득력이 있었다. 내가 우리 사이에 거리를 두려고 할 때마다 다니는 내게 우리가 서로에게 얼마나 필요한 존재인지를 상기시키곤 했다. 그리고 내겐 정말 언니가 필요했다. 나는 언니를 사랑했다. 그러나 그와 동시에 나는 엄마도 사랑했다. 내 시선은 다니를 지나서 속절없이 병상에 누워 있는 약하디약한 여인에게로 옮겨갔다. 우리가 자기를 두고 다투는 소리가 들리는 건 아닐까, 의구심이 들었다. 그렇게 되면 회복에 도움이 되지 않을 것이었다. 엄마가 무슨 일을 했건 상관없이 나는 엄마가 살아나기를 바랐다. 그리고 돌봐주는 사람 하나 없는 이곳에 엄마를 남겨두고 떠날 수는 없었다. 경찰은 할 일을 하겠지만 나는 엄마의 가족이었다. 엄마가 인정하지 않은 가족이었다 할지라도 그랬다.

나는 다니를 돌아봤다. "내가 조심할게."

"엄마도 분명 조심했겠지." 다니가 호된 소리로 말했다. "잔인하게 들린다는 건 알지만, 엄마는 너를 버리고 떠났어. 그런데 넌 엄마가 네가 얼마나 큰 상처를 줬는지 잊어버린 거야."

"난 아무것도 잊지 않았어. 엄마가 돌아가신 후 모든 게 달라졌지.

우리가 자라던 방식, 아빠와 우리의 관계, 안전에 대한 우리의 감각, 이 모든 게 말이야. 난 왜 그런 일이 일어났는지 알아야겠어."

"그렇게 하면 너만 더 많이 상처 입게 될 뿐이야. 엄마가 떠난 일에 지극히 타당한 이유 같은 건 있을 수 없어." 다니가 주장했다. "넌 더 고통받는 길로 너 자신을 내몰고 있는 거야."

"네 말이 맞을지도 몰라. 하지만 그래도 난 알아야겠어." 나는 숨을 내쉬었다. 중대한 결정을 막 내린 것만 같은 느낌이었다. "넌 갈 준비됐어? 네가 차를 타고 집에 갈 수 있도록 내가 집으로 널 데려다줄게."

"난 이런 상황이 싫어, 브린."

"나도 알아. 하지만 이게 지금의 상황이야. 나가기 전에 엄마에게 하고 싶은 말 없어?"

다니는 고개를 가로저었다. "없어. 난 엄마에게 할 말이 전혀 없어. 엄마가 돌아가시지 않기를 바라. 하지만 엄마 때문에 네게 무슨 일이라도 생긴다면 간호사를 시켜 네게 전화하도록 한 엄마를 난 절대 용서하지 않을 거야. 엄마가 무슨 생각을 했던 건지 난 모르겠어. 이 긴 세월 동안 엄마는 죽은 상태로 있었어. 지금 왜 너를 여기로 오게 한 거지? 왜 내게는 전화하지 않은 거지?" 다니는 입술을 깨물었다. "엄마는 내게 전화할 마음이 없었어. 그러니까 난 이제 갈 거야."

"엄마에겐 내 전화번호만 있었던 것 같아. 내가 네게 말할 거라는 걸 아셨던 거야."

"아니면 나는 전화를 받지 않을 거로 생각하셨든지. 옛날에 그랬던 것처럼 내가 외면할 거라고."

그 말을 듣자 나는 위로하고 싶은 생각이 없어졌다. 다니가 내게 그런 비밀이 있었다는 게 나는 싫었다.

"엄마가 어떤 일을 왜 했는지 우리는 몰라." 내가 말했다. "그런 문제를 두고 아웅다웅하는 건 의미가 없어. 넌 집으로 가야 하고 난 여기 계속 있어야 해. 난 괜찮을 거야. 약속해."

"네가 그 약속을 지킬 수 있다면 좋겠어, 브린. 그렇지만 결국 이렇게 되리라는 걸 엄마가 예상했다고는 생각지 않아. 엄마도 괜찮을 거로 생각했겠지."

그건 모르는 일이었다. 내게 든 느낌은, 결국은 바로 이렇게 될 것을 너무나 우려했기 때문에 엄마가 도망쳤으리라는 것이었다.

9

다니와 나는 엄마의 집으로 돌아오는 길에 아무런 말도 나누지 않았다. 내가 언니와 단절되었다고 느낀 것은 평생 처음이었다. 물론, 이 긴 세월이 흐르는 동안 우리는 싸우기도 했었다. 우리는 성격이 다른 자매였다. 그러나 우리에게는 항상 끊어지지 않는 유대감이 있었고 우리의 관계는 황당할 정도로 끈끈했다.

나는 지금 다니가 가깝게 느껴지지 않았다. 일정 부분은 그토록 오랫동안 언니가 내게 비밀을 갖고 있었다는 것 때문이었다. 그런 배신에 대해 어떻게 느껴야 할지를 몰랐다. 다니는 엄마를 봤다고 상상한 것이었다고 속으로 생각했을지 모르지만, 그래도 나와 그 얘기를 나눴어야 했던 것이다.

나는 뒤에 있던 차가 빵빵거려서 신호등이 초록색으로 바뀌었다는 것을 알았다. 몇 분 뒤에 나는 엄마의 집 앞에 차를 댔다. 우리가 차에서 내렸을 때 다니는 보도 위의 핏자국을 보고 얼어붙었다.

"여기가 그….." 물어보는 목소리가 점점 잦아들었다.

"그런 것 같아." 내가 말했다. 발걸음 소리가 나서 나는 언니에게서 시선을 돌렸다. 나이 든 남자가 손에 꽃병을 들고서 우리에게 다가왔다. 중간 정도의 키에 가는 금발 머리, 그리고 하얀 피부의 남자였다. 그는 베이지색 바지와 눈 색깔과 비슷한 파란색 폴로 셔츠를 입고 있었다. 우리 앞에 서자 그는 놀라서 입이 쩍 벌어졌다.

"당신들은 누구… 누구죠?" 그는 말을 더듬거렸다. "세상에나! 두 사람 다 로라와 똑같이 생겼군요."

"로라가 저희 어머니예요." 내가 대답했다. "저는 브린입니다. 이쪽은 다니고요."

"로라가 어머니라고요?" 그가 되물었다. "그녀는 한 번도 자식이 있다고 한 적이 없어요."

"근데, 있답니다." 나는 엄마가 자기 인생에서 우리를 지운 얘기를 듣고 또 듣는 데 지치고 있었다.

"어머니는 어떻습니까?" 그가 물었다. "방금 병원에 갔었는데 면회 금지라고 하더군요. 병원에 꽃을 맡기면 그녀에게 전달이 될지 확신이 안 서서 여기다 놓고 가야겠다고 생각했어요. 누군가 그녀에게 가져다주길 바라면서요."

"제가 가져다드릴게요." 내가 말했다.

"당신은 누구세요?" 다니가 물었다.

"톰 웰스입니다. 저 위쪽에 살고 있어요. 어머니와 나는… 친구랍니다." 그는 친구라는 말을 하기 전에 살짝 말을 멈추었다.

"이 블록에 사신다고요?" 내가 물었다. "어제 일어난 일을 목격하셨나요?"

"아뇨. 나는 집에 없었어요. 하지만 이웃들에게서 얘기를 들었습니다. 모두들 정말 충격을 받았습니다. 여기는 안전한 동네거든요. 이런 일은 여기서 생기지 않는데 말입니다. 끔찍할 뿐입니다. 어머니가 어떤지 말해주겠어요?"

"어머니는 버텨내고 계세요." 내가 대답했다. "하지만 아주 심각한 상태입니다."

"회복될 겁니다. 그렇겠죠?"

"그러길 바라고 있습니다. 어머니와는 얼마나 오래 알고 지내셨나요?"

"한 2년쯤 됐습니다." 그는 입술을 훔쳤다. "우리는 관계를 맺고 있었지만 얼마 전에 끝냈답니다."

"왜요?" 다니가 물었다. "그리고 관계라는 건 무슨 뜻인가요? 같이 자는 사이였다는 건가요?"

나는 다니의 직설적인 말에 헉했다. 톰도 또한 충격을 받은 모습이었다.

그는 목청을 가다듬고는 말했다. "그건 어머니와 나의 일입니다. 두 분을 이제 보내 드릴게요. 어머니에게 인사 전해줘요."

톰은 내게 꽃병을 건네고는 걸어갔다. 나는 그가 모퉁이에 있는 집의 계단을 올라갈 때까지 그를 지켜봤다.

그런 다음 나는 다니를 향했다. "그 사람에게 엄마와 자는 사이였냐고 묻다니, 믿을 수가 없어."

"글쎄, 그는 아니라고 하지 않았어."

그건 사실이었다. 나는 얼굴을 찌푸렸다. "엄마 학교에서 엄마와 교제 중이라는 어떤 남자를 만났어. 엄마가 톰과 헤어진 건 그래서인지도 모르겠네."

"엄마는 확실히 인기가 많았나 봐." 다니가 날카롭게 말했다. "짐작건대, 우리 곁을 떠나서 외롭게 살아온 건 아니네."

나는 다니의 원망하는 말투를 이해했다. 지금의 엄마 인생과 관계된 모든 것에 나도 역시 화가 났기 때문이었다. "사람들이 엄마를 얼마나 좋아하는지, 엄마가 얼마나 배려심이 많은 사람인지, 얼마나 도움이 되는 사람인지 등등을 말하는 소리를 듣기가 괴로워. 엄마가 돌아가셨을 때 우리가 얼마나 피폐해졌는지, 우리가 얼마나 외로웠는지 계속 생각이 나. 게다가 아빠는 슬픔의 세계로 들어가 버렸잖아."

"엄마는 아빠 몰래 바람 피고 있었는지도 모르지. 결혼 생활이 불행해서 탈출하고 싶었던 거야. 허리케인에 갇혀 죽은 것처럼 위장했지만 그 모든 건 떠나기 위한 계책이었을 수도 있어."

"그렇지만 왜 그냥 떠나버리지 않았을까?" 내가 이의를 제기했다. "엄마가 죽은 척할 필요는 없었어. 더 많은 뭔가가 있는 게 틀림없어, 다니."

"네 말이 맞아. 그리고 엄마는 아빠를 두려워하지는 않았어. 틀림없이 다른 이유가 있을 거야."

"내가 밝혀내야 하는 게 그거야." 나는 잠시 뜸을 들이다 말했다. "이 꽃은 집 안에 들여놓아야겠다. 넌 지금 바로 갈 거야, 아니면 안에 들어갈래?"

"잠시 들어갈게."

나는 열쇠를 꺼내며 문으로 다가갔다. 그러다 순간적으로 멈춰서는 바람에 다니가 나와 부딪쳤다.

"뭐하는 거야?" 다니가 따지듯 물었다.

"문이 열려 있어. 나가면서 내가 문을 잠갔단 말이야." 나는 어쩔 줄 몰라 하며 다니를 봤다.

"경찰에 전화할게." 다니가 말했다. "보도로 다시 돌아가자."

나는 꽃을 현관 앞에 두고 다니를 따라 계단을 내려갔고, 다니는 경찰에 신고를 했다. 그러나 보도에 서 있다고 해서 안전한 느낌이 들지는 않았다. 여기는 엄마가 총에 맞은 곳이었다. 나는 고개를 돌려 핏자국을 외면했다. 그때 오토바이 한 대가 도로를 달려오는 것이 보였다. 오토바이는 진입로로 빠르게 돌아 들어왔고 나는 놀라서 펄쩍 뒤로 뛰었다.

"이건 뭐지?" 다니가 말했다.

남자가 헬멧을 벗자 긴 갈색 머리카락이 그의 눈으로 흘러내렸고, 그는 손으로 머리카락을 옆으로 밀쳤다. 나는 숨을 내쉬었다. "괜찮아." 내가 다니에게 말했다. "이 사람은 케이드야."

"무슨 일이죠?" 케이드가 우리를 향해 성큼 다가오면서 물었다. 그의 눈은 내게서 다니에게로 옮겨갔다. "이분은 분명 당신 언니겠네요."

"네, 이쪽은 다니예요."

"안녕하세요," 그가 말했다. "케이드 베컴입니다."

"우리 엄마의 세입자로군요." 다니가 그에게 날카로운 시선을 던지며 고개를 까닥하고 말했다.

"당신이 오토바이를 타는 줄은 몰랐어요." 내가 말하자 그의 시선은 다시 내게로 향했다. "난 저 트럭이 당신 거라고 생각했어요. 아니면 엄마 것인지도 모르겠다고요."

"트럭은 내 거예요. 작품들을 옮길 때 쓰는 거죠. 그게 아니라면, 나는 오토바이를 즐겨 타요. 보통은 차고에 넣어두고요. 당신 어머니는 혼다 자동차를 모세요. 차고에 있답니다. 차고 안에 들어가 보지 않은 모양이네요."

"네, 안 가봤어요."

"당신들 괜찮아요?" 그가 물었다. "왜 여기 밖에 서 있는 거죠?"

"집 문이 열려 있어요. 누군가 침입한 거 같아요. 방금 경찰에 전화했답니다. 오늘 아침에 나간 이후에 당신이 저기 들어간 적 있어요?"

"아뇨. 없어요."

케이드가 말을 마쳤을 때 경찰차가 도로로 내려왔다. 두 명의 경찰관이 밖으로 나왔고, 다니가 그들에게 누군가 집 안에 침입했다고, 집주인은 총격을 받아서 병원에 있다고 말했다. 다니는 예의 익숙한 주도자 역할을 하고 있었다. 그 이야기를 또다시 하고 싶지 않았기 때문에 나로서는 좋은 일이었다. 경찰관들은 우리에게 진입로에서 기다리라고 한 뒤 총을 겨누고 집으로 들어갔다.

"우리 집 문이 열려 있는지는 봤나요?" 케이드가 물었다.

"못 봤어요. 미안해요. 난 정신이 없었어요."

"그럴 만해요. 내가 바로 확인할게요. 당신들이 여기 없어서 다행이네요. 어디 있었어요?"

"병원에요. 오늘 아침에 누군가 엄마를 공격했어요. 그자는 엄마의 생명줄인 기계를 끄려고 했어요."

케이드는 입을 떡 벌리며 선글라스를 벗었다. "정말이에요?"

"네. 그리고 그자는 달아났어요. 그 후에 여기로 오지 않았나 싶네요. 모르겠어요." 나는 그의 놀란 검은 눈을 들여다봤다. "누군가 엄마가 죽기를 원하고 있어요, 케이드. 어제나 오늘 일은 '묻지 마' 공격이 아니었던 거예요."

"당신은 언제 여기로 이사 온 거죠?" 다니가 끼어들었다.

"한 달쯤 전에요." 그가 다니 쪽을 보며 말했다.

"그리고 우리 엄마가 당신에게 갤러리 전시회를 열도록 해줬고요?"

"어머니께서 나를 추천해 줬죠. 하지만 나를 증명하는 건 내 작품입니다."

"이분 그림 중 하나가 엄마 집에 있어." 내가 다니에게 말했다. "아름답고, 어둡고, 아주 감성적인 그림이야. 난 엄마가 왜 그 그림에 끌렸는지 알 수 있어. 엄마는 항상 예술을 사랑하셨지. 우리가 박물관에 계속 갔던 거 기억나?"

다니는 이맛살을 찌푸렸다. "당연히 기억하지. 나는 지겹기 짝이 없었어. 엄마는 매달 첫 번째 토요일에 우리를 데리고 다녔지. 내가 유일하게 좋아했던 부분은 엄마가 과자를 사러 가고 우리는 어린이 방에서 그림을 그리고 놀았던 거였어." 다니는 케이드에게 또다시 미심쩍은 눈길을 보냈다. "엄마는 정확히 어떻게 당신을 후원하고 있는 거죠?"

"그건 어머니와 나의 일입니다." 케이드가 대답했다.

"참나, 엄마한테는 물어볼 수가 없잖아요." 다니가 쏘아붙였다. "그게 비밀인가요? 엄마가 당신 물주인 거예요?"

"다니," 그녀의 가시 돋은 말에 놀라 내가 말했다.

케이드의 입술이 굳어졌고 그의 눈에는 분노가 일었다. 그러나 그는 아무 말도 하지 않았고 그 침묵은 점점 불편해져 가기만 했다. 다행히도 경찰관들이 집에서 나오면서 그 침묵은 깨어졌다.

"안에는 아무도 없습니다." 한 경찰관이 말했다. "하지만 집이 쑥대밭이 되어 있습니다. 누군가 어떤 걸 찾고 있었던 거예요. 그게 뭔지 아시겠습니까?"

"전혀요."

"우리가 그린맨 경위에게 보고했습니다." 그 경찰관이 계속 말했다. "경위님이 점검하러 금방 여기로 오실 겁니다. 경위님이 도착하실 때까지 잠시 집 밖에 계시라고 하셨습니다."

"알겠습니다." 내가 말했다. "우리는 여기서 기다릴게요."

"우리 집에 들어와도 돼요." 케이드가 말했다. 그는 경찰관 쪽으로 돌아섰다. "저는 아래층에 삽니다. 거기도 침입했나요?"

"그곳은 들어가 보지 않았어요." 경찰관이 대답했다. "그 문은 잠겨 있었습니다."

"음, 괜찮은 징조네요." 케이드가 나를 쳐다봤다. "우리 집 안에 들어가서 기다릴래요?"

"좋아요." 내가 말했다. "다니?" 다니가 가방에서 울리는 핸드폰을 꺼냈을 때 내가 물었다.

"스티브야." 다니가 말했다. "금방 들어갈게."

"그래." 나는 케이드를 따라 그의 집 안으로 들어갔다. 어머니의 집보다는 훨씬 작았다. 거실에 이젤들과 그림이 반쯤 그려진 캔버스들이 있어 화가의 스튜디오 같았다. 철사, 금속, 직물, 나무 상자들, 병뚜껑들이 든 바구니, 그리고 금속 너트와 와셔들이 든 또 다른 바구니 등을 포함한 여러 재료들과 물감들이 있었다. 낡은 소파 하나와 안락의자가 공간을 채우고 있었다.

"좀 엉망이에요." 케이드가 무심하게 어깨를 으쓱하며 말했다.

"하고 있는 작업이 엄청나게 많아 보이네요." 시선을 이리저리 옮기면서 내가 대답했다. 몇 개는 그림이고, 또 몇 개는 조각이고, 물감과 다른 재료들이 혼합된 것들도 있었다. "아이디어가 꽤 많군요."

그는 미소를 지었다. "아이디어야 항상 있죠. 때로는 아이디어가 너무 많아서 뭐가 뭔지 모르기도 해요."

"모자란 것보다는 넘치는 게 낫죠."

"그게 내 스스로 하는 말이에요. 뭐 좀 마시겠어요?"

"그러죠." 나는 그를 따라 주방으로 들어갔다.

"맥주, 아니면 물?" 그가 냉장고를 열며 물었다.

"맥주 마실게요. 그래야 될 날 같아요."

그는 맥주 한 병을 꺼내서 내게 건네고, 또 한 병을 손에 들고 한참 동안 꿀꺽꿀꺽 마셨다. 그러고는 말했다. "그러니까 언니가 대장인 것 같네요. 아닌가요?"

"항상 대장이었죠." 내가 대답했다. "그래도 다니는 일을 처리하는걸요."

"언니는 어머니를 보고서 충격을 받았나요?"

"나보다 훨씬 더요. 엄마가 병원에서 습격당했다는 말을 들은 후에는 정말 무서워했어요."

"이번 침입으로 더 그렇겠군요."

"언니는 이 모든 걸 경찰이 밝혀내도록 놔두고 내가 자기와 함께 카멜로 돌아가기를 원해요."

그는 다시 맥주를 마시고는 병을 내려놓았다. "그렇게 나쁜 생각은 아니에요."

"하지만 이렇게 수많은 의문점을 해결하지 못한 채 그냥 떠날 수는 없어요."

"그러는 편이 더 안전할 테죠."

나는 이맛살을 찌푸렸다. "당신은 내가 떠났으면 하나 봐요."

"난 무슨 견해가 있는 게 아니라 그냥 사실을 말하는 것뿐이에요. 당신이 여기서 오늘 밤을 지내길 바라는 건 상상이 안 되는걸요."

"맞아요. 하지만 다른 한편으로는, 여길 침입한 사람이 누구든 간에 찾던 걸 발견했을지도 몰라요. 그러면 일이 다 끝났을 수도 있죠."

"음, 당신은 낙관주의자군요."

"꼭 그런 건 아니에요. 난 보통 일이 너무 잘 되면 그런 일은 그만큼 빨리 사라져 버릴 거라고 생각해요. 가끔은 내가 맞죠."

다니의 목소리가 집 안에 울려 퍼졌다. "브린?"

"우린 주방에 있어." 내가 대답했다.

조금 후 다니가 들어왔다.

"마실 것 좀 드릴까요?" 케이드가 물었다.

"아뇨, 괜찮아요. 대낮인데 술을 마시는 거니, 브린?" 다니가 내게 물었다. 거슬리는 듯한 눈빛이었다.

"맥주가 마시고 싶은 순간이었어. 케이드에게는 물도 있어."

"난 아무것도 마시고 싶지 않아. 스티브는 내가 집으로 오기를 원해. 그리고 너도 데리고 오기를 원해. 제프도 너를 걱정하고 있어. 이제 이런 일이 생긴 만큼 난 네가 여기 계속 있겠다는 마음을 바꿨으면 좋겠어."

"아니. 미안해, 다니. 이런 말을 네가 듣고 싶지 않다는 건 알아. 하지만 난 수사가 진행되는 걸 봐야 해."

"경찰이 못 하는 걸 도대체 네가 어떻게 한다는 거야?" 다니는 절망스럽게 물었다. "위험에 처하지 않고서?"

"내가 지켜보고 있고 엄마를 뒷바라지하고 있다는 걸 경찰이 알게해서 그들이 계속 진실을 찾아 나가도록 할 거야."

"정말 못 말리겠구나."

다니의 거친 말들은 그저 두려워서 나온 것 이상이 아니었지만, 그런데도 여전히 살을 파고드는 말이었다.

"엄마는 우리를 7년 동안 보살펴 줬어." 내가 말했다. "엄마는 우리가 아프거나 다쳤을 때, 아니면 무서워했을 때 우리 곁에 있었어."

"하지만 지난 20년 동안 엄마는 어디 있었던 거지? 넌 엄마가 깨어나서 다시 우리 엄마가 되고 싶어 할 거로 착각하고 있어. 그런 일은 없을 거야, 브린. 설령 깨어난다고 해도, 그 사람은 우리를 버린 여자일 뿐이야. 그걸 모르겠어?"

"그래도 난 여기 있을 거야." 우리 가족 중에서 다니만 고집이 센건 아니었다. "이건 내가 감당할 위험이야. 내 일은 내가 할 수 있어.

난 호텔 방을 구할 거야. 아무 문제 없을 거라고."

현관 벨이 울렸다. "그린맨 경위일 거야." 내가 말했다.

케이드와 다니는 나를 따라 복도로 왔다. 나는 문을 열어 형사를 안으로 들어오게 했다.

"당신 어머니의 집을 다 살펴봤습니다." 그가 말했다. "쓰레기장이 되어 버렸더군요. 침입한 사람이 누구든지 그 사람은 광분해서 이곳을 휩쓸었어요. 피해 규모가 상당합니다. 누군가 어떤 걸 찾고 있었던 게 확실해요. 문제는 그게 뭐냐는 거죠."

"전 전혀 모르겠어요." 내가 말했다.

"음, 도어록을 최대한 빨리 교체해야 해요. 또 당신은 다른 곳에 묵는 게 좋을 것 같습니다." 형사가 말했다.

"전 호텔 방을 구해볼 거예요." 내가 대답했다. "하지만 가기 전에 집을 다 둘러보겠습니다. 그들이 뭘 가져간 건지 알아낼 수 있을지도 모르죠. 제가 어젯밤에 있었으니까요."

"내가 도울게요." 케이드가 말했다. "어머니 집에 여러 번 간 적이 있거든요."

"그러면 정말 좋겠어요." 나는 다시 그린맨 경위 쪽을 돌아봤다. "이 건물에 누가 있는 걸 포착한 카메라가 있는지 근방을 확인해 주시겠어요?"

"그럴 겁니다. 하지만 당신들 모두 조심하세요." 그는 우리 세 사람을 휙 둘러보며 말했다. "이건 위험하고 예측 불가능한 상황입니다. 무슨 일이라도 생기면 제게 전화하세요."

"어떤 일이 벌어질지 모르는 상황에서 네가 여기 있으면 안 된다고 난 생각해." 그린맨 경위가 떠나고 나자 다니가 낮은 소리로 말했다. "넌 이성을 잃고 있어, 브린."

"집을 점검하고 열쇠 수리공을 불러서 도어록을 교체해야겠어."
나는 다니의 말을 무시하며 말했다. "그런 다음 호텔로 갈게."

"그때까지는 내가 옆에 있을 수 있을 것 같아." 다니가 말했다.

나는 다니의 창백한 얼굴색과 눈에 어린 스트레스를 보는 게 싫었다. "나 혼자서 할 수 있어. 제발 바로 가, 다니. 네 걱정을 하지 않아도 된다면 기분이 한결 나을 거야."

"나야말로 네 걱정을 하지 않아도 되면 한결 나을 거야." 다니가 되받아 말했다.

"내가 도울게요." 케이드가 제안했다. "내가 열쇠 수리공에게 전화하고 당신 옆에 있을 수 있어요, 브린."

"그러지 말라고는 못 하겠네요." 나는 그의 넓은 마음 씀씀이에 안도하며 말했다.

다니가 이맛살을 찌푸렸다. "우리는 당신에 대해 아는 게 없어요, 베컴 씨."

"글쎄요, 나를 케이드라고 부르면 된다는 걸 알면 됩니다." 그가 느릿느릿 말했다. "그리고 당신 어머니가 나를 신뢰했다는 걸 알면 되지요."

"엄마가 실수한 건지도 모르죠." 다니가 말했다.

"다니, 제발." 내가 끼어들었다. "모든 게 다 괜찮을 거야. 케이드는 도와주려고 하는 거야. 그리고 우리 두 사람보다 엄마 집을 더 잘 알고 있어. 나는 케이드가 나와 함께 집을 둘러봐야 한다고 생각해."

"좋아. 내가 졌어." 다니가 말했다. "난 갈게. 하지만 브린, 여기 일을 마무리한 다음 호텔로 가서 내게 전화해. 호텔 방 사진을 나한테 보내."

"알았어. 운전 조심하고 집에 도착하면 나한테 문자 메시지 보내줘."

나는 다니를 차까지 데려다줬다. 그녀는 차에 타기 전에 잠깐 멈췄다. "네가 사람들의 제일 좋은 점을 믿고 싶어 한다는 건 알아. 하지만 넌 그 사람을 몰라, 브린. 아무라도 케이드 베컴이 될 수 있어. 그 사람에겐 너를 돕는 이면의 동기가 있을지도 몰라. 엄마의 삶이나 그 속에 있는 사람들에 대해 넌 아무것도 모른다고. 아무도 믿어선 안 돼."

"무슨 말인지 알아. 하지만 때로는 운에 맡겨야 하는 수도 있어. 그리고 난 케이드는 문제없다고 생각해. 그는 평범한 사람이야."

"그는 광기 어린, 어둠의 화가야. 난 그 사람에게 조금이라도 평범한 구석이 있을지 의문이야."

"네가 그를 신뢰하지 못한다고 해도 넌 나를 신뢰하면 돼. 안전하게 운전해." 나는 다니를 오래도록 껴안고 있었다. 그러고 나서 한 걸음 물러섰고 다니는 문을 닫고 시동을 걸었다.

다니가 진입로를 빠져나간 후에 나는 다시 계단을 걸어 올라갔다. 케이드가 현관문 옆에서 기다리고 있었다. 그는 침울한 표정으로 나를 바라봤다.

"무슨 일이에요?" 그의 표정이 마음에 걸려서 내가 물었다.

"방금 집 안을 둘러봤어요. 거기서 벌어진 일을 보면 기분이 좋지 않을 거예요."

"지난 24시간 동안 벌어진 어떤 일도 기분 좋은 일은 아니었죠. 난 각오하고 있어요."

"그 정도가 아닐 거예요."

그가 맞았다. 집 안으로 한 걸음 내디뎌서 그 무자비한 난장판을 봤을 때 나는 그야말로 질겁하고 말았다. 내 마음 한구석은 바깥으로 도망쳐서 차 안으로 뛰어 들어가 다니를 따라 카멜로 돌아가고 싶다고 외쳤다.

"지금 가도 늦은 건 아니에요." 케이드가 나와 시선을 마주치며 말했다.

나는 그럴까 하고 생각했다. "너무 늦었어요. 어제 내가 20년 만에 처음으로 엄마를 봤을 때 이미 너무 늦은 거예요. 이건 뒤죽박죽 지독하고 끔찍한 상황이지만 여기서 도망칠 수는 없어요."

10

난장판이 된 응접실을 보자마자 나는 마음을 바꿔 최대한 빨리 도망치고 싶었다. 소파의 쿠션들은 칼로 난도질 되어 바닥으로 내팽개쳐져 있었다. 그림들은 벽에서 떼어 내진 상태였다. 누군가 벽을 구역마다 대형 해머로 깨부순 것 같았다. "왜 이런 짓을 한 걸까요?" 내가 중얼거렸다.

"벽에 숨겨진 금고가 있을 거로 생각한 것 같군요."

"아니면 소파 쿠션 속에 뭔가 숨겨져 있을 거로요. 하지만 그게 뭐란 말이죠?"

"모르죠." 그는 핸드폰을 꺼냈다. "열쇠 수리공을 부를게요. 내 자물쇠도 교체하려고 해요. 혹시라도 모르니까 안전한 쪽으로 말이죠. 난 내가 사는 곳이 이런 식으로 끝이 나는 건 원치 않아요." 그는 걸음을 멈추고 얼굴을 찌푸리고는 서둘러 복도를 걸어갔다.

나는 그를 쫓아 뛰어갔다. 거실은 응접실만큼이나 엉망진창이었다. 그리고 아름답고 어두운, 마음을 어지럽히는 케이드의 그림은 바닥에 거꾸로 처박혀 있었다. 그가 가서 그림을 집어 올렸다.

캔버스가 탈 없이 온전한 것을 보자 나는 한숨을 내쉬었다. "감사하게도, 그림은 난도질당하지 않았네요." 내가 말했다.

케이드의 입술은 굳게 경직되었고 목에서는 맥박이 빠르게 뛰었다. 그는 고개를 끄덕이고는 그림을 다시 벽에 걸어서 부서진 석고 벽을 가렸다.

"전화 좀 걸고 올게요." 그가 말했다. 목소리 끝이 거칠게 갈라졌다. 그는 주방 문을 통해 뒤 발코니로 나갔다.

창문으로 보니, 그가 손으로 난간을 잡고 여러 차례 심호흡을 한 다음 핸드폰을 쳐다보는 모습이 보였다. 분명 그것은 자기 그림이 훼손되었을지도 몰랐던 상황에 대한 강한 반응의 표출이었다. 나는 이해할 수 있을 것도 같았다. 그것은 그의 예술이었다. 그의 한 조각이었던 것이다. 그러나 좀 과도해 보이기도 했다.

케이드를 신뢰하지 말라는 다니의 경고가 머릿속에 울리고 있었다. 그러나 자기의 예술을 아낀다는 이유로 그를 불신할 수는 없는 노릇이었다.

나는 창문에서 눈을 돌렸다. 소파 밑에 바이올린이 튀어나와 있는 것이 보였다. 심장이 터져 나가는 것 같았다. 나는 쪼그리고 앉아서 두려움에 떨며 그 악기를 밖으로 잡아당겼다. 조각조각 깨져 있을 줄 알았는데, 무사했다. 나는 한없이 안도했다.

바이올린을 가슴에 꼭 끌어안고 나는 눈을 감았다. 엄마가 바이올린을 켜는 모습을 상상하니 머릿속에 멜로디가 들렸고 엄마와 나를 유일하게 이어주는 진정한 결속이 느껴졌다. 나는 온통 혼돈의 도가니 속에 있었지만, 이 순간 평화로움을 느낄 수 있었다. 나는 눈을 뜨고 바이올린을 소파 테이블 위에 놓았다. 그제서야 나는 케이드가 그의 그림에 대해 보였던 것과 똑같은 반응을 내가 바이올린에 대해 보였다는 것을 깨달았다. 내가 반응했던 대상은 단순한 바이올린이 아니라 그 바이올린이 대변하는 엄마와의 결속이었던 것이다.

시선을 다시 창문으로 옮기면서 나는 케이드의 반응 또한 그림을 넘어선 어떤 것에 대해서가 아니었을지 의문스러웠다. **케이드와 엄마 사이에는 뭔가가 있었던 걸까?** 다니는 두 사람의 관계에 대해 그에게 단도직입적으로 물었었다. 그리고 그는 다니에게 남의 일에 신경 쓰지 말라고 했다. 그건 부인하는 것이 아니었다.

고개를 흔들면서 나는 제일 중요한 문제에 초점을 맞추자고 속으로 되뇌었다. 이곳을 어느 정도 다시 정돈하면서 뭐라도 없어진 것이 있는지 파악하는 일이 그것이었다.

나는 바닥에 놓인 한 무더기의 책들 쪽으로 가서 그 책들을 선반에 꽂기 시작했다. 너덜너덜해진 단행본들과 유명한 소설과 역사책을 양장본들로 소장하고 있는 것으로 보아 엄마는 독서를 많이 하는 것 같았다. 몇몇 책들은 여러 차례 읽은 흔적이 있었다. 이해가 됐다. 내게도 한 번 이상 읽은 좋아하는 책들이 있었다. 내가 책 읽기를 좋아하는 것 또한 엄마에게서 물려받은 것이었다. **아빠에게서 내가 물려받은 게 있던가?**

다니는 아빠의 야심만만한 사업 두뇌와 스포츠를 좋아하는 기질을 물려받았다. 아빠와 다니가 자기들이 좋아하는 축구팀을 응원하는 동안 엄마와 나는 보통 책을 읽었다. 지금도 다니와 스티브는 TV로 축구 경기를 보면서 주말을 보내곤 했다.

과거의 상념에서 빠져나와서 나는 난도질당한 소파 쿠션으로 되돌아왔다. 그 폭력의 증거에 나는 다시 한번 움찔하고 놀랐다. 누군가 커다란 칼을 휘두르며 온 집안을 돌아다녔다는 생각은 하고 싶지 않았지만, 그게 일어난 일이었다.

뒷문이 열리더니 케이드가 안으로 들어왔다. 나갈 때보다는 차분한 모습이었다.

"열쇠 수리공을 찾았어요." 그가 말했다. "2시 30분에 올 겁니다."

"잘됐네요. 고마워요."

"여긴 좀 정리가 됐네요."

"조금요. 하지만 뭔가 없어진 게 있는지는 모르겠어요. 부서진 물건들은 귀중품이거나 중요한 것들 같아 보이지 않아요. 그림들을 벽에서 떼어놨지만 훼손하지는 않았어요. 그림을 찾고 있었다는 느낌은 들지 않아요."

"그렇죠. 그건 아니에요." 그가 말했다.

나는 이마를 손으로 지그시 눌렀다. 관자놀이 부근에 통증이 심해졌다.

"괜찮아요?" 케이드가 물었다.

"머리가 아파요."

"점심 먹었어요?"

"아뇨. 뭘 좀 먹는 게 낫겠어요."

"여기서 세 블록쯤 떨어진 곳에 좋은 카페가 있어요. 열쇠 수리공이 올 때까지 2시간은 족히 남았어요."

"음식 소리를 들으니 솔깃하네요. 하지만 그냥 나가도 될까요? 집이 활짝 열려 있는데요."

"더 큰 피해를 입을 일이 있을까 싶은데요, 브린."

"맞는 말이에요. 그들은 다니와 내가 병원으로 출발하자마자 들어왔을 거예요." 나는 갑자기 말을 멈췄다. "세상에나, 어쩌면 그들은 우리를 지켜보고 있었는지도 몰라요."

"그러나 그들은 당신들이 나갈 때까지는 들어오지 않았어요. 그 말은 당신과 당신 언니가 타깃은 아니라는 거죠."

"맞아요. 그래도 그들이 들어오지 않았다면 더 좋았겠죠."

가게와 부티크가 쭉 늘어서 있는 앙증맞은 거리를 따라 모닝 글로리 카페까지 걸어가니 기분이 상쾌했다. 식당 앞에는 테라스가 있었는데 나는 햇볕이 내 몸의 한기를 앗아갈 수 있도록 바깥에 있는 것이 좋았다.

"여기 있으니 엄마 집에 있는 것보다 한결 기분이 나아요." 나는 아이스티와 그리스식 연어 샐러드를 주문한 뒤 말했다. 케이드는 프렌치 딥 샌드위치와 프렌치프라이를 주문했다.

"집을 원래 상태로 돌려놓는 게 설사 가능하다고 하더라도 그러려면 상당한 시간이 걸릴 거예요." 케이드가 말했다.

"알아요. 당신 생각에 그들은 뭘 찾고 있었을까요?"

"끝없이 추측해볼 수는 있지만 아무 소득도 없을지 몰라요."

"몇 분간 그냥 추측해 보죠." 내가 말했다. "생각나는 게 있으면 말해요."

"현금. 보석. 어쩌면 좀 더 개인적인 어떤 것일지도 모르겠군요." 케이드가 말했다.

나는 고개를 끄덕였다. "자신들에게 불리한 누군가의 사진 같은 것. 협박 편지. 아니면 회사 기밀."

"당신 어머니는 회사가 아니라 학교에서 일하시죠. 난 거기에 무슨 거래 기밀 같은 게 있다고는 생각하지 않아요."

나는 그의 눈빛이 흥미진진해지는 것을 볼 수 있었다. "맞아요. 하지만 자유롭게 생각을 발전시키고 있을 때 나쁜 아이디어란 없는 법이죠. 당신은 작품을 만들 때 고정관념을 깨고 생각하잖아요. 그러니까 지금도 그럴 수 있을 거로 알아요."

"좋아요." 그가 말했다. "마약. 학교 아이들에게 마약을 공급하고 있었을 수도 있죠. 그리고 누군가를 배신했거나 사기를 쳤거나."

나는 이맛살을 찌푸렸다. "그 생각은 마음에 들지 않아요."

"고정관념을 깨라고 했잖아요."

"너무 많이 나갔어요. 엄마는 마약상이 아니에요."

"알겠어요. 더 멀리 과거로 돌아가 보죠. 그분은 당신들에게서 도망쳤어요. 뭔가를 갖고 떠나서 누군가 결국 잡아낸 건지도 모르죠. 그게 뭐든 간에 그들은 그걸 돌려받고 싶은 거예요. 사진이나 은행 계좌, 사기의 증거같이 사적으로 불리한 어떤 것일 수 있겠죠. 누군가 절박하게 돌려받고 싶은 어떤 것 말이에요."

"그린맨 경위는 엄마의 과거가 지금 벌어지고 있는 일과 관련이 있다고 생각하는 것 같았어요." 내가 수긍했다.

"당신은 어머니의 과거에 관해 좀 더 많은 걸 알아낼 필요가 있어요. 그리고 당신은 그렇게 할 만한 위치에 있고요. 아버지와 엄마의 옛 친구들, 친척들에게 물어봐요. 어머니의 인생에 관해 더 많은 걸 알려줄 수 있는 사람이 분명 있을 겁니다."

"아빠는 내게 전화를 해주지 않고 있어요. 이상해요."

"그것 또한 의심스럽군요." 케이드가 뭔가 가늠하려는 듯한 눈빛으로 말했다.

"우리 아빠는 폭력적인 사람이나 범죄자가 아니에요."

"하지만 당신 어머니는 그를 버리고 떠났어요."

"어쩌면 엄마는 아빠를 그냥 더 이상 사랑하지 않았을 수 있죠. 어쩌면 우리 모두를 한 번도 사랑한 적이 없을지도요." 생각만 해도 우울했다. "당신은 엄마와 무슨 얘기를 나눴어요? 엄마 집에 몇 번 왔었다고, 지난 2년 동안 엄마와 연락하고 지냈다고 했잖아요. 그 우정은 무엇에 근거한 거였죠?"

"예술이죠. 우리가 나눈 얘기의 90%는 예술에 관한 거였어요."

"그럼 나머지 10%는요?"

케이드는 어깨를 으쓱했다. "당신 어머니는 내 가족과 내 인생에 관해 물었어요. 어떻게 내가 그림을 시작하게 됐는지, 나를 움직이게 하는 힘은 무엇인지, 그런 것들에 관해서요."

"엄마가 당신에게 돈을 줬나요?"

그의 얼굴이 굳어졌다. "집에 있는 그 그림 값을 주셨고 친구에게 주는 거라고 한 번 더 주셨어요. 그냥 현금을 건네지는 않으셨어요. 난 적선하는 돈은 받지 않아요, 브린."

"하지만 당신은 엄마의 집에 살고 있고 월세를 내지는 않잖아요." 나는 요점을 말하지 않을 수가 없었다.

"난 내겠다고 했어요. 어머니가 거절하셨죠. 그곳을 세줄 계획이 아니었다고, 몇 달만 지내라고 하셨어요. 그래서 그 선심을 받아들인 겁니다. 하지만 난 무위도식하는 사람은 아니에요."

"당신이 그렇다고 말한 게 아니에요. 난 그냥 두 사람의 관계를 파악하려고 하는 거라고요."

그는 꿰뚫을 듯한 눈빛으로 내 눈을 쳐다봤다. "당신 언니에게 말한 것처럼 그건 당신이 신경 쓸 문제가 아니에요."

"아뇨, 그래요. 엄마에 관한 모든 것이 내가 신경 쓸 문제예요. 당신은 왜 비밀스럽게 구는 거죠? 당신은 내게 엄마의 인생에 대해 알아내야 한다고 했잖아요. 당신도 엄마의 인생에 들어 있어요."

그는 의자 깊숙이 몸을 기댄 채 근육질의 넓은 가슴 앞에 팔짱을 꼈다. "좋아요. 직설적으로 말하죠. 우리 사이에 성적인 관계는 전혀 없고 있은 적도 없어요. 어머니는 멘토이자 후원자이고 친구였어요.

그게 다예요.”

“아까는 왜 그 말을 하고 싶지 않았는데요?”

“당신 언니는 나를 문제시하고 싶어 했어요. 난 그런 태도가 마음에 들지 않았고요. 하지만 당신은 다른 이유로 묻고 있는 거죠. 당신은 진실을 찾고 싶은 거잖아요.”

“난 그렇게 되기 전에는 떠날 수가 없어요. 엄마와 얘기를 할 수 있다면, 엄마에게 대체 무슨 일이 있었던 거냐고 바로 물을 수 있다면 상황은 다르겠죠. 하지만 나는 엄마 없이 퍼즐 조각들을 완성해야 해요.”

“알겠어요. 내가 그 퍼즐의 한 부분은 아니라는 걸 확실히 밝히고 싶군요.”

“좋아요. 직설적으로 말해줘서 고마워요.” 웨이터가 주문한 음식을 가져오자 나는 의자 깊숙이 들어앉았다. “맛있어 보여요.”

“당신 음식은 건강에 아주 좋아 보이는군요.” 우리 사이에 커지던 긴장감을 해소하듯 이제는 얼굴에 옅은 미소를 띤 채 그가 말했다.

“난 건강하게 먹으려고 노력해요. 하지만 당신의 프렌치프라이가 내 초록색 음식들보다 더 맛있어 보이네요.”

“같이 먹죠.” 그가 자기 접시를 앞으로 밀며 말했다.

“정말요?”

“그럼요. 먹고 싶은 만큼 가져가요.”

“그냥 한두 개면 돼요.” 나는 포크로 그의 프렌치프라이 두 개를 찔러서 내 접시로 옮겼다. 한 개를 입에 넣어 씹자 따뜻하고 짭조름한 기운이 나를 휘감았다. “맛있네요.”

“더 먹어도 돼요.”

“괜찮아요. 맛만 보고 싶었던 거예요.” 나는 포크를 들고 내 샐러드를 공략했다. 연어도 맛있었고, 나중을 생각하면 끊임없는 긴장 상태에 있던 내 위장에는 샐러드가 아마 더 나을 것이었다. "당신이 살아온 얘기를 해줘요." 먹는 동안 내가 말했다. "여기 오기 전에 뉴욕에 살았다고요?"

"네, 난 브롱크스에서 자랐고 그 뒤 10년쯤 전에 브루클린으로 이사했어요. 거기 있는 스튜디오 아파트에서 작업하고 있어요."

"가족은요? 당신은 아버지를 잃었다고 했는데, 나머지 가족은 어떻게 돼요?"

"어머니와 고모들이 몇 분 계시고 사촌들이 좀 있죠. 하지만 별로 가깝게 지내는 사이는 아니에요. 어머니는 아직도 브롱크스에 살고 계시지만 나머지 친척들은 각지에 흩어져 있어요."

"어머니와는 친해요?"

"그럼요. 아버지가 돌아가신 후 우리 둘밖에 없었는데요. 우리는 서로를 아꼈어요."

"어머니는 어떤 분이에요?"

"아주 다정하고 성실하고 많은 걸 요구하지 않는 분이에요. 누군가 자기를 돌봐줘야 하는 상황을 아주 싫어하죠."

"어머니를 돌봐야 했던 건가요?" 그의 목소리에 묻어나는 어떤 느낌을 포착한 내가 궁금해하며 물었다.

"어머니는 지난 몇 년간 유방암과 싸우고 계세요. 그리고 몇 주간 상태가 안 좋았던 적이 있었죠. 그렇지만 차도가 있어서 지금은 훨씬 나아졌어요."

"그렇다니 다행이에요. 전시회가 끝나면 당신은 뉴욕으로 돌아갈 건가요?"

"아직 결정하지는 못했어요. 변화를 준 게 작업에는 좋더군요. 지난 몇 주간 많은 걸 해내고 있었어요. 난 이 도시와 해안 일대를 정말 만끽하고 있어요. 당신 어머니가 이곳으로 나를 오게 해주신 게 정말 고맙답니다."

"엄마가 어떻게 당신을 선택했는지 흥미롭군요."

"흥미로운 건가요, 아니면 거슬리는 건가요?" 그가 도발적으로 물었다. "당신의 사연을 생각해 봤어요. 당신 어머니가 당신과 언니를 어떻게 버렸는지를, 그리고 그분이 내 활동을 지원하고 있었다고 했을 때 당신 얼굴에 나타난 표정을요. 당신은 상처를 입은 거죠."

"맞아요. 나를 버리고 도망간 사람이, 그리고 가족이 없다고 주장했던 사람이, 열정을 갖고 고군분투하는 전혀 모르는 사람들에게 친절하고 관대한 사람일 수 있었다는 말을 듣는 건 쉬운 일이 아니었어요. 내가 힘겹게 고군분투할 때 엄마는 어디 있었던 거죠? 내게 엄마가 필요할 때 엄마는 어디 있었던 거냐고요?" 나는 감정을 가누지 못하고 어깨를 으쓱했다. "머리가 어지러워요."

"그건 이해할 수 있어요. 내가 알던 그분이 한마디 말도 없이 자기 자식들을 버리고 떠나서 죽은 걸로 위장할 수 있었다는 건 이해하기 어려워요. 당신이 그걸 헤아린다는 건 불가능할 수밖에 없죠."

"불가능하다는 말로는 제대로 표현이 안 돼요. 내가 끝까지 파헤쳐 보려는 이유가 바로 그거예요."

"당신 언니는 같은 식으로 느끼지 않더군요."

"맞아요. 다니는 화가 났어요. 그리고 언니는 자기가 상황을 통제하지 못하는 걸 싫어해요. 그런 게 언니에겐 스트레스가 되죠. 나는 언니가 스트레스를 받는 걸 원하지 않아요. 언니는 지난 몇 년 동안 아기를 갖는 문제로 힘들어했어요. 그런데 지금 언니는 임신 4개월째예요. 이런 상황으로 인해 언니나 아기의 건강에 문제가 생기는 건 견딜 수 없어요. 난 언니가 가고 싶어 했을 때 마음이 놓였어요."

"언니는 올바른 결정을 내린 것 같군요."

"하지만 언니는 내가 잘못된 결정을 내렸다고 생각하죠. 뭐 특별한 일도 아니에요. 언니는 언제나 자기가 나보다 뭐든 더 제대로 안다고 생각해요. 당신은 형제가 있어요?"

"없어요. 그리고 나와 똑같이 생긴 쌍둥이가 있는 건 상상도 안돼요. 비록 당신들 두 사람의 작은 차이점을 몇 개 알아채긴 했지만 말이죠."

"언니는 머리가 짧은데 난 길다는 사실 같은 거요."

"네. 하지만 내가 생각한 건 그것보다는 당신 왼쪽 눈 밑에 있는 주근깨인데요. 언니는 오른쪽에 있더군요."

"우리는 거울 쌍둥이예요. 당신이 그렇게 빨리 알아차렸다는 게 믿기지 않네요. 언니는 오른손잡이고 나는 왼손잡이죠."

"그거 재미있군요." 그의 시선이 내 얼굴을 열심히 관찰했다. 나는 불편한 동시에 뭐라 설명할 수 없이 흥분되기도 했다. "당신들은 머리 모양을 완전히 똑같이 해본 적이 있나요? 똑같은 옷을 입은 적은? 쌍둥이 중 다른 쪽인 척해본 적은?"

"그럼요, 있고 말고요. 대부분은 엄마가 돌아가신 뒤였죠. 엄마는 사람들이 우리를 각각의 개인들로 보기를 원했어요. 그래서 다른 옷을 입히곤 했죠. 엄마는 우리가 자기만의 관심을 추구하기를 원했어요. 엄마가 사라지고 나서는 달라졌죠. 아빠는 우리를 돌봐줄 도우미를 고용했어요. 그녀는 우리를 데리고 쇼핑하러 가면 모든 걸 다 두 개씩 샀어요. 우리가 사람들을 속이는 장난을 치기 시작한 건 그때부터였어요. 특히 아빠를 대상으로 그랬죠. 아빠는 우리를 구별하는 걸 어려워했어요. 이상한 일이었죠. 왜냐하면 엄마는 항상 누가 누군지 알았으니까요."

"아마도 당신 어머니는 모녀간의 유대감 때문에 당신들과 좀 더 긴밀히 연결되어 있었던 거겠죠."

"그럴지도 모르죠. 엄마는 사랑이 많은 분이었어요. 항상 우리를 안아주고 우리에게 입맞춤해주고 우리가 있는 침대 속으로 파고들곤 했어요. 아빠는 훨씬 먼 존재였어요. 아빠는 우리를 사랑했죠. 우리를 부양했고요. 하지만 난 아빠와 깊은 대화를 나눈 기억이 없어요. 한 번도요. 이상하지 않아요?"

케이드는 어깨를 으쓱했다. "사람들은 다 다르니까요. 당신 아버지가 왜 당신 전화에 답을 하지 않는다고 생각해요? 그게 흔치 않은 일인가요?"

"그럴 수도, 아닐 수도 있어요. 아빠가 항상 내 전화에 곧바로 답하는 건 아니에요. 하지만 새엄마인 비키나 다니에게는 보통 답을 하거든요. 우리 중 누구도 아빠에게서 소식을 듣지 못하고 있다는 사실이 심란한 거예요. 또 이상한 건 아까 엄마 학교에 갔을 때 아빠를 본 것 같다는 점이에요. 아마도 그 사람이 아빠라고 상상했던 건지도 모르지만요."

케이드는 믿기지 않는 표정으로 나를 봤다. "정말 그렇다고 믿는 건가요?"

"그러고 싶어요. 엄마에게 벌어지고 있는 모든 일과 엄마가 아빠를 떠나게 된 이유가 의혹의 대상인 이상, 엄마가 총에 맞았을 때 아빠가 여기 있었다는 게 아무 일도 아니라는 생각은 들지 않으니까요."

"당신 아버지는 어머니가 총에 맞고 난 후에 오셨을지도 몰라요. 당신과 마찬가지로 그 소식을 들었을 수 있죠."

"맞아요. 하지만 왜 우리에게 전화해 주지 않는 걸까요?"

"경찰이 아마도 그분 핸드폰을 추적할 수 있을 텐데요."

"아마 그렇게 할 거예요. 아빠는 요주의 인물이죠. 하지만 아빠는 폭력적이고 분노가 많은 사람이 아니에요. 누구에게도 총을 쏘지 않을 분이라고요. 아빠는 판매 담당 임원이에요. 목소리를 높이는 일조차 결코 없어요. 화가 나면 조용해지죠. 아빠가 총 쏘는 법을 안다는 것조차 상상이 안 돼요." 내가 잠깐 말을 중단했다. "당신한테 이런 얘기를 모두 쏟아부어서 미안해요, 케이드. 당신은 그냥 어떤 사람의 집에 방을 하나 빌려 쓰고 있는 것뿐인데 말이죠. 당신은 이 모든 일에 휘말리게 되리라곤 예상하지 못했겠죠."

"인생은 예상하지 못한 일들의 연속이에요. 난 그런 것에 유연하게 대처하는 법을 알게 됐거든요."

"나도 그런 걸 알게 됐다고 생각했어요. 하지만 이 문제는 유연하게 대처하기가 어렵네요."

"난 당신이 어머니를 위해 싸우고 싶어 한다는 데 감명받았어요. 비록 그분이…."

"나를 위해 싸우지 않았는데도 말이죠." 내가 그의 말을 끝마쳐 주었다. "그렇지만 내가 이렇게 하는 건 엄마를 위해서만은 아니에요. 나를 위해, 그리고 다니를 위해서죠. 내 생각엔 아빠도 그럴 거예요." 나는 숨을 내쉬었다. "우리가 어떻게 내 문제로 되돌아온 거죠? 우리는 당신 얘기를 하고 있었는데 말이에요. 당신은 언제부터 그림을 그리기 시작했어요?"

"아버지가 돌아가신 후부터 나는 지독한 분노 조절 문제를 겪었어요. 밤에 잠을 잘 수가 없었죠. 낮에는 기진맥진한 상태로 지냈고요. 엄마가 나를 정신과에 데려갔어요. 의사는 내 감정을 머리 밖으로 끄집어낼 수 있도록 글로 써보라고 하더군요. 그러려고 애썼지만 나온 건 글이 아니라… 그림이었어요. 나는 스케치와 색칠을 통해 나 자신을 표현할 수 있었어요. 그걸로 내 인생은 엄청나게 달라졌고, 내 그림은 거기서부터 자라 나온 거였어요. 열세 살 무렵에 나는 우리 동네 건물들을 포함해서 어디에나 그림을 그리고 있었어요." 그가 미소를 지었다. "그런 게 항상 환대받았던 건 아니었죠."

"그라피티 화가였던 거예요?"

"그랬죠. 세상이 내 캔버스가 되었어요. 뭔가를 곁들일 수 있겠다고 생각하면, 그렇게 했어요. 그 과정에서 문제도 생기곤 했죠."

나는 놀라지 않았다. 케이드에게서는 확실히 반항아 같은 분위기가 풍겼다.

"어떤 문제요?"

그는 어깨를 으쓱했다. "별 것 아니에요."

그는 다시 입을 닫고 있었지만 나는 그의 과거를 다 말해달라고 할 수는 없다고 생각했다. 그래서 나는 다시 작품 얘기로 되돌아갔다. "당신은 어떤 주제에 영감을 받아 그림을 그려요?" 내가 물었다.

"출발점이 어디든 간에 나는 언제나 극복할 수 없는 역경에 맞서 싸우는 걸로 끝이 나요."

"엄마 집에 걸려 있는 그림 속 거대한 폭풍에 갇힌 작은 보트 같은 것 말이죠."

"그래요."

"당신의 작품이 왜 그렇게 어두운지 이제 이해가 되기 시작했어요."

"내 머릿속에서 비롯되니까요."

그 말을 생각하자 케이드의 머릿속은 얼마나 어두운 걸까 궁금해졌다. 그는 착한 사람 같아 보였다. 그는 내게 친절만 베풀었다. 그러나 그의 작품은 아주 다른 면을 보였다. **그는 보이는 모습 그대로의 사람이었을까?**

"당신은요?" 케이드가 내 생각을 방해하며 물었다. "당신은 진짜 인생에서 뭘 하는 사람이에요? 당신은 음악가라고 말한 걸로 생각하는데 그다음엔 또 가게 얘기를 했잖아요."

"좀 복잡해요."

"당신 인생에서 단순한 게 있기는 한가요?" 그가 알 만하다는 듯 잔잔한 미소를 띠고 말했다.

"없어요. 하지만 그렇게 돼야죠. 난 평생 연주하고 있어요. 대학에서 음악을 부전공했고요. 전공하려 했지만, 다니는 내가 좀 더 실용적인 사람이 돼야 한다고 했죠. 자기와 함께 경영학 학위를 따야 한다고요. 아빠는 언제나 우리가 스스로 책임지는 사람이 되기를 바란다는 점을 분명히 했어요. 처음 2년간의 대학 등록금은 아빠가 냈고, 그다음엔 우리가 나머지 등록금을 내야만 했죠. 음악 전공으로는 학자금 대출을 갚을 수 없을 것 같아서 전공을 바꾼 거예요."

"재미있네요."

나는 그의 그 한마디 대꾸가 굉장히 비판적이라고 느꼈다. 그러나 그건 아마도 나 스스로 나에 대해 비판적이기 때문이었을지도 몰랐다. "난 졸업한 후에도 계속 음악을 추구할 수 있을 거로 생각했지만, 그건 내 생각만큼 쉬운 일은 아니었어요. 여러 가지 사건들이 일어나면서 나는 다른 길로 가게 됐어요."

"어떤 사건들요?"

"제일 먼저, 언니가 카멜에서 결혼을 했는데 그 결혼과 관련해서 내 도움이 필요했어요. 그래서 난 언니를 따라 LA에서 카멜로 가게 됐고요. 그런 다음엔, 언니가 의류 부티크를 열고 싶어 했어요. 언니는 패션에 대한 열정이 있었거든요. 그리고 내가 자기와 동업하기를 원했어요. 난 당시에 다른 어떤 기회도 없었기 때문에 언니를 도와 '두 자매 부티크'를 열게 된 거예요."

"잘 어울리는 이름이네요."

"언니에게 나는 동생으로 있어야 했어요. 그 모든 건 항상 일시적일 것으로 생각됐지만, 몇 주가 몇 년이 된 거죠. 언니에게는 아기가 잘 생기지 않았고, 그다음엔 유산이 되는 문제를 겪었어요. 유산을 여러 번 했죠. 몸이 아팠고, 마음도 다쳤고요. 언니는 내가 가게에 계속 있어 주기를 원했고 난 그렇게 했어요."

"가족에 대한 헌신이라는 게 있는 거죠." 그가 말했다.

"정말요? 당신은 내가 그냥 재능을 버렸다고 생각하지 않아요?"

"당신은 그렇게 생각해요?" 그가 도발적으로 물었다.

"가끔은요. 난 지역에서 연주와 레슨을 하면서 부업으로 연주를 해오고 있긴 하지만, 내 꿈은 명망 있는 오케스트라에서 연주하는 거였어요. 사실 지난 목요일에 어느 오케스트라의 제2 바이올린을 맡으라는 믿기 힘든 제안을 받았어요. 그 오케스트라는 11월부터 두 달간 유럽 순회공연을 하기로 되어 있어요. 난 임신 중인 다니에게 내 오랜 꿈을 좇아 언니를 떠날 것이라는 말을 어떻게 해야 할지 고민하고 있었는데, 그때 병원에서 엄마에 관한 전화를 받았던 거예요."

"그건 정말 예상 못 할 일이었군요."

"그걸로 모든 것이 나락에 떨어지고 말았어요. 나는 월요일까지 오케스트라에 확답을 줘야 하는데 다니에게 아직 말도 못 한 상태예요. 지금 벌어지는 이 모든 일의 와중에 그럴 수가 없었으니까요."

나는 잠깐 있다가 말했다. "난 그 일을 거절해야겠다고 생각하고 있어요."

"정말이에요? 왜요?"

"여기 얼마나 오래 있어야 할지 모르니까요. 엄마에게 무슨 일이 일어날지 모르는 거고. 너무 많은 일들이 일어나고 있는 상황이잖아요."

"당신은 그 일을 해야 해요." 케이드가 단호하게 말했다. "당신은 가야 해요."

"내가 어떻게 그럴 수 있겠어요?"

"어떻게 그러지 않을 수 있죠? 당신은 너무 오래도록 꿈을 미뤄 왔어요. 이번이 기회예요. 그걸 잡아야 해요."

"다니는 어떻게 하고요? 엄마는요?"

"당신은요?" 그가 반대로 물었다. "당신 언니는 남편이 있어요. 그렇죠?"

"네."

"그리고 가게에는 직원이 있죠?"

"몇 명 있어요. 하지만 여전히 엄마가 있잖아요. 내가 엄마에게 뭔가를 해줘야 할 의무가 없다는 건 알고 있지만 그래도 지금 바로 떠나는 건 상상할 수가 없어요."

"음, 지금 바로 떠날 필요는 없죠. 11월이라고 했잖아요."

"리허설이 2주 뒤에 시작돼요."

"2주면 많은 일이 일어날 수 있는 시간이에요. 한순간에도 많은 일이 일어날 수 있고요. 당신 인생은 단 한 번이에요, 브린. 음악이 당신이 해야 하는 일이라면, 그걸 해요. 다른 모든 건 어떻게든 될 거예요."

"말은 쉽죠. 하지만 이기적이라는 느낌이 들어요."

"당신 언니는 잘 살 거예요. 가게는 매니저를 구하면 돼요. 당신은 언니와 연락을 계속할 수 있어요. 언니에게 힘이 되어줄 수 있다는 거죠."

"난 언니에게 갚을 게 많아요, 케이드. 엄마가 돌아가신 후 다니가 없었다면 난 살아남지 못했을 거예요. 언니는 내게 전부였어요. 나보다 겨우 22분 먼저 태어났을 뿐이지만 내게는 언제나 언니였고 제2의 엄마였어요. 우리는 믿을 수 없을 만큼 친밀한 사이예요. 때때로나는 우리가 한 사람인 것같이 느끼기도 해요."

"그렇지만 아니잖아요. 당신들은 서로를 사랑하면서도 자신들만의 삶이 있는 독립적인 두 사람이에요. 난 아마도 쌍둥이들의 유대감을 전적으로 이해하지는 못하겠지만 당신이 모험보다는 안전을 택하고 싶다면 그건 그런 유대감 때문이 아닐 거예요. 그건 그냥 당신이 원해서 하는 거죠. 그리고 그게 사실이라면 아무 문제 없는 거고요. 당신 인생이니까요. 당신은 자기가 뭘 원하는지 결정해야 해요."

"난 언니를 생각하지 않고 어떤 결정을 내려본 적이 없는 것 같아요."

그가 나의 시선을 잡았다. "지금이 시작할 때일지도 몰라요."

"그럴지도 모르죠." 나는 케이드가 해야 한다고 생각한 것처럼 과연 내가 자유롭게 그런 선택을 할 수 있을지 전적으로 확신이 들지 않았다. 그러나 그 문제를 더는 계속 얘기하고 싶지 않았다. "우리 이제 집으로 돌아가 봐야 할 것 같아요."

케이드는 고개를 끄덕이고는 음식값 계산을 요청했다. 우리는 몇 분 뒤에 거리를 걸어가서 열쇠 수리공이 나타나기 불과 몇 분 전에 집에 도착했다.

케이드가 그 수리공과 함께 열쇠를 살피고 있는 동안 나는 엄마 방으로 올라가서 정돈을 시작했다. 이 방 안의 상황은 더더욱 엉망 이어서 무시무시한 격분이 완벽하게 휩쓸고 간 것만 같았다. 모든 것이 찢어지고 부서져 있었다. 내 눈길이 닿는 곳마다 다 참혹했다. 나는 엄마의 옷들이 조각조각 찢어져 있는 것을, 특히 엄마가 우리 부티크에서 산 원피스들이 찢어져 있는 것을 보고는 견딜 수가 없었다. 너무나 개인적으로 다가오는 일이었다. 나는 드레스룸에서 나와서 책상 쪽으로 이동했다. 서랍 속에 있던 모든 것이 바닥으로 내팽개쳐져 있었다.

서류철에 있는 것은 공과금 청구서와 영수증, 그리고 인터넷 쇼핑몰 영수증이 대부분이었다. 특별히 중요해 보이는 것은 아무것도 없었다. 책상 밑에 삐져나와 있는 서류철이 눈에 들어왔다. 그것을 열어보자 대여섯 개의 봉투들이 있었는데, 모든 주소가 뉴욕 브롱크스에 있는 같은 곳으로 되어 있었다. 그 봉투들 중 하나를 집어 들었을 때 안에 뭔가 있는 것 같은 느낌이 들었다. 그 봉투를 열어보고 나는 깜짝 놀랐다. 현금 500달러가 들어 있었던 것이다.

나는 봉투 앞면을 다시 보았다. '아동 후원 네트워크'라는 이름의 반송 라벨에 엄마의 주소가 있었다. 수취인 이름을 보고 나는 놀라서 입이 딱 벌어졌다.

수취인은 루이스 베컴이었다. 케이드의 성이 베컴이었다. 우연일 수가 없었다. 케이드는 자신과 엄마의 관계가 그림을 통해 시작되었다고 했었다. 그게 거짓말이었을까? 더 많은 물음으로 내 가슴은 뛰고 있었다. 나는 또 다른 절벽 끝에 서 있는 것 같은 느낌이었다.

11

"도어록 수리가 다 됐어요." 케이드가 말했다.

나는 그의 목소리에 뛸 듯이 놀랐다.

"여기요, 현관문과 뒷문 열쇠예요." 내가 돌아보자 그가 말했다. "열쇠 수리공이 내게 두 세트를 줬어요. 당신 어머니가 퇴원하실 때까지 둘 다 당신이 갖고 있어야죠. 내 자물쇠도 바꿔 달았어요. 그래서 당신 어머니에게 줄 수 있도록 내가 여벌로 하나를 더 갖고 있어요."

"알겠어요."

그는 방으로 들어오며 걱정스러운 눈길로 나를 봤다. "무슨 일 있어요? 당신은 충격받은 모습이에요."

"이걸 발견했어요." 나는 그에게 봉투를 내밀고 그 주소를 읽는 그를 자세하게 관찰했다. 이해가 안 되는 듯한 표정이 그의 얼굴을 스쳐 갔다.

"이게 뭐죠?" 그가 물었다.

"모르겠어요. 하지만 안에는 500달러가 현금으로 들어 있어요." 나는 그가 봉투를 열고 돈을 쳐다보자 잠깐 말을 멈췄다. "루이스 베컴이라는 사람은 당신과 관련 있는 사람인가요?"

"우리 엄마예요." 그가 말했다. 현금을 꺼내고서 그는 이맛살을 깊이 찌푸렸다. 그러더니 그의 눈길이 봉투로 되돌아갔다. "예전에 엄마한테 오는 우편물을 받았을 때 이걸 본 적이 있어요. 엄마는 내게 한 부모를 돕는 비영리 단체에서 금전적 지원을 받고 있다고 말했어요."

"'아동 후원 네트워크'요?"

"그랬던 것 같군요. 그런데 주소가 여기네요. 이 집 주소예요." 그는 혼란스러운 듯 고개를 흔들었다. "당신 어머니가 왜 우리 엄마에게 돈을 보내고 있었는지 이해가 안 돼요."

"두 사람 중 누구도 당신한테 말한 적이 없어요?" 내가 물었다.

"네, 전혀 없어요."

"서류철 속에는 봉투가 여러 개 있어요. 모두 당신 어머니 앞으로 보내는 거예요. 그런데 당신은 아동이 아닌 지 오래잖아요. 나이가 어떻게 되죠? 서른 살?"

"서른한 살이에요." 그가 말했다. 그의 입매는 돌처럼 굳어졌다. "이건 말이 안 돼요."

"아무것도 말이 되는 게 없는 나와 같은 처지가 된 걸 환영해요."

"엄마와 얘기를 해야겠어요."

"지금 전화해 봐요."

그는 핸드폰을 꺼내서 전화번호를 눌렀다. 그리고 방에서 나갔다.

나는 그를 따라가고 싶었다. 하지만 그건 내가 관여할 문제가 아니었다. **아니, 그런 문제였던가?** 우리 엄마가 그의 어머니에게 돈을 보내고 있었다면, 나는 그 이유를 알 필요가 있었다.

나는 바닥에서 일어나서 문으로 갔다. 케이드가 거실에서 말하는 소리가 들렸다. 나는 더 잘 들을 수 있도록 계단 쪽으로 더 가까이 다가갔다.

"이해가 안 돼요." 그가 말했다. "얼마나 오랫동안 그 돈을 받은 거예요? 그 돈을 보낸 로라 호손이라는 사람을 알아요?" 그가 잠깐 있다가 말했다. "진짜로 그분을 모른다는 말이에요? 아뇨, 나중에 얘기할 수 없어요. 내 작품 활동을 지원해 온 어떤 여성이 엄마한 테 돈을 보내고 있었던 이유를 난 알아야 한다고요." 그는 몇 분 동안 말이 없었다. "나한테서 말고는 로라 호손이라는 이름을 들은 적이 없다고요? 난 이해가 안 된다고요." 그 말 뒤로 침묵이 흐르더니 그가 말했다. "그게 중요한 이유는 그분이 어제 총에 맞았기 때문이에요. 그리고 오늘 그분 집에 누군가 침입했어요. 그들은 뭔가를 찾고 있어요. 그런데 엄마가 갑자기 이런 일의 한가운데 등장한 상황이 싫다는 거죠. 경찰은 그분의 인생을 파헤치려 하고 있어요. 그분이 개입된 일이 어떤 일이건 간에 엄마가 거기 얽히지 않았으면 좋겠단 말이에요." 그가 잠깐 있다가 말했다. "난 진정하지 않을 거예요. 이건 심각한 일이에요, 엄마." 그는 숨을 내쉬었다. "좋아요. 다시 전화해 줘요."

그가 통화를 끝내자 나는 계단을 내려갔다. "그래서요?" 내가 물었다.

그는 성난 기색이 역력한 눈빛으로 나를 쳐다봤다. "엄마는 제일 처음 받은 편지에 서명이 없었다고 했어요. 반송 주소도 없었고요. 그냥 그 단체에서 엄마가 힘들게 생활하고 있다는 얘기를 들었다고 만 되어 있었대요. 그 비영리 단체는 홀로 아이를 키우려 애쓰는 게 어떤 건지를 아는, 한 부모 어머니들이 만든 단체였어요. 그들은 비과세가 되는 현금을 보내 사람들을 돕고 있다고 했고요. 엄마는 당시에 궁핍했지만 누구에게도 그런 얘기를 하지 않았는데, 그들은 자신들이 원하는 만큼 모든 사람을 후원할 수 있는 것은 아니라면서 그 돈을 선물로 생각했으면 했답니다."

"너무 멋진 이야기라 믿기 어렵군요. 그들이 당신 어머니 소식을 어떻게 듣게 됐는지 물어보지 않으셨대요?"

"엄마는 몇 달 동안 대출과 보조금을 신청하던 중이었어요. 그래서 그 사람들이 엄마의 이름을 알게 된 걸로 추측한 거죠. 그 돈은 분기별로 한 번씩 왔고 항상 현금 500 달러였어요."

"그러면 1년에 2,000 달러네요." 내가 중얼거렸다. "얼마나 오래 그 돈이 온 건가요?"

"엄마 말씀으로는 내가 열한 살 때 시작돼서 엄마가 감사를 표한 쪽지와 함께 돈을 돌려보내게 된 3년 전까지 계속되었답니다. 엄마는 당신 자식이 성인이 되어 그 돈이 더는 필요하지 않다고 알렸다고 해요."

"그 돈은 20년 전에 당신 어머니께 가기 시작했군요. 그건 바로 우리 엄마가 사라졌을 무렵이에요. 이건 우연일 수가 없어요."

"그런 것 같아요." 그는 얼굴을 잔뜩 찌푸린 채 내 말을 인정했다.

"그리고 그들이 당신 어머니께 3년 전에 송금을 중단했다면 여기 있는 이 봉투에는 왜 여전히 현금이 채워져 있는 걸까요?"

"난 모르죠."

"당신은 봉투에 반송 주소가 없었다고 했지만, 위층에 있는 봉투들에는 라벨이 있어요."

"엄마는 송금을 중단해 달라고 요청하기 몇 년 전에야 반송 주소가 적혀 있는 게 보이기 시작했다고 했어요."

"어떻게 그렇게 정확하게 말할 수가 있죠?"

"엄마가 그 돈을 쪽지와 함께… 이 주소로 보냈으니까 그렇겠죠."

나는 그 문제를 생각했다. "이 단체에 관해 좀 더 알아봐야 해요. 하지만 쉽지는 않을 것 같군요. 공개적으로 운영되는 단체가 아닌 듯하거든요."

"그렇기는 하지만, 돈이 어딘가에서 나온 건 틀림없죠." 케이드가 말했다. "당신 어머니는 교사예요. 난 그분이 전국 각지에 있는 사람들에게 현금을 보낼 만큼 부자라고는 생각하지 않아요."

"그리고 엄마가 왜 한 부모 엄마들을 그렇게 헌신적으로 돕는단 말이죠? 엄마는 한 부모가 아니었어요. 남편과 아이들이 있었는데 버리고 떠난 거잖아요. 오히려 우리 아빠에게 돈을 보냈어야죠."

"어쩌면 그랬을지도 모르죠."

나는 그 추측에 인상을 썼다. "그건 아닐 거로 생각해요. 이런 봉투들을 전에 한 번도 본 적이 없어요. 그리고 그 봉투들은 오직 당신 어머니에게만 보내진 거였어요. 다른 수신자가 어디 있었나요?"

"난 모르죠."

"당신은 우리 엄마를 시애틀에 있는 갤러리에서 2년 전에 우연히 만났고 엄마가 당신의 팬이 됐다고 했죠. 자기가 후원하고 있던 바로 그 아이가 당신이라는 걸 엄마가 몰랐을까요? 당신과 당신 어머니는 성이 같은데 말이에요." 나는 상황을 이어 맞추려 애쓰다가 고개를 흔들었다. "우리가 놓친 어떤 연관이 있는 게 틀림없어요."

케이드는 우울한 눈빛으로 나를 봤다. "나도 같은 생각이에요. 이건 앞뒤가 맞지 않아요. 엄마와 이에 관해 좀 더 얘기를 해야겠지만, 암 후원 단체와 저녁 약속이 있었어요. 엄마 친구분의 차도를 축하하는 자리라고 해요. 나중에 전화한다고 했어요."

"아마 그때 좀 더 많은 얘기를 해주시겠죠."

"그랬으면 좋겠네요." 그는 한 손으로 머리카락을 쓸어내렸다. "난 나가봐야 해요. 그림을 그려야 해서요. 전시회 준비 작업을 해야 해요. 당신은 뭘 할 계획이죠? 지금 나갈 건가요? 호텔을 찾아볼 생각이에요?"

"우선 정리를 좀 더 하려고요." 내가 말했다.

"일단 그냥 내버려 두는 게 어떨까요? 한숨 좀 돌려봐요. 묵을 곳을 찾은 다음 어머니가 어떠신지 갔다 오고요."

그는 갑자기 나를 집에서 나가게 하려고 열심인 것 같았다. 나는 그가 혼자서 뭔가를 찾고 싶어서 그러는 게 아닌지 의구심이 들었다. "난 하던 걸 좀 더 계속할 거예요." 내가 말했다.

"내가 옆에 있으면서 도와주는 게 좋겠어요?"

"도우려는 건가요, 아니면 방해하려는 건가요?" 내가 도발적으로 물었다.

"그게 무슨 말이에요?"

"우리 엄마들은 서로 연계되어 있었어요. 그런데 지금 당신은 갑자기 내가 이 집에서 나가기를 바라는군요. 당신이 내가 없는 상태에서 여기를 둘러보고 싶어서라고 추정해야 하는 거겠죠."

"사실 난 우리가 알게 된 모든 것에 관해 생각을 좀 하고 싶은 거예요. 상황이 개판이니까요." 그가 말했다. 눈에는 분노가 이글거리고 있었다. "로라는 내게 우리 엄마에 관해서나 엄마에게 돈을 보낸 것에 관해 한마디도 하지 않았어요. 하지만 나에 대해 알고 싶다고, 내 작품을 사고 싶고 전시회를 열게 해주겠다는 건 분명히 했죠. 도대체 무슨 일인 거죠?"

"분명히, 우리 엄마에게는 비밀이 아주 많은 거예요."

"분명히요." 그가 배신감 어린 눈빛으로 되풀이했다. 그는 숨을 내쉬었다. "지금은 작업을 하지 못할 것 같아요. 너무나 화딱지가 나요. 당신이 여길 정리하는 걸 도울게요. 좋건 나쁘건 간에, 이제 나도 역시 이 일에 포함돼 버렸어요."

"일이 돼 나가는 걸 보면, 점점 더 나빠질 거 같네요."

케이드와 나는 서류철과 종이들을 훑어 내리고 집을 원래 상태대로 되돌려 놓으면서 몇 시간 동안 거의 말을 나누지 않고 일을 했다. 우리는 관심을 가질 만한 어떤 것도 발견하지 못했다. 비영리 단체에 대한 정보도 없었고 그 단체의 이름으로 된 수표책이나 은행 계좌도 없었다. 나는 인터넷에서 그 단체를 찾아봤으나 역시 아무것도 나오지 않았다.

6시쯤 되었을 때 나는 지치고 절망스러웠으며 쉬고 싶었다. 막 나가려고 생각하고 있던 참인데 다니에게서 전화가 왔다. "아직 이 집에 있어." 내가 선수 치며 말했다. "하지만 곧 갈 거야."

"넌 호텔에 있어야 하잖아, 브린."

"집을 치우고 도어록을 교체해야 했어. 그러느라 생각보다 시간이 오래 걸렸어. 집까지 운전하는 건 어땠어?"

"괜찮았어. 스티브와 얘기를 나눴고, 우리는 엄마의 죽음과 느닷없는 재등장을 조사할 사설탐정을 고용해야 한다고 생각하고 있어. 스티브가 샌프란시스코에 아는 사설탐정이 있어. 그에게 전화했더니 우리 일에 관심을 보였어. 네가 거기 있으니까 그 사람이 가능한 한 빨리 너를 만나고 싶대."

"좋아." 사설탐정이 최악의 선택은 아닐 것이었다. "그 사람 전화번호를 내게 문자로 보내 줘. 내가 전화할게. 아빠한테서는 아직 연락 없었어?"

"없었어. 새엄마와 방금 다시 통화했는데 머릿속으로 온갖 나쁜 가능성을 다 부풀리고 있어. 대부분은 아빠가 바람을 피우고 있는 것과 관련된 생각들이야."

"아빠의 무소식을 그런 걸로 생각할 수 있으면 좋겠어. 하지만 아빠와 연락이 안 되는 시간이 길어질수록 점점 더 걱정돼."

"나도 마찬가지야. 내가 떠나온 뒤 또 무슨 일이라도 있었어?"

"엄마가 어떤 비영리 단체와 연관되었다는 걸 발견했어. 그 단체에서 경제적 어려움을 겪는 한 부모 엄마들에게 돈을 보내고 있는데, 그런 한 부모 엄마들 중 한 명이 케이드의 어머니야."

"뭐라고?" 다니가 소리를 질렀다. "케이드? 아래층 남자? 내가 그를 조심하라고 말했잖아. 그 이야기에는 뭔가가 더 있다고 말했잖아."

"케이드는 나와 마찬가지로 충격을 받았어. 그는 엄마와 자기 엄마 사이에 어떤 관계가 있다는 걸 전혀 알지 못했어. 그의 엄마는 비영리 단체에서 돈을 받기는 했지만 로라라는 이름은 들어본 적이 없다고 했어. 나는 그분이 거짓말을 하고 있다고는 생각하지 않아. 왜냐하면 그의 어머니께 보낸, 수신인 주소가 적힌 봉투를 내가 봤는데 엄마 이름은 거기 없었으니까."

"이건 해괴한 일이야, 브린. 넌 거기서 나와야 해. 우리가 아는 모든 걸로 판단해 볼 때 케이드가 엄마에게 총을 쏜 사람일 수도 있다고."

오싹한 기운이 등줄기를 타고 흘러내렸다. "그건 못 믿겠어. 그는 우리만큼이나 진실을 밝혀내고 싶어 해."

"그건 그 사람 말이지. 하지만 모르는 일이야."

나는 다니가 케이드 얘기를 그만하도록 할 필요가 있었다. "그 사람은 잠시 제쳐 놓자. 케이드의 엄마에게 돈이 가기 시작한 건 엄마가 우리를 떠난 해부터였어. 그러니까 또 다른 우연의 일치인 거지. 그해에 모든 걸 뒤바꿔 놓을 무슨 일이 있었던 걸까?"

"누가 알겠어? 난 이 모든 게 마음에 들지 않아, 브린. 난 지금도 네가 샌프란시스코를 떠나 여기로 와야 한다고 생각해. 우리는 탐정을 고용해서 멀리서 이 일을 할 수가 있어."

"그 탐정을 직접 만나서 얘기하는 게 나로서는 더 편할 거야. 내가 지금 그에게 전화할게. 내 걱정은 하지 마, 다니. 새롭게 등장한 이 문제는 위험한 게 아니야. 더 많은 문제에 답을 줄지도 모를 단서란 말이야."

"그건 모르는 거지. 그리고 난 네 걱정을 멈출 수가 없어, 브린. 어제 나는 내 인생이 드디어 좋은 방향으로 가고 있다고 느끼고 있었는데 지금은 단단한 벽에 부딪힌 거야. 나는, 뭐랄까, 이 모든 일을 우리가 또다시 겪도록 하고 있는 엄마가 미워. 엄마가 그 간호사에게 네게 전화하라고 하지 않았다면 우리는 살던 대로 그냥 살고 있을 텐데 말이야. 이 모든 일을 상대하게 되지 않았겠지."

"어쨌든, 시간을 되돌릴 수는 없잖아. 내가 그 탐정에게 전화할게. 그리고 우리는 거기서부터 시작하면 돼."

"그 사람과 얘기하고 나서 나한테 다시 전화해."

다니가 전화를 끊자 나는 다니의 문자 메시지에서 탐정의 전화번호를 찾아서 그 번호를 눌렀다.

잠시 후 어떤 남자의 목소리가 흘러나왔다. "워런 탐정 사무실입니다."

"카멜의 변호사인 스티브 가필드의 소개로 전화 드립니다. 저는 그의 처제인 브린 랜드리입니다."

"아, 네. 돌아가셨던 어머니가 다시 나타나셨더군요."

"그렇습니다. 하지만 어제 총에 맞아서 이번에는 정말 돌아가실 수도 있어요. 저는 어머니가 왜 20년 전에 떠난 건지, 지난 20년간 무엇을 하고 있었고 누가 지금 어머니를 죽이고 싶어 하는지 밝혀내려 하고 있습니다.”

“언제 만나 뵐 수 있을까요?”

“저는 지금 시간이 있어요.”

“묵고 계신 곳은 어디죠?”

“하이트-애쉬베리에 있는 엄마의 집에 있어요.”

“알겠습니다. 하이트 스트리트에 있는 맥엘로이 바에서 30분 뒤에 만나는 게 어떨까요?”

“좋아요. 거기로 갈게요. 돕겠다고 해주셔서 감사합니다.”

“알고 계신 모든 관련 정보를 다 적어서 가져오세요. 거기서부터 시작해보죠. 20년은 추적하기엔 긴 시간입니다.”

“알아요. 그리고 우리는 정보를 빨리 확보해야 하고요. 누군가 우리 엄마를 여전히 죽이려고 하고 있거든요.”

“알아들었습니다.”

“제가 당신을 어떻게 알아볼 수 있을까요?”

“제가 이해하는 바로는, 당신은 언니와 똑같이 생겼을 테니까 제가 당신을 알아볼 겁니다.”

핸드폰을 내려놓았을 때 케이드가 복도로 걸어와서 거실로 들어왔다. “누구와 얘기하고 있었어요?” 그가 물었다.

“다니가 나를 위해 찾아준 사설탐정이에요. 여기 이 도시에서 일하는 사람인데 30분 뒤에 만나기로 했어요.”

케이드가 고개를 끄덕였다. “사설탐정을 쓰는 건 좋은 생각이에요. 나도 당신과 함께 가고 싶은데요, 브린.”

나는 망설였다. “난 모르겠어요, 케이드. 우리가 너무 얽혀 들어가는 것같이 생각되지 않아요?”

"그야, 우린 분명히 얽혀 있죠. 그래서 내가 당신과 함께 가야 할 필요가 있는 거고요. 우리 엄마도 지금 이 일에 휘말린 거예요. 난 무슨 일이 벌어지고 있는 건지 알아야 해요. 당신은 당신 어머니를 지키고 싶은 거고 난 우리 엄마를 지키고 싶어요."

핵심을 짚은 말이었다. "알았어요. 같이 가도 좋아요. 하지만 가장 우선적인 일은 우리 엄마를 죽이려 하는 사람이 누군지를 알아내는 거예요. 난 우리 엄마가 당신 어머니께 돈을 보냈기 때문에 총을 맞은 건 아니라고 생각해요."

"그게 사실이길 바라지만 우린 아무것도 확실히 아는 게 없죠."

12

맥엘로이는 목제 패널과 희미한 조명이 특징적인 작은 동네 술집이었다. 스포츠 경기를 요란하게 보여주는 TV는 없어도 체스와 체커 판이 새겨진 테이블이 몇 개 있었고 벽에는 다트 판도 걸려 있었다. 술집은 만석이었지만 우리는 뒤쪽에 있는 자리 하나를 얻어냈다.

우리는 웨이트리스에게 음료를 주문했고 그녀는 여러 식전 음식을 테이블 가운데 놓아주었다. 술집 안은 주말을 맞아 들뜨고 행복한 분위기였다. 그런 행복한 기분을 느낄 수만 있다면, 내가 보통 지내는 곳이 아닌 다른 도시에서 잘생긴 어떤 남자와 함께 그냥 술을 마실 수만 있다면 얼마나 좋았을까만, 실상은 그게 아니었다.

"당신 언니는 어때요?" 케이드가 물었다.

"걱정 속에서 자기가 카멜에서 일을 얼마나 잘 통제할 수 있을지 파악하려 하고 있죠." 나는 생각에 잠겨서 그를 쳐다봤다. "당신은요? 우리가 돈을 발견해서 당신이 어머니와 통화한 때부터 당신은 말이 없어요."

"난… 혼란스러워요."

"나도 그래요."

"엄마가 묻지 않고 돈을 받았던 이유를 난 알고 있어요. 우리는 아버지가 돌아가신 후 매우 가난했어요. 엄마는 두 가지 일을 하고 있었는데, 어느 쪽으로도 최저 임금 이상은 벌지 못했죠. 엄마는 최선을 다했지만, 가족을 부양하는 남편이 있던 상황에서 자기 자신과 어린 자식을 부양해야 하는 처지가 되어 버린 거예요. 아버지가 돌아가셨을 때 난 네 살이었어요."

"힘드셨겠군요. 당신 아버지는 어떤 분이었나요? 아버지가 기억나요?"

"몇 가지 기억은 있지만, 그게 내 기억인지 아니면 아버지에 관한 이야기를 많이 들어서 내가 그 이야기들로 기억을 만들어 낸 건지 확실히 말하지는 못하겠어요."

나는 그게 어떤 느낌인지 정확히 알고 있었다. 엄마에 관해 나도 마찬가지였던 것이다.

"내 기억에 아버지는 키가 크고 힘이 세셨어요." 케이드가 맥주를 한 모금 마시고는 계속해서 말했다. "지하철을 타고 나를 센트럴 파크에 데려가곤 하셨죠. 내가 너무 피곤해서 걷기 힘들어하니까 아버지는 나를 어깨에 태우고 이렇게 말씀하시는 거예요. '위에서 보니까 경치가 어떠냐?' 난 멋지다고 했어요. 아버지는 보는 눈이 달라지면 언제나 좋다고 하셨어요."

"좋은 기억이네요. 그리고 그건 당신에게 있는 기억같이 들리는 걸요."

"아버지는 또 일요일 아침마다 아침 식사를 만들곤 하셨어요. 엄마에게 당신이 초콜릿 칩 팬케이크와 베이컨, 치즈를 넣은 스크램블 에그를 만들 테니 자고 있으라고 하셨죠. 일요일은 우리에게 아침 식사와 공원이 있는 날이었어요. 주중에는 아버지를 많이 보지 못했어요. 아버지는 늦게까지 일하셨거든요. 아버지가 돌아가시고 나서는 엄마가 일하러 가야 했죠. 나를 돌봐줄 친척들은 좀 있었지만 도움을 줄 만큼 금전적 여유가 있는 친척은 아무도 없었어요. 현금이 오기 시작했을 때 엄마는 분명 그게 신의 선물이라고 생각했을 거예요. 엄마는 자기에게 온 행운에 대해 의문을 가지려 하지 않았겠죠."

"당신 어머니가 그러시지 않았던 이유는 알 수 있죠. 아이를 기르는 데 그 돈을 썼으니까요. 하지만 시간이 지나면서 그 돈은 3만, 혹은 4만 달러 정도가 되었겠죠. 그건 큰돈이에요."

"그렇죠." 그의 입술이 일그러졌다. 그의 갈색 눈은 복합적인 감정으로 어두워져 있었다. "이 단체가 어디서 그런 돈을 마련했는지, 그리고 당신 어머니가 왜 집 주소를 발송처로 쓴 건지 이해가 안 되네요. 그런 점을 찾아봤지만, 아무것도 발견하지 못했어요."

"그들은 분명 부유한 사람들에게서 기부금을 받았을 거예요."

"아마 그렇겠죠. 나는 또 왜 그들이 우리 엄마를 선택했는지 계속 자문하고 있어요. 엄마는 완전히 다른 지역에 살고 있었잖아요. 혹시… 당신 어머니가 뉴욕에 사신 적이 있나요?"

나는 고개를 저었다. "내가 아는 한은 없어요. 엄마는 애틀랜타에서 태어났어요. 엄마의 부모님은 일찍 돌아가셨고요. 엄마는 열일곱 살 때까지 할머니와 살았어요. 할머니가 돌아가신 후 엄마는 어떤 친구와 함께 샌디에이고로 와서 전문대를 다녔대요. 그런 다음엔 LA로 가서 취직하게 됐어요. 거기서 아빠를 만났던 거죠."

"어머니는 무슨 일을 하셨죠?"

"음악을 가르치고, 어떤 사무실에서 일하고, 식당에서 웨이트리스 일도 했고… 내가 아는 한 온갖 일을 다 했대요. 하지만 내가 아는 게 이제는 매우 의심스럽네요. 안 그래요?"

"나도 같은 느낌이 들기 시작했어요. 나는 당신 어머니와 나눈 모든 대화에 의문을 던지고 있어요."

"엄마에게 당신 부모님 얘기를 했어요?"

"속속들이 한 건 아니지만, 어렸을 때 아버지가 돌아가셨다는 말은 했어요. 그러자 당신 어머니는 자기도 부모님을 여의었기 때문에 그 심정을 이해할 수 있다고 하셨죠."

"그 부분은 그럼 사실이었겠네요."

"언젠가 한 번 우리 엄마가 암 치료를 받는 중이라고 말한 적이 있어요. 당신 어머니는 걱정을 표현하셨죠. 하지만 우리는 돈에 관해서는 한 번도 얘기한 적이 없어요. 비영리 단체나 자신이 우리 엄마에게 20년 동안 돈을 보냈다는 사실은 절대로 언급하신 적이 없어요. 그분이 그걸 단순히 잊으셨다고는 생각되지 않아요. 그렇다면 왜 그걸 비밀로 하셨던 걸까요?"

"전혀 모르겠어요. 당신은 엄마가 시애틀에서 당신을 만난 게 우연이라고 생각해요? 아님, 그건 계획된 것이었을까요? 그건 또 다른 엄청난 우연의 일치 같으니까 말이죠. 엄마는 당신 어머니께 돈을 보내고 있었어요. 당신을 만났을 때 당신이 누군지 알고 있었던 게 틀림없어요."

"당신 말이 맞아요, 브린. 당신 어머니는 알고 계셨던 게 분명해요. 그런 후원은 동정이거나 자선인 거죠."

그의 목소리에는 비참한 느낌이 묻어나고 있었다. 그는 우리 엄마에게 배신감을 느꼈던 것이다. 그게 어떤 느낌인지 나는 알고 있었다. "당신 어머니가 현금 수령을 중단한 이후 엄마는 아마도 당신을 도울 다른 방법을 찾고 싶었던 것 같군요." 내가 말했다. "그러나 엄마는 왜 그랬을까요? 왜 당신의 안녕에 그토록 집착했던 걸까요?" 나는 또다시 목소리에서 상처받은 어조를 제대로 지워낼 수가 없었다.

케이드의 눈이 부드러워졌다. "이유를 전혀 생각할 수가 없어요."

미친 생각이 내 머릿속에 들어왔다. 나는 즉시 떨쳐내려 애썼지만,

그 생각은 사라지지 않았다.

"뭐죠?" 케이드가 의자에서 몸을 세우며 다그쳤다. "지금 무슨 생각을 하는 거예요?"

"이 말은 입 밖에 내고 싶지 않아요."

"추측이 되는군요." 그가 거칠게 말했다. "당신 얼굴은 믿기지 않을 만큼 표정이 드러나요, 브린. 당신 눈은 기분에 따라 색깔이 달라져요. 차분한 상태일 때는 파란색이고 걱정하거나 어떤 일에 흥분하고 있으면 보라색이 되죠. 당신은 또 무의식 속에서 싸우는 것처럼 턱을 치켜들고 있어요."

나는 나에 대한 그의 면밀한 관찰에 살짝 당황스러웠다. "그 모든 게 보여요?"

"난 화가예요. 세밀한 것들이 항상 보이죠. 그것들이 그림으로 구성되는 거예요. 그러니까, 당신이 지금 무슨 생각을 하는지 추측해야 한다면…."

그의 목소리가 사그라들자 나는 그가 나를 관찰한 것처럼 세밀하게 그의 얼굴을 관찰했다. 그의 눈은 감정이 들어가면 어두워졌고, 당황스러워할 때면 양미간이 좁혀졌으며, 지금처럼 말하기 껄끄러운 일이 있으면 입술이 꾹 다물어졌다.

"당신은 당신 어머니가 나와 개인적으로 연관되어 있다고 생각하는 거죠." 케이드가 계속 말했다. "그럼, 그냥 그걸 말해요."

"당신이 한번 말해보죠?" 내가 맞받았다.

"당신은 내가 입양된 건 아닐까, 당신 어머니가 나의 엄마인 건 아닐까, 생각하고 있는 거죠."

나는 재빨리 숨을 들이켰다. 그의 말은 정확하게 내가 하고 있던 생각을 명료하게 표현하고 있었다. "난 그걸 소리 내어 말하고 싶지 않았어요.”

“난 입양아가 아니에요.” 그가 단언했다. “엄마는 나를 낳느라 열여덟 시간 동안 고생하셨어요. 아버지가 그 출산 장면을 비디오로 찍어 놓으셨죠. 불행하게도 난 내가 원했던 것보다 훨씬 더 자세히 내 출생의 모든 순간을 보게 되었답니다.”

안도감이 나를 타고 흘렀다. 케이드에 대해 내가 무슨 생각을 하고 있었는지 모르지만, 그가 내 형제인 걸 원하지 않았던 건 분명했다. “음, 그건 잘됐군요.”

“잘된 일이죠.” 그가 내 눈을 마주보며 말했다. “우리는 그런 관계가 아니에요. 그건 전혀 의심할 여지가 없어요. 하지만 뭔가 연관된 게 있는 거죠.”

“당신이 어머니를 압박해서 좀 더 많은 대답을 들어야 해요, 케이드.”

“내일 엄마에게 전화할 거예요. 내게 말해준 것 이상을 알고 있다고는 생각하지 않지만, 어쩌면 그런 게 있을지도 모르죠.” 어떤 남자가 우리 테이블로 걸어오는 바람에 케이드는 말을 중단했다.

“브린 랜드리 씨?” 그가 말했다. “저는 제러미 워런입니다.”

내가 어떤 사람을 기대하고 있었는지는 몰랐으나 아마도 좀 더 덩치가 큰 보디가드 같은 남자였던 모양이었다. 그러나 제러미 워런은 마르고 꼿꼿한 40대의 남자였다. 그는 청바지와 회색 맨투맨 티셔츠를 입고 야구 모자를 쓰고 있었다.

“만나서 반갑습니다.” 그가 우리 자리에 앉자 내가 말했다. “이쪽은 케이드 베컴이에요. 엄마 집 아래층에 살고 있답니다.”

“잘됐군요. 당신은 도움이 될 만한 정보를 좀 아실 것 같은데요, 베컴 씨.”

"너무 기대는 하지 마세요." 케이드가 말했다. "제가 아는 게 별로 없어요."

"제가 아는 내용을 종합해서 정리한 겁니다." 나는 제러미 앞에 종이 한 장을 밀면서 말했다. "어머니가 20년 전 뉴올리언스 허리케인 때 돌아가신 걸로 추정되기 전까지 어머니의 삶에 관해 제가 아는 내용을 시간순으로 적어 뒀습니다. 그리고 그다음 건 지금 어머니의 삶을 짧게 재조명한 거예요. 그린맨 경위와 샌프란시스코 경찰청이 연락처가 든 어머니의 핸드폰을 갖고 있어요. 경위가 저보다 더 많은 내용을 알고 있습니다."

"내일 그를 만나 확인해 보겠습니다." 제러미는 종이를 정독하며 알겠다는 듯 고개를 끄덕였다. "이걸 가지고 시작할 수 있겠군요."

"뒷면으로 넘기면 다른 내용이 하나 있어요." 내가 말했다. "어머니는 '아동 후원 네트워크'라고 하는 어떤 자선 단체에 관여하고 계셨던 것 같아요. 어머니는 그 단체에서 케이드의 어머니께로 현금을 보내고 있었어요. 하지만 케이드는 오늘 우리가 엄마의 집에서 현금 봉투들을 발견하기 전까지 그걸 전혀 모르고 있었습니다."

"제 어머니는 그 돈이 로라 호손에게서 왔다는 걸 알지도 못하셨어요." 케이드가 끼어들었다. "그 봉투들은 자선 단체에서 보내온 것이었는데, 우리가 로라의 집에서 몇 개를 발견한 거예요."

제러미의 눈에 흥미로운 빛이 감돌았다. "당신들 어머니 두 분 사이에 연결점이 있단 말이죠? 그것참 희한하군요."

"모든 것이 희한해요." 내가 말했다. "케이드와 나는 그 연관성이 뭔지 알지 못해요. 그의 어머니인 루이스 베컴은 뉴욕에 계속 사셨고 우리 엄마는, 제가 아는 바로는, 한 번도 그곳에 간 적이 없어요. 아니, 있었다 하더라도 짧게 여행한 거였을 테고요."

제러미는 내가 그에게 준 종이의 뒷면을 본 다음 눈길을 들어 나를 봤다. "당신 형부가 뉴올리언스에서 어머니가 사망한 것으로 추정된 상황에 관한 정보를 내게 줬어요. 하지만 그분이 도우러 갔다던 친구의 이름은 거기 없었어요."

"저도 그 사람이 누군지는 몰라요. 아빠는 알고 있겠지만 아무에게도 연락하지 않고 있어요. 우리는 아빠도 역시 걱정이 돼요."

"스티브가 당신 아버지의 개인 정보를 제게 줬습니다. 아버지를 찾는 것 또한 제가 할 생각입니다."

"잘됐네요. 또 다른 일이 하나 있어요. 엄마가 오늘 아침에 병원에서 공격을 받았어요. 경찰이 지금 엄마의 병실 앞에 경호 요원을 세워 뒀고, 그러니까 바라건대 아무도 들어갈 수 없을 거예요. 그리고 또, 아까 제가 병원에 있는 동안 누군가 엄마 집을 쑥대밭으로 만들어 놨어요. 분명 뭔가를 찾느라 집 안을 뒤졌던 거예요."

"알겠습니다." 제러미가 고개를 끄덕이며 말했다. "가기 전에, 당신 어머니 두 분의 연결 고리로 되돌아가자면요, 베컴 씨…. 당신은 어떻게 해서 랜드리 씨 어머니 집 아래층에 살게 된 것이고 그분과는 어떤 관계인가요?"

케이드가 입을 굳게 다물었다. 그는 모두들 엄마가 그의 물주라고 추측하는 것에 질린 것 같았다.

"우리는 2년 전에 만났습니다." 케이드가 대답했다. "로라는 예술 후원자였어요. 그분은 제가 여기서 전시회를 열도록 도와주셨고 제가 그 준비를 하는 동안 머물 장소를 제공하셨습니다. 우리는 지난 한 달간 몇 번 대화를 나눴고요. 두 번 저녁을 같이 먹고 또 커피도 한 번 마셨죠. 하지만 아주 개인적인 얘기까지 나눈 적은 한 번도 없었습니다. 그리고, 아뇨, 우리는 연애하는 사이가 아닙니다. 성관계도 없었고요. 우린 친구예요.”

“제게 말을 걸어온 남자분이 몇 명 있는데, 엄마의 친구인 것 같아요.” 내가 끼어들었다. “그 종이에 그 사람들을 써뒀어요. 마크 해리슨이라는 사람은 자기 딸이 다니는 하딩 예술학교에서 엄마를 만났다고 했습니다. 톰 웰스는 엄마와 예전에 사귀었다는 이웃 사람이에요. 하지만 최근에는 엄마와 만나지 않았다고 해요.”

“제가 그 두 사람을 다 조사하겠습니다. 그리고 뭐라도 알게 되면 곧바로 당신에게 전화하죠.”

나는 그의 말에 안도감이 밀려드는 것을 느꼈다. 경찰이 사건을 조사하고 있는 것은 알지만, 이 남자는 나를 위해 일하는 것이었다. “감사합니다.”

그가 자리에서 일어섰다. “그럼, 안녕히 계세요.”

제러미가 나가자 나는 케이드 쪽으로 고개를 돌렸다. “어깨가 한결 가벼워진 느낌이에요. 저 사람은 자기 일을 잘 아는 사람 같아요. 그렇죠?”

“모르겠어요. 자기 경력이나 전술 같은 것에 대해 그가 별로 말한 게 없잖아요.”

나의 안도감은 사라져갔다. “당신 말이 맞네요. 그러나 우리 형부, 스티브는 그를 알고 있어요. 실력 없는 사람을 내게 소개하지는 않았을 거예요. 적어도, 우리에게는 사건을 파헤쳐줄 사람이 생긴 거죠.”

“물론 나쁠 건 없죠.”

옆에서 들리는 큰 말소리가 귀를 때려서 나는 그 술집에 사람이 얼마나 많아졌는지를 깨달았다. “우린 나가야겠어요.”

“그래요. 집으로 돌아가는 길에 피자집이 하나 있어요. 먹을 걸 좀 사서 가야겠죠? 아니면, 호텔을 열심히 찾을 생각이에요?”

"피자 먹기 싫다는 말은 안 했는데요." 내가 말했다. 그러나 케이드를 따라 술집 밖으로 나서자 나는 그에게 거절하는 말을 하기 시작해야 하는 게 아닐까 하는 생각이 들었다. 그가 내 인생에 너무 얽히기 시작했고, 거기다 그는 우리 엄마와 이상하게 연결되어 있는 것이었다. 나는 머릿속에서 커다란 위험을 알리는 신호를 무시하지 말라고 다니가 고함지르는 소리를 들을 수 있었다.

하지만 이건 그냥 피자일 뿐이었다. 그리고 케이드는 이곳에서 내게 있는 유일한 친구, 내가 겪고 있는 일을 이해할 수 있는 유일한 사람이었다. 그도 지금 그 일을 겪고 있기 때문이었다. 그가 엄마의 집에 오게 된 것은 우연이 아니었다. 그가 그곳에 있기를 엄마가 원했던 것이다. 그리고 우리는 둘 다 그 이유를 알아야 했다.

13

우리는 피자를 사서 8시 30분경에 집으로 돌아왔다. 나는 두려운 마음으로 계단을 올라갔다. 현관 앞에 여러 개의 상자와 가방이 있는 게 보였다. 톰 웰스가 내게 준 꽃이 그대로 거기 있었고 두 번째 꽃다발과 선명한 빨간 리본이 달린 쿠키 봉투 하나와 과일 바구니, 그리고 카드가 여러 장 있었다.

"우리 엄마에겐 걱정해 주는 친구들이 있군요." 내가 중얼거렸다.

"당신이 맨 처음 물었을 때 내가 말했던 것처럼, 당신 어머니는 정말 좋은 분이에요."

발걸음 소리가 나서 나는 고개를 돌렸다. 누군가 다가오자 케이드가 내 앞으로 한 걸음 나섰다. 그런 다음 그는 한숨을 돌리고는 옆으로 비켰다. 중년의 여성이 눈에 들어왔다.

"브렌다." 그가 말했다.

"당신을 만나길 바랐어요, 케이드." 브렌다가 대답했다. "로라가 어떤 상태인지 아나요?" 그녀는 나를 보더니 흠칫하며 멈췄다. "어머나," 그녀가 놀라며 말했다. "누구… 누구세요?"

"전 로라의 딸이에요. 브린 랜드리라고 해요."

"딸이라고요?" 여자는 놀라서 내 말을 되풀이했다. "집에 누가, 젊은 친척 여성이 머물고 있다는 말은 들었지만, 로라에게 딸이 있는 줄은 몰랐어요."

"있답니다." 내가 짧게 말했다.

"쳐다봐서 미안해요. 로라와 정말 많이 닮았네요. 난 브렌다 팔머라고 해요. 여기서 몇 블록 떨어진 곳에 살고 있어요. 로라와 나는 같은 북클럽 회원이에요." 그녀가 책을 내밀었다. "이걸 병원에 있는 로라에게 가져다줄 수 있을 거로 생각했어요. 회복되는 동안 읽을 수 있겠죠."

나는 그녀의 손에서 책을 받아 들었다. "제가 갖다 드리죠. 하지만 엄마는 지금 의식이 없어요."

브렌다의 입이 벌어졌다. "의식이 없다고요? 난 수술을 받고 나아지고 있다고 생각했어요."

"자력으로 버티고는 계시지만 아직 깨어나지는 못했어요."

"저런, 얼른 그렇게 되기를 진심으로 바라면서 기도할게요."

"저도요. 그 북클럽은 회원이 몇 명이나 되나요?" 내가 물었다.

"열두 명쯤 있어요. 때마다 좀 다르고요."

나는 책의 표지를 내려다봤다. 아름다운 판타지 그림이었다. "음, 엄마가 판타지를 좋아하나요?"

"좋아하는 장르 중 하나예요. 로라는 다른 세계로 탈출하는 걸 좋아하죠."

나는 좀 씁쓸하게 미소를 지었다. "휴, 온종일 제가 들은 말 중에 제일 진실한 말인 것 같아요."

브렌다는 내 말에 혼란스러운 표정이었다. "무슨 말인지?"

"아무것도 아니에요. 제가 엄마에게 책을 꼭 갖다 드릴게요. 이 근처에 산다고 하셨는데요. 어제 엄마가 총에 맞았을 때 댁에 계셨나요?"

"아뇨. 난 여기서 몇 킬로미터 떨어진 미용실에서 일해요. 거기서 엄마를 만난 거랍니다. 엄마는 우리 손님이에요."

"그런데 딸들에 대해서 한 번도 얘기하지 않았네요?"

브렌다는 고개를 저었다. "딸들이라고요? 당신 말고도 다른 딸이 있어요?"

"제 언니도 있어요."

"그녀는 한 번도 자식이 있다는 말은 안 했어요. 아니 어쩌면 내가 그냥 관심을 기울이지 않았을지도 모르죠. 나는 이따금 사람들이 말을 할 때 딴생각을 한답니다. 온종일 머리를 만지는 게 일이다 보니 온갖 얘기를 다 듣거든요."

브렌다는 약간 믿기 어려운 유형으로 보였고 어찌 보면 좀 방어적이기도 했다.

"엄마가 누군가와, 그러니까 친구나 남자친구, 동료 중 누군가와 문제가 있었는지 혹시 아세요?" 내가 물었다.

"총을 쏘았을지도 모르는 그런 사람 말인가요? 난 차량 총격이라고 생각했는데요."

"아니에요. 경찰은 엄마에게 뭔가 앙심을 품은 사람을 찾고 있어요."

브렌다는 잠깐 생각을 했다. "로라는 톰의 전 부인인 르네와 언짢은 얘기가 오갔다고 말한 적이 있어요. 로라와 톰은 몇 차례 데이트를 했는데 어느 날 르네가 집 앞에 나타나서 자기들은 다시 합치는 중이라고, 그러니까 그를 내버려 두라고 했다더군요. 톰은 로라에게 그건 사실이 아니라고 했지만, 로라는 그들이 지지고 볶는 일에 개입하고 싶지 않다고 했죠. 그래서 관계를 정리한 거예요."

"경찰이 그 여자에 대해 알아야겠군요." 내가 말했다. "성격이 대단한 여자 같아요."

"르네가 위험하다고는 생각되지 않아요." 브렌다가 말했다. "이 얘기를 하지 말았어야 하는 건지 모르겠네요. 나 역시 어떤 복잡다단한 일의 중간에 끼고 싶지 않답니다. 원한다면 경찰에 르네에 관해 말해도 되지만 나는 빼줬으면 해요. 난 가봐야겠어요."

브렌다는 사실상 집에서 도망치듯 가버렸다. 나는 케이드에게 시선을 돌렸다.

"이 얘기는 안에 들어가서 하죠." 그가 말했다.

나는 도어록에 아무 이상이 없다는 것에 안도하며 문을 열었다. 나는 쿠키 봉투를 들고 안으로 들어갔고 케이드는 그사이 피자를 주방에 두고는 다시 돌아와서 현관에 놓인 나머지 것들을 안으로 들였다.

정말 맛있어 보이는 초콜릿 쿠키였다. 나는 리본을 풀고 하나를 집어 먹으면서 봉투 안에 들어 있던 쪽지를 펴보았다. 얼른 쾌차하시길 바랍니다. 사랑을 담아서, 캔디스, 미치, 그리고 딸들이.

나는 그 종이를 옆에 두고 브렌다가 준 책을 펼쳤다. 첫 페이지에 글귀가 적혀 있었다. 당신을 생각하고 있어요, 로라. 다음 모임에서 이 사랑의 삼각관계에 대해 열띤 논쟁을 하고 싶은 마음이 간절하네요. 브렌다가.

케이드가 나머지 물건들을 주방 조리대에 올려놓고 말했다. "책에 무슨 재미있는 말이라도 써 놨어요?"

"아뇨. 그냥 보고 싶다는 말과 덕담이 있어요."

"이 맛있는 것들에도 쪽지들이 있어요." 그가 말했다.

"피자 먹고 나서 읽을래요."

"애피타이저로 쿠키 먹고 나서요?" 그가 살짝 미소를 띤 채 물었다.

"네. 이 초콜릿 쿠키는 천국의 맛이에요. 캔디스라는 이름의 누군가가 만든 것 같네요."

"캔디스는 옆의 옆집에 살아요. 남편과 아이들 둘과 함께."

나는 고개를 갸웃하며 그에게 생각에 잠긴 시선을 보냈다. "당신은 브렌다를 알아봤죠. 그리고 캔디스가 누군지 알고요. 당신이 내게 아직 말하지 않은 사람은 또 누가 있어요?"

"캔디스와 브렌다는 어느 날 밤 여기서 열린 북클럽 모임에 왔었어요. 지나가면서 만났죠. 그 사람들에 관해 나는 아무것도 아는 게 없어요." 그가 인상을 썼다. "난 당신에게 숨기는 게 없어요, 브린."

나는 그게 사실이라고 정말로 믿고 싶었다. "좋아요. 난 그린맨 경위에게 문자 메시지를 보내서 르네 웰스 얘기를 하겠어요."

나는 핸드폰을 집어 들고 문자 메시지를 보냈고 케이드는 접시를 꺼내고 피자 박스를 식탁에 놓았다. 조금 있다가 나는 그에게로 갔다. 나는 우리가 마침내 약간의 진전을 보았다는 것에 조금이나마 희망을 느끼고 있었다. 제러미 워런이 우리를 위해 조사를 진행하고 있었고 나는 그린맨 경위에게 새로운 이름을 보내주었다. 나는 경위에게 케이드의 어머니와 우리 엄마의 연관 관계에 관해 말할 생각이었지만 제러미가 그 일을 들여다볼 때까지 기다리기로 작정했다. 나는 피자 한 조각을 잡고 기쁘게 한 입 베어 먹었다. 턱을 타고 소스가 흘러내렸다.

케이드가 내게 냅킨을 건넸다. "기분이 좀 더 좋아 보이네요."

"어떤 행동을 취했다는 게 기분 좋아요. 성과가 있기를 바라는 마음이에요." 나는 피자를 몇 입 더 먹고는 덧붙여 말했다. "그런데 제러미는 사설탐정같이 생기지 않았어요."

"그래요?" 케이드가 물었다.

"나는 좀 더 다부지게 생겼을 줄 알았거든요. 싸움 좀 해본 사람같이 흉터도 있고, 문신도 있는 그런 사람요. 문신 얘기가 나왔으니,"

나는 눈으로 그의 팔을 훑어 내리며 말했다. "거긴 무슨 일이에요?"

케이드는 왼팔 소매를 걷어 올려 수많은 문신을 내보였다. 포효하는 사자 한 마리와 단검을 빙빙 둘러싼 검은 장미들, 그리고 복잡다단한 여러 모양과 소용돌이들이 그 속에 포함되어 있었는데 마치 격동하는 그의 그림을 보는 것 같았다.

"그것들은 당신이 디자인한 거예요?"

"그랬죠."

"뭘 의미하는 거죠?"

"많은 걸 의미하죠. 힘, 강인함, 용기, 두려움, 상심, 죽음….."

그 마지막 말에 몸속으로 한기가 흘렀다. 케이드에게 어두운 면이 있다는 것이 다시 떠올랐다. "팔이 또 다른 캔버스인 셈이군요. 그렇죠?"

"그래요. 하지만 난 오래전에 적을수록 많은 거라는 마음을 가졌답니다. 그래서 내 몸에 창작하는 걸 시작했죠."

"그런 어두운 정서는 모두 아버지의 죽음에서 온 건가요?"

"모두 다 그런 건 아니겠지만 많은 게 그렇죠. 아버지의 죽음으로 배반당한 느낌이었거든요. 거친 동네에서 아버지 없이 자란다는 건 쉬운 게 아니었죠. 난 너무 어릴 때 집안의 남자로서 살아야 했어요. 엄마는 내가 그러기를 원치 않았어요. 엄마가 내 보호자가 되고 싶었던 거죠. 그렇지만 엄마가 일하는 동안에는 내가 나를 보호해야 했어요. 그렇게 해줄 사람이 아무도 없었으니까요."

그의 말은 내 마음속에 반향을 일으켰다. "나도 엄마의 죽음으로 배반당한 느낌이었어요. 나는 당신처럼 치열하게 살았던 건 아니지만 엄마의 부재는 내 인생에 거대한 구멍을 남겼어요. 아무리 해도 그 구멍을 메울 수는 없었죠." 나는 잠시 있다가 말했다. "엄마가 떠낳을 때 우리가 얼마나 고통스러웠는지를 엄마는 깨달았을까, 아니면 엄마는 조금이라도 고통을 느꼈을까, 하는 생각을 멈출 수가 없어요. 난 엄마가 내게 그걸 해명해주기를 원해요."

그의 눈길이 내 눈길을 붙들었다. "그게 정말 당신이 원하는 건가요, 브린? 내 생각에 당신은 어머니의 말을 듣고 싶다기보다는 당신의 말을 하고 싶은 것 같은데요. 당신은 어머니께 그분이 하신 일에 대해 당신이 어떻게 느끼는지 말하고 싶은 거예요."

"그건 알려야겠죠." 나는 그 말을 수긍했다. "난 엄마가 뭘 잘못했는지 알게 하고 싶어요. 하지만 내 속의 어떤 부분은 엄마가 눈을 떠서 엄마를 끌어안고 싶어 하는 사람을 보기를 원해요. 그리고 엄마에게 내가 얼마나 엄마를 그리워했는지 말하고 싶어요." 나는 곤혹스러워하며 고개를 내저었다. "내게는 너무 많은 감정이 뒤섞여 있어요. 내 사고는 당신 그림만큼이나 어둡게 요동치고 있어요. 내가 느끼는 걸 그림으로 그려서 표출할 수 있다면 좋겠어요."

"그 느낌을 음악으로 표출해 보지 그래요?"

"뭐라고요?"

그는 식탁에서 일어나서 바이올린과 활을 가지고 왔다. "이걸로 당신은 마음의 평화를 찾을 수 있을 것 같은데요."

"내가 지금 과연 연주를 할 수 있을지 잘 모르겠어요."

"왜 못하죠?" 그가 반박했다.

"이건 엄마의 바이올린인걸요."

"당신이 켜면 그건 당신 것이 돼요. 자, 어서요." 그는 바이올린을 내밀었다. 조금 있다가 나는 그걸 받아 들었다. "생각하지 말아요. 그냥 켜요."

"말은 쉽죠."

나는 의자를 뒤로 밀어 공간을 조금 더 만든 다음 바이올린을 어깨에 올렸다. 활은 살짝 굽어 있었지만 그건 괜찮을 것이었다. 왜냐하면 나도 그다지 똑바르지 않은 느낌이었기 때문이다. 나는 눈을 감고 머릿속에서 모든 상념을 밀어내려 애썼다.

첫 음을 내자 본능이 발동했다. 나는 엄마가 가르쳐 주었던 곡을 연주했다. 내가 그 곡을 완전히 익히기도 전에 엄마가 돌아가셨지만, 그 후에 나는 그 곡을 완벽하게 익히는 것을 과제로 삼았다.

내 감정이 선율에 녹아 들어가자 나는 분노와 절망, 비애와 슬픔, 불확실과 두려움 등등이 분출돼 나오는 것을 느꼈다.

마음을 치유해 주는 따뜻한 산들바람처럼 음악이 내 속으로 흘러 들었다. 나는 두 번째 곡을 연주했다. 그리고 또 세 번째 곡을. 마침내 마지막 음을 켰을 때 나는 이루 말할 수 없이 기분이 나아져 있었다.

나는 바이올린을 내려놓고 케이드를 올려봤다. 그는 감탄하는 눈빛을 내게 돌려주었다.

"아름다운 연주였어요, 브린. 눈부시게 아름다워요. 당신은 정말 타고났네요."

"고마워요. 칭찬이 너무 과한걸요."

"천만에요. 당신은 재능이 있어요."

"난 연주하는 게 정말 좋아요. 그리고 당신 말대로… 이게 도움이 됐어요."

"때로는 감정을 담아두는 게 너무 힘겨울 때가 있죠." 그는 말을 잠시 멎었다. "내가 이런 말을 할 입장은 아니지만, 당신은 그 오케스트라와 함께 연주해야 해요. 당신의 재능을 쓰지 않는 건 죄를 짓는 거예요."

"나도 스스로 그렇게 말을 해요. 하지만 그건 이기적이라는 느낌이 드는걸요. 특히 다른 모든 일들이 벌어지고 있는 상황에서는요. 그렇지만 지금은 그 생각을 하고 싶지 않아요. 지난 48시간 만에 처음으로 마음이 차분해진 걸 느끼고 있어요. 쿠키 먹을까요?"

"아주 좋죠." 그가 대답하자 나는 일어섰다.

나는 쿠키 봉투와 엄마를 위해 남겨 놓은 카드 두 장을 손에 들고 식탁으로 왔다.

케이드는 쿠키에 손을 뻗었고 나는 첫 번째 봉투를 열어 카드를 꺼냈다. 로라, 당신을 위해 기도합니다. 얼른 쾌차하세요. 우리 학교엔 당신이 필요해요! 카드에는 학교 교장과 여러 다른 교사들의 이름이 적혀 있었다.

나는 다음 봉투를 열고 카드를 꺼냈다. 순간 혁하고 숨이 막혔다.

"왜 그래요?" 케이드가 물었다.

"이걸 장난이라고 봐야 하나요?" 나는 그에게 카드 앞면을 보여줬다. 공동묘지에 줄지어 선 묘비들과 함께 '여기서 그 모든 것이 끝난다.'라는 인용문이 있었다.

"누가 보낸 거죠?" 그가 간결하게 물었다.

나는 두려워서 선뜻 카드를 열지 못했다. 그러나 결국은 열었다. "이유는 당신이 알겠지." 나는 글귀를 읽고는 눈을 들어 그를 바라봤다. "이름이 없어요. 하지만 이건 분명히 개인적인 거예요."

"배신이 있었던 것 같은 느낌이에요." 케이드가 낮게 말했다.

"딱 그런 느낌이죠." 나는 그의 눈을 마주 보며 말했다.

식탁에 있던 핸드폰에서 진동음이 울려서 화면을 내려다봤다. "그린맨 경위예요."

"스피커 켜고 받겠어요?"

"그러죠." 나는 핸드폰을 집어 들었다. "여보세요? 제 문자 메시지 받으셨나요?"

"봤습니다. 르네 웰스는 새로 등장한 이름이네요. 제가 확인해 보겠습니다."

"네, 좋아요. 그리고 또, 저한테 카드 한 장이 있어요. 엄마의 친구들과 이웃들이 갖다 놓은 다른 물건들과 함께 현관 앞에 놓여 있었어요. 협박 카드였어요. 공동묘지 그림이 있고 '여기서 끝이 난다. 이유는 당신이 알겠지.'라는 문구가 있어요. 서명은 없습니다."

"알겠습니다. 사진을 찍어서 제게 보내주시겠습니까? 그런 다음 그 카드를 비닐봉지에 넣으세요. 그러면 제가 내일 가지러 가죠. 그건 그렇고, 당신에게 보내고 싶은 영상이 하나 있는데요. 그 장면에 찍힌 사람을 아는지 말씀해 주세요."

"그러죠." 나는 조심스럽게 말했다.

"지금 문자 메시지로 보내겠습니다."

나는 식탁에 핸드폰을 놓고 그의 문자가 오기를 기다렸다. 조금 뒤에 영상이 나타났다. 나는 작동을 눌렀다. 케이드가 내 어깨 너머로 그걸 보려고 자리에서 일어섰다.

비디오 영상은 겨우 8초 분량이었으나 엄마의 집에서 길을 건너 차로 다가가는 어떤 사람을 보여주고 있었다. 그 사람은 모자 달린 옷을 입고 있었지만, 고개를 돌렸을 때 얼굴이 가로등 불빛에 포착되었다. 나는 헉하고 숨을 들이켰다. "세상에나," 내가 말했다. "이건 언제 찍힌 건가요?"

"수요일 밤입니다. 이 여자를 알아보시겠습니까?"

"네." 내가 말했다. 속이 울렁거렸다. "저희 새엄마인 비키 랜드리예요. 그렇지만 새엄마는 수요일 밤에 LA에 있었을 텐데요."

"아니었습니다."

"목요일에 제가 통화했어요. 새엄마는 엄마에 관해 아무 말도 하지 않았어요. 단지 아빠가 전화해 달라고 해도 응답하지 않아서 화가 나 있었을 뿐이었어요. 새엄마는 아빠를 걱정하고 있었어요." 내 마음은 수많은 다른 방향을 향해 달려갔다. "아빠가 바람을 피우는 건지도 모른다고 생각하는 거였죠."

"당신 어머니와?"

"아뇨." 내가 말했다. 그런 다음 나는 내가 아무것도 모른다는 것을 깨달았다. "제 말은, 새엄마가 엄마에 관해서는 한마디도 하지 않았다는 겁니다."

"그녀에게 당신 어머니가 살아 계신다는 말을 하고 난 이후에도 그랬다는 겁니까?"

"난 새엄마에게 그런 사실을 알려주지 않았어요. 아빠에게 말하기 전에 새엄마에게 말하고 싶지는 않았어요." 나는 마른침을 삼켰다. "두 사람과 통화가 됐나요?"

"당신 아버지는 제게 전화해 주지 않고 있습니다. 우리는 그의 소재를 쫓는 중입니다. 당신 새어머니에게는 지금 전화하려고요."

"제가 먼저 새엄마와 얘기하게 해주시겠어요? 경위님께 말하기 전에 저한테는 무슨 말이라도 할지 모르니까요. 제 생각에 새엄마는 입을 꾹 다물고 자기 변호사를 부르고 나서야 경위님 질문에 대답할 거예요."

"좋습니다. 당신이 뭘 알아낼 수 있는지 한번 해보세요. 그런 다음 제게 전화해 주세요."

"그리고 또, 저는 사설탐정을 고용했습니다."

"그 사람은 이미 제게 연락을 했습니다. 하지만 랜드리 씨, 저를 믿으세요. 우리는 당신 어머니를 쏜 사람을 찾을 수 있도록 할 수 있는 모든 걸 다하고 있습니다."

"알고 있습니다. 제가 새엄마에게 전화하고 경위님께 다시 전화 드리겠습니다." 그가 전화를 끊자 나는 그 영상을 다시 한번 틀었다. "믿을 수가 없어." 내가 중얼거렸다.

"휴, 저 사람이 당신 새엄마라고요?"

"네."

"당신 아버지와 결혼한 건 언제죠?"

"내가 열한 살 때였어요. 새엄마는 우리 엄마 자리에 들어와서 행복해했죠. 그녀는 우리 엄마의 제일 친한 친구였기 때문에 정말 느낌이 묘했어요. 엄마와 새엄마는 요가 수업에서 만났어요. 두 사람 다 생음악을 좋아해서 아빠가 출장을 가면 함께 음악회에 가곤 했어요. 우리는 그녀를 비키 이모라고 불렀고, 비키 이모는 우리 집에 수도 없이 드나들었어요. 엄마가 돌아가신 후 비키 이모는 나와 다니에게 큰 위로가 되었어요. 그렇지만 상황은 빠르게 변해갔어요. 비키 이모가 집에 오면 아빠하고만 얘기하고 싶어 했던 거죠. 4년 뒤에 두 사람은 결혼했고 그로부터 6개월 뒤에 다니와 나는 기숙학교에 들어갔어요."

"정말인가요? 그녀가 당신들을 기숙학교에 보냈어요?"

"뭐, 그 학교는 예술 과목을 전문으로 하는 학교였어요. 그래서 새엄마는 그게 우리에게 엄청난 기회인 것처럼 우리를 설득했고요. 솔직히 말해서, 우리는 그래도 괜찮았어요. 두 사람과 같이 살고 싶지 않았거든요. 우리 아빠는 엄마가 돌아가신 후 우리에게서 멀어져갔는데, 그건 새엄마가 집에 들어오기도 전부터였어요. 그런데 비키 이모가 랜드리 씨 부인이 되자 아빠는 더더욱 우리와 함께하지 않았고요. 아빠는 우리가 새엄마를 사랑할 거로 생각했어요. 왜냐하면 그녀가 우리 엄마의 친구였을 때 우리는 그녀를 사랑했으니까요. 하지만 그녀에게는 우리가 별로 필요 없다는 걸 우리는 알 수 있었어요."

"지금은 관계가 어때요?"

"참고 견디는 관계죠. 우리는 예의를 지키고 있어요. 두 사람은 LA에 살고 다니와 나는 카멜에 사니까 함께 모이는 일이 그리 많지는 않아요."

"그렇지만 그녀는 아빠가 걱정되면 당신에게 전화하는군요?"

"가끔은요. 새엄마는 지금까지 별로 걱정이 많지 않았어요. 아니, 그랬다고 해도 우리에게 그런 얘기는 전혀 하지 않았어요."

"하지만 지금은, 당신 아버지가 바람을 피울까 봐 걱정하고, 그와 동시에 샌프란시스코에, 돌아가신 것으로 추정된 당신 어머니의 집 근처 나타난 거로군요."

"이런 망할," 나는 중얼거렸다. "새엄마는 우리 엄마가 살아 있다는 걸 알았던 게 분명해요. 하지만 언제 그 사실을 알게 된 걸까요? 애초부터 그랬던 걸까요? 아님, 최근의 일이었을까요?"

케이드가 입술을 팽팽하게 당겼다. "전화해 봐야죠."

"알아요. 다만 내가 더 많은 진실을 직면할 준비가 되어 있는지 잘 모르겠어요."

"당신이 여기서 찾으려는 게 그거 아닌가요?"

나는 한숨을 내쉬었다. "네. 이제 됐어요. 전화할게요."

"스피커 켜고 할래요? 그녀가 어떤 이야기를 하는지 듣고 싶네요."

"그럼요." 나는 새엄마의 전화번호를 누르고 스피커를 켰다. 그녀는 세 번째 신호음에 전화를 받았다.

"브린," 새엄마가 말했다. 성급한 어조의 약간 탁한 목소리였다. "아빠에게서 연락 왔어?"

"아뇨. 새엄마한테는요?" 내가 물었다.

"못 받았어. 이렇게 오래도록 연락하지 않다니 도무지 그 사람 같지 않아."

"아빠에게 무슨 일이 일어났다고 생각하는 건가요, 아니면 아빠가 다른 누군가와 함께 있을까 봐 걱정하는 건가요?"

"난 네 아빠가 다른 누군가에게 시선을 돌렸다고 믿고 싶지는 않아. 하지만 최근 몇 달간 우리 사이는 뭔가 좀 삐끗거리고 있어."

"누군가 다른 사람이 있다고 생각한다면, 생각나는 사람이라도 있나요?"

전화기 반대편에서 긴 침묵이 이어졌다.

"새엄마?" 내가 채근했다.

"모르겠어." 그녀가 말했다. "그리고 내가 네게 이런 얘기를 할 필요도 없는 거야. 이건 나와 네 아버지 사이의 일이야. 난 그냥 그 사람이 걱정되는 거라고. 머리가 어떻게 될 것 같아."

"저도 걱정하고 있어요." 나는 입술을 훔치고는 해야 할 말을 했다. "아빠가 샌프란시스코에 있는 어떤 사람과 바람을 피우고 있다고 생각하는 거예요?"

새엄마는 재빨리 숨을 들이켜는 소리를 숨기지 못했다. "넌 뭘 아는 거니, 브린?"

14

나는 새엄마의 질문에 어떻게 대답해야 할지 한참 생각했다. "저는 새엄마가 수요일 밤에 샌프란시스코 던바가에 있었다는 걸 알고 있어요."

"이런, 세상에, 브린. 넌 알고 있는 거구나?" 새엄마가 중얼거리듯 말했다.

"우리 엄마가 20년 전에 돌아가시지 않았다는 것 말이에요? 네. 새엄마는 엄마가 살아 있다는 걸 안 지 얼마나 됐어요?"

"2주쯤 됐다." 새엄마가 대답했다.

그녀의 대답에 나는 놀랐다. "2주라고요? 2주 전에 무슨 일이 있었는데요?"

"인터넷에서 영상을 하나 봤는데 네 엄마가 거기 있었어. 난 무슨 착오일 거로 생각했어. 하지만 사진들도 있었는데 사진마다 킴의 모습이 너무나 선명했어. 킴은 머리를 자르고 밝은 갈색으로 염색하고 있었어. 하지만 그래도 그건 킴이었어. 너와 다니의 푸른 보랏빛 눈과 똑같은 눈을 가진."

"그 영상이 어떤 것이었죠? 음악 공연이었어요?"

"아니, 어떤 뉴스 토막이었어. 너희 엄마는 학교 콘서트장에 있었는데, 블루스 가수인 미구엘 로드리게스가 깜짝 손님으로 등장했다가 무대에서 심장마비를 일으킨 일이 있었어. 너희 엄마가 심폐소생

술을 실시해서 그의 목숨을 구해줬어. 그의 공연을 찍으려고 거기 갔던 뉴스 기자들이 있었고, 그래서 그 영상이 인터넷 여기저기 다 나와 있었어. 나는 네가 음악과 관련이 있는 만큼 그걸 봤을지도 모른다고 생각했어."

"난 몰랐어요. 그럼 새엄마가 아빠에게 말했겠군요."

또다시 긴 공백이 있었다. "그 사람에겐 말하지 않았어." 새엄마가 말했다. 반발하는 어조가 목소리에 묻어났다. "그래야 할 이유를 알지 못했으니까."

"아빠의 아내가 죽지 않았다는 걸 아빠에게 말해야 할 이유를 몰랐다고요? 나와 다니에게 우리 엄마가 폭풍우에 익사한 게 아니었다는 걸 말해야 할 이유를 몰랐단 말이에요?" 나는 감정이 북받쳐서 거의 고함을 지를 정도로 목소리가 높아졌다.

"난 그게 킴인지 전적으로 확신하지는 못했어." 새엄마가 대답했다.

"거짓말이죠. 방금 그 사람이 엄마였다고 했잖아요. 우리에게 말해주지 않은 이유는 그게 아니겠죠." 나는 딱 잘라 말했다.

"그래, 맞아. 그래서가 아니야." 새엄마가 말했다. 그녀의 목소리는 이제 점점 더 커지고 있었다. "난 킴이 살아 있는 걸 원하지 않았어. 그녀가 죽지 않았다면 그건 떠났다는 뜻이야. 킴은 자기 가족을 버리고 달아났던 거였어. 나는 너희들을 그 비통했던 처지로 되돌아가게 하고 싶지 않았어. 그래서 아무 말도 하지 않았어."

"하지만 그 후, 아빠가 갑자기 출장을 가서 연락이 끊어져 버렸고요."

"그 사람은 화요일에 집에서 나갔어. 갑자기 출장이 생겼다고 말했고. 화요일 밤에 나와 통화를 했어. 포틀랜드에 있다고 하더구나.

하지만 다음 날 아침에 내가 그 호텔로 전화했더니 투숙객 명단에 그 사람은 없었어. 나는 다른 여러 호텔에도 전화해 봤어. 사무실에도 확인해 봤는데, 부서에서는 그 사람이 독자적으로 일정을 만들었다고 하더구나."

"그래서 새엄마는 아빠가 그 영상을 보고 샌프란시스코로 갔다고 판단한 거네요."

"그래. 사실, 나는 그 비디오가 아니었어도 그 사람이 2주 전에 왜 뉴올리언스에 간 건지 의아해하고 있었어. 내 생각에 그는 킴이 어떻게 죽었는지 그 내용을 알아내려 하고 있었던 것 같아. 내가 연락하려고 애썼어도 그는 전화를 받지 않았어. 나는 절망적인 상태가 됐어. 그래서 수요일 오후에 샌프란시스코로 날아간 거야. 난 하딩 학교로 갔어. 너희 엄마는 방과 후에 무슨 콘서트 리허설을 지휘하고 있었어. 난 6시쯤 그녀가 학교에서 나오는 걸 기다리고 있다가 집까지 따라갔어."

"엄마와 얘기를 했나요?"

"아니. 그러려고 했지. 그런데 그때 어떤 남자가 집 앞으로 걸어왔고, 킴은 그 사람을 집 안으로 들였어. 난 차로 돌아가서 20분을 더 기다렸어. 하지만 그 남자는 나오지 않더구나. 난 내가 얼마나 미친 짓을 하고 있는 건지 깨닫기 시작했어. 너희 아빠는 킴과 함께 있지 않았던 거야. 그녀에게는 다른 어떤 사람이 있었던 거고, 그래서 나는 그곳을 떠났어. 하지만 아직도 너희 아빠 소식을 기다리는 중이야. 그는 너희 엄마가 살아 있다는 걸 알고 일종의 실의에 빠져 있다고 생각해."

새엄마의 말은 모두 일리가 있었다. 시간적으로도 맞아떨어졌다. 하지만 그녀 역시도 아빠에 대해 의문을 제기했다. 아빠는 왜 갑자기 우리와 연락을 모두 끊은 것일까? 새엄마가 아빠와 마지막으로 통화한 것은 화요일 저녁이었다. 지금은 금요일 밤이었다. 연락이 안 되기에는 긴 시간이었다. 일어난 모든 일에 비춰 보면 특히 더 그랬다.

"내가 킴의 집 앞에 있었다는 걸 넌 어떻게 알았어, 브린?" 새엄마가 물었다.

"경찰이 이웃집 보안 카메라를 조사하고 있었어요."

"왜?"

"엄마가 목요일 오후에 총에 맞았어요. 그걸 몰랐어요?"

"뭐라고? 그럴 수가!" 새엄마가 비명을 질렀다. "난 몰랐어. 누가 그녀를 쏜 거야?"

"용의자는 아직 없어요. 엄마는 살아 있지만 심각한 상태예요. 목요일에, 엄마가 병원에 실려 온 직후 병원에서 제게 전화를 했어요. 엄마가 간호사에게 제게 연락해 달라고 부탁했나 봐요."

"넌 지금 샌프란시스코에 있는 거니? 엄마를 만났어?"

"그래요. 하지만 엄마는 나를 보지 못했어요. 의식이 없으니까요."

"어머나, 얘야, 미안하다."

"미안한 척하지 마세요, 새엄마. 2주 전에 제게 말해줄 수 있었잖아요. 저한테 그 영상을 보여줄 수 있었잖아요. 엄마가 살아 있다는 걸 제게 말해줄 기회가 얼마든지 있었어요. 제가 아는 걸 원치 않았던 거죠."

"난 너희들을 보호하고 있었어."

"자기 자신을 보호하고 있었죠. 제 생각엔, 아빠도 역시 여기 샌프란시스코에 있는 거예요. 여기 호텔들에 전화해 봤나요?"

"그 사람이 보통 이용하는 몇몇 체인 호텔에 연락해 봤지만 찾지 못했어. 어디 있는지 정말 모르겠다."

"우리 엄마가 왜 죽은 척했는지 알고 계세요? 20년 전에 새엄마는 엄마의 제일 친한 친구 중 한 명이었잖아요. 엄마와 아빠 사이에 문제가 있었나요? 엄마가 아빠를 두려워했어요? 엄마 인생에서 있었던 다른 어떤 문제에 대해 엄마가 말한 적이 있나요?" 질문들이 홍수처럼 입에서 쏟아져 나왔다.

"너희 엄마가 왜 그런 일을 했는지 난 상상할 수가 없다. 그녀는 너희 아빠와 사랑하는 사이였고 그 사람을 전혀 두려워하지 않았어. 그녀가 떠난 이유는 그런 게 아니야. 너는 어떻게 그런 생각을 할 수가 있니?"

"경찰이 그런 가정을 하고 있기 때문이죠. 그리고 경찰은 새엄마에게도 관심이 있어요. 새엄마와 아빠는 많은 걸 설명해야 해요. 엄마가 총에 맞기 전날 밤에 새엄마는 엄마 집 앞에 있었고, 그다음 날 아빠는 이 도시에 있었어요. 그린맨 경위가 곧 새엄마한테 전화할 거예요. 그 사람을 최대한 정직하게 대하시는 게 좋을 거예요."

"경찰이 내게 전화할 거라고?" 새엄마가 초조하게 물었다. "내가 말한 내용을 네가 경찰에 그냥 말해줄 수는 없어?"

"아뇨, 그럴 수 없어요. 그리고 저라면 경찰의 전화를 피하지 않을 거예요. 그렇게 하면 새엄마의 입장만 더 곤란해져요."

"참나, 난 변호사 없이는 어떤 경찰과도 얘기하지 않을 거야."

"그러든지 말든지 하고 싶은 대로 하세요. 전 더는 말하지 않겠어요. 말할 수가 없어요." 나는 감정을 주체할 수가 없어서 전화를 끊었다. 몸에서 모든 것이 다 빠져나간 것 같은 느낌이 들어서 나는 의자 깊숙이 몸을 기댔다. 숨을 내쉬었다.

케이드는 내게 연민의 눈빛을 보냈다. "괴로운 일이었네요."

"새엄마에게요, 아니면 내게요?"

"두 사람 다에게요."

"당신은 어떤 생각이 들어요? 새엄마가 말하는 걸 다 들었잖아요. 그리고 새엄마에 대해서 당신은 아마도 나보다 좀 더 객관적일 테니까 말이에요."

"내 생각은… 당신에겐 쿠키가 필요하다는 거예요." 그는 내게 쿠키를 내밀었고 나는 절로 미소가 지어졌다.

"당신은 정말 직관적이에요." 나는 달콤한 초콜릿을 한 입 베어 물며 말했다.

"거의 늘 듣는 얘기랍니다." 그가 건조하게 말했다. "당신 새엄마에 관한 내 생각을 말해보자면… 겁을 먹고 절망적인 느낌이 전해졌어요. 사랑하는 누군가를 잃게 될까 봐 두려워하는 것처럼 말이죠."

"그건 이해돼요. 하지만 새엄마의 행동은 너무 이상했어요. 새엄마는 그 영상에 대해 아무에게도 말하지 않았죠. 엄마와 대면하려고 샌프란시스코로 날아왔어요. 그런데 만나지는 않았다고 말해요. 난 어떻게 생각해야 할지 모르겠어요."

"그녀는 당신 어머니가 살아 계시다는 걸 알게 되었을 때 자기 남편과 의붓딸들, 자신이 사랑하는 그 가족을 잃게 될까 봐 두려움에 사로잡혔던 거예요. 그래서 아무에게도 말하지 않은 거죠. 그녀는 당신 어머니가 살아 계시다는 걸 아무도 모르길 바라고 있었을 겁니다."

"그건 그렇죠." 나는 작은 소리로 말했다. "그런데 난 아직도 새엄마가 여기로 왔던 일에 관해 모든 진실을 내게 말한 건지 잘 모르겠어요."

케이드는 핸드폰을 꺼내서 스크롤 하기 시작했다.

"내 말이 지루해요?" 내가 약간 성질을 부리며 물었다.

그는 날카로운 표정으로 나를 봤다. "난 당신 새엄마가 말했던 그 영상을 찾고 있는 거예요."

"아, 미안해요."

"찾았어요." 그가 말했다.

"진짜 빠르네요."

"미구엘 로드리게스는 대스타인걸요." 그가 중얼거렸다.

나는 그 영상을 볼 수 있도록 의자를 그의 가까이 옮겨갔다. 사람들이 바닥에 있는 남자를 도우려고 달려가면서 무대 위는 분주히 움직이고 있었다. 그때 한 여성이 심폐소생술을 실시하며 다른 사람들에게 소리쳐 명령을 내리고 사태를 지휘했다. 그녀는 응급구조대가 도착할 때까지 그 남자에게 쉬지 않고 인공호흡을 했다. 그런 다음 그녀는 한 걸음 물러서서 카메라를 쳐다봤다.

마치 내가 나를 보고 있는 것 같았다. 이제 눈을 크게 뜬 그녀는 지금과는 달라 보였다. 그녀는 살아 있었다. 그녀는 진짜였다. 그녀는 말도 안 되는 영웅이었다.

"영상을 다시 틀어 줄까요?" 케이드가 물었다.

나는 고개를 내저었다. "아뇨. 볼 만큼 봤어요. 쿠키 하나 더 먹을래요."

그는 봉투를 식탁 반대편으로 밀어주었다. "이제 뭘 하죠?" 그가 물었다.

나는 쿠키를 두 입 만에 다 먹었다. "그린맨 경위에게 전화해 줘야죠."

"그에게 그 영상의 링크를 보내줘야 해요. 그 영상을 보고 여기로 오게 된 건 당신 아버지와 새엄마만이 아니었어요. 총을 쏜 그자도 오게 됐던 거죠."

"당신 말이 맞아요. 현관에 남겨둔 쪽지에는 '이유는 당신이 알겠지.'라고 씌어 있었죠. 엄마는 20년 전에 어떤 사람을 피해서 도망쳤는데, 다른 사람의 목숨을 구해주는 장면이 나온 뉴스 화면에 엄마가 잡혔기 때문에 누군지는 모르지만 그 사람이 엄마를 찾아낸 거예요. 비극적 아이러니죠."

"그러네요. 그 누군가가 당신과 관계된 사람이 아니면 좋겠어요."

"난 그 사람이 아빠나 새엄마라고는 생각하지 않아요. 비록 내가 새엄마를 좋아하지는 않지만 말이에요. 누군가 다른 사람이 분명해요."

"아마 그럴지도요. 난 그 영상으로 당신이 당신 어머니의 다른 면, 관대하고 용감하고 강한, 그런 면을 본 것이면 좋겠어요."

"그건 엄마를 다른 방식으로 되살아나게 했어요." 내가 시인했다. "병상에 누운 그 여자는 생기를 잃었어요. 진짜 사람 같지 않아요. 하지만 그 영상 속 우리 엄마는 살아 있었어요." 나는 숨을 크게 내쉬었다. "갑자기 피로가 몰려오네요."

"호텔을 찾아야 하는데요. 지금 10시가 다 됐어요."

그 생각을 실현하려면 너무 많은 에너지가 필요할 것 같은 느낌이 들었다. "난 그냥 여기 있을래요. 피곤해요. 도어록이 새것이고, 오늘 밤 누가 다시 올 것 같지는 않아요."

"그건 확신할 수 없잖아요. 하지만 당신이 여기 있고 싶다면 손님 방에서 내가 잘게요."

"당신이 계속 그렇게 하도록 할 수는 없어요. 이건 당신 문제가 아니잖아요, 케이드."

"내 문제예요. 난 우리 어머니들이 어떻게 연결되어 있는지 여전히 알 필요가 있어요."

"손님 방 매트리스는 난도질당했어요."

"그 위에 이불을 깔게요. 찢어진 물건 같은 건 나한테는 문제가 아니에요. 내 작품과 내가 사는 곳을 봤잖아요."

"집이라기보다는 뭔가 화가의 스튜디오 같던걸요. 당신 집도 비슷한 모습인가요?"

"네. 하지만 사는 곳에서 일하는 게 나로서는 좋아요. 게다가 난 잠을 많이 자지 않거든요. 밤에 일이 제일 잘돼요."

"뇌를 좀 쉬게 하질 못하는군요, 네?"

"그게 항상 문제긴 해요." 그가 시인했다.

"그럼 아래층 당신 집으로 내려가죠. 내가 소파에서 잘게요. 당신은 일하면 돼요."

"불편할 텐데요."

"그런 건 괜찮아요. 요 며칠간 잠을 잔다는 것 자체가 행운인걸요. 그리고 당신이 자기 침대에서 잔다면 내가 덜 미안할 거예요."

"그럼 아래층에 있는 걸로 하죠. 하지만 당신이 내 침대를 써요. 거실 소파는 꺼지거든요. 난 일을 좀 마칠 거고, 끝내고 나면 그냥 쓰러질 거예요."

"정말 그러려고요?"

"네. 이유가 무엇이었든 간에 당신 어머니는 힘든 시기에 우리 엄마를 도와주고 나를 후원해 줬어요. 당신이 밤을 잘 보낼 수 있도록 내가 돕게 해줘요." 그가 이맛살을 찡그리며 말을 멈췄다. "정확한 말은 이게 아니었는데요. 당신은 나를 신뢰해도 돼요, 브린. 난 당신이 그걸 알면 좋겠어요."

"당신을 신뢰하고 싶지만, 누군가를 신뢰하는 게 바보 같다는 느낌이에요."

"음, 나와 함께 있으면 당신은 안전할 거라고 약속할 수 있어요."

나는 머릿속에서 바보같이 굴지 말라고 고함치는 다니의 목소리를 들을 수 있었다. 하지만 다니는 여기 없었고 나는 그를 믿고 싶었다. 그래서 나는 말했다. "좋아요. 아래층으로 내려갈게요. 하지만 먼저 그린맨 경위에게 전화해서 상황을 이야기해 줘야 해요."

30분 뒤에 나는 케이드의 거실을 한 바퀴 돌며 여러 단계에 있는 그의 작품들을 둘러봤다. 그곳은 지난번에 왔을 때보다 훨씬 더 아수라장이었다. 나는 구리철사 한 개를 집어 들었다. "이 철사로는 뭘 하는 거예요?"

"정해져 있진 않아요." 그가 내 손에서 철사를 빼내며 말했다. "침실은 그쪽이에요."

"알아요. 하지만 난 당신이 작업하는 걸 보려고 생각 중이에요."

"아무도 내가 작업하는 걸 본 적이 없는데요."

"이건 뭐가 되는 거예요?" 나는 가까이 있는 캔버스 위에 물감이 흩뿌려져 있는 걸 보며 물었다.

"아직 정확히는 몰라요."

"정말요? 이걸로 자기가 뭘 할지 모른다고요?"

"작곡해 본 적 있나요?" 그가 물었다.

"네, 아니 적어도, 쓰려고 해본 적은 있어요. 하지만 어떤 곡을 완성해 본 적은 없어요. 이런저런 구상이 막 떠오르지만 그걸 끝낼 수가 없더군요."

"왜 그렇다고 생각해요?"

"모르겠어요."

"다시 한번 해봐요."

나는 어깨를 으쓱했다. "사람들에게 평가받을 수 있는 어떤 걸 만들면 아마도 나쁜 평가를 받을 거라서 완성하는 게 두려운 것 같아요."

"왜 나쁜 평가를 받게 된다는 거죠?"

"난 연주할 줄은 알지만, 창작을 잘할지는 잘 모르겠으니까요. 당신은 어떻게 그렇게 대담하게 확신하게 된 거예요?"

"시간이 지나면서 점점 발전돼 온 거죠. 내가 처음 그린 몇몇 그림을 보고 이해를 못 한 아이들은 비웃었거든요."

"아님, 그 친구들이 질투한 거였을지도 모르죠."

"나도 속으로 그렇게 생각하면서 기분을 달래려고 했어요." 그가 살짝 웃으며 말했다. "하지만 그러면서도 또 그냥 뭔가를 만들어 내려고 했어요. 뭔가를 도발하기 위해 시작한 건 아니에요. 사람들이 원한다고 생각한 걸 그들에게 주려고 잘할 수 있는 것만 하고 있었죠. 결국에 내가 깨달은 건 나를 생각하게 만드는 것, 내가 감정적으로 반응할 수 있는 것, 온통 잘못돼 보인다 해도 내가 옳다고 느끼는 것만을 나는 창조할 수 있다는 것이었어요."

"용감하네요."

"그게 그냥 나란 사람인 거예요. 난 고집이 세고, 내가 원하는 걸 하고 싶어요. 그렇게 하면 아마 부자가 되지는 못하겠죠."

"하지만 자부심을 느끼게 되겠죠."

"결국, 중요한 건 그거예요. 그림이나 음악을 만들 때 그건 주관적인 거예요. 그게 세상 밖으로 나가면, 어떤 사람들은 그걸 좋아하고 어떤 사람들은 싫어해요. 그러나 일어날 수 있는 최악의 일은 따로 있어요."

"그 최악의 일이 뭐죠?" 내가 궁금해하며 물었다.

"사람들이 관심을 두지 않는 거죠. 그러면 그건 당신이 아무것도 하지 않은 것과 같은 거예요."

나는 그걸 생각해 봤다. "말이 되네요. 하지만 여전히 뭔가를 창조한다는 건 쉽게 느껴지지 않아요."

"쉬워서는 안 되죠. 그러면 무슨 재미가 있겠어요? 위층 열쇠를 줘 봐요."

"왜요?" 나는 미심쩍어하며 물었다.

"잊은 게 있어요."

"뭔데요?"

그는 양손을 내밀었다. "부탁인데, 열쇠 좀."

나는 그에게 열쇠를 건넸다. 그리고 그는 현관 밖으로 나갔다. 그가 없는 동안 나는 그의 작품들을 좀 더 세심하게 들여다봤다. 나는 특히 물감을 재료 중 일부로 쓴 조소 디자인의 작품들 몇 개가 흥미로웠다. 그 작품들을 정말로 이해한 것은 아니었지만, 뭔가를 생각하게 하는 것이었다. 아마도 그 점이 제일 중요한 것 같았다.

몇 분 뒤에 케이드가 바이올린을 가지고 돌아왔다. 나는 그가 무엇을 원하는지 알았다.

"절대로 안 돼요." 내가 말했다. "난 곡은 쓰지 않을 거예요. 게다가 오늘 밤에는 더더욱요. 난 남은 힘이 없어요."

"당신은 신경이 곤두서 있어요." 그가 미소 지으며 말했다. "지쳤지만 흥분된 상태죠. 곧바로 잠이 들 리가 없어요."

"어쨌건, 난 작곡을 할 기분이 아니에요."

"기분이 될 때를 기다리지 말아요. 그냥 해요. 내가 제안 하나 하죠. 난 한 시간 동안 작업할 거예요. 당신도 한 시간 동안 해봐요. 어떤 결과가 나올지 우리 한번 봐요."

"나한테선 아무것도 안 나올 거예요."

"뭐 그럼, 내가 일하는 동안 최소한 조용하기는 하겠군요." 그가 웃으며 말했다.

"재밌네요."

"침실을 써요. 난 여기 밖에서 일할 테니까요. 그리고 생각하지 말고, 그냥 켜요. 당신이 느끼는 걸 바이올린에 실어봐요. 그리고 어디로 가는지 한번 봐요."

나는 바이올린을 들고 침실로 들어가서 헝클어진 침대 위에 앉았다. 나는 바이올린을 켜지 않을 것이었다. 그냥 케이드에게 작업할 시간을 줄 셈이었다. 그러나 침실에는 별달리 시선을 끄는 것이 없었다. 침대 옆에는 옷들이 한 무더기 쌓인 서랍장이 있었다. 그뿐이었다. 텔레비전도 없었다. 내게는 핸드폰이 있었다. 핸드폰을 보며 시간을 보낼 수 있을 것이었다.

나는 침대 한가운데로 급히 올라가서 뒤에 몸을 기대고 핸드폰을 꺼냈다. 나는 엄마가 나온 그 영상을 검색해서 금방 찾아냈다. 엄마가 한 남자의 생명을 구하기 위해 용수철처럼 튀어 나가는 것을 지켜보자 야릇한 느낌이 몸속으로 흘렀다. 자부심 같은 것이었다.

나는 엄마에 관한 것은 아무것도 좋아하고 싶지 않았다. 엄마가 내게 한 일이 있고 나서는 그랬었다. 그러나 적어도 그 순간 엄마는 영웅이었다.

핸드폰을 내려놓고 나는 바이올린을 거머쥐었다. 어쩌면 지금이 내게는 나 자신의 작은 용기를 찾아야 할 시간인지도 몰랐다. 나는 몇 분간 그 악기를 들고 어울리지 않는 화음 몇 개를 켜보았다. 그러다 거의 관두려 했다. 하지만 이건 그냥 시도해 보는 시간일 뿐이었다. 그 정도는 할 수 있었다. 다른 할 일이 아무것도 없었던 것이다.

케이드의 조언을 받아들여서, 나는 생각을 멈추고 그냥 손가락에 감정을 내맡겼다. 모든 두려움과 분노, 그리고 고통이 음이 되어 나왔다. 그 음들은 삐걱대는 것 같았지만 가슴이 후련해지는 느낌을 주기도 했다.

케이드가 방에 들어왔을 때 나는 멍한 눈빛으로 그를 쳐다봤다. "한 시간이 지났어요?" 내가 물었다.

"두 시간째예요." 그가 침대 끝에 걸터앉았다. "방금 연주하고 있던 곡은 뭐였는지… 당신이 만든 거였어요?"

나는 고개를 끄덕였다. "네. 하지만 그 음들을 기억조차 못 하겠네요. 난 그냥 바이올린을 켰어요."

"어떤 기분이 들었어요?" 그가 내 눈을 뚫어져라 쳐다보며 물었다.

"기분이 좋았어요. 나 같다는 느낌이 들었어요. 자 이제, 당신이 듣기엔 어땠는지 말해봐요."

"놀라웠어요. 뭐라도 적어 놓았나요?"

"아뇨." 그의 검고 아름다운 눈을 응시하며 내가 말했다. "하지만 그건 중요하지 않아요. 고마워요, 케이드. 내가 이렇게 해보도록 해줘서 고마워요."

우리 사이에 갑자기 전기가 통하는 듯했다. 나는 우리가 어디 있는지 너무나 잘 의식하게 되었고 기대감이 몸을 타고 흘러내렸다. 어찌 된 셈인지 이 남자가 그 누구도 하지 못했던 방식으로 내 머릿속을 헤집고 들어온 것이었다.

케이드가 갑자기 목청을 가다듬더니 일어났다. "잘 자요, 브린. 이제 잠을 좀 잘 수 있기를 바라요."

그는 내가 무슨 말을 할 수 있기도 전에 나가 버렸다.

나는 침대 위에 몸을 쭉 뻗었다. 평화롭던 내 감정은 어느새 증발해 버렸고 좀 더 복잡한 다른 감정이 파고들었다. 내 몸은 방금 우리가 나누었던 뜨거운 눈빛 때문에 얼얼해져 있었다. 그리고 잠은 더 멀리 달아나버린 느낌이었다.

15

토요일 아침에 잠에서 깼을 때 나는 완전히 방향 감각을 잃어버렸다. 잠시 뒤 나는 케이드의 침대에서 자고 있었다는 것을 깨달았다. 그러나 적어도 나는 혼자가 아니었다. 그건 좋았다. 동시에 나는 속으로 되뇌었다. 내 인생은 이미 복잡하고도 남을 정도라고. 나를 더욱더 혼란에 빠트릴 매력적인 화가에게 예상치 못하게 매료되는 것은 내게 필요한 일이 아니라고.

집 안은 매우 조용했다. 침대에서 빠져나와 보니 나는 어찌어찌 신발은 벗어 던졌지만 또다시 옷을 입은 채로 잠들었다는 것을 알게 되었다. 어제 어느 시점에 나는 제대로 머무를 만한 곳을 찾아야 했다. 그렇다고 엄마의 집에서 무작정 나갈 수는 없을 것 같았다. 그렇게 해서 제일 멀리 온 곳이 여기, 아래층이었던 것이다.

나는 문으로 가서 가만히 문을 열고 거실을 빼꼼히 엿보았다. 케이드가 자는 모습을 보게 될 거로 기대했었다. 밤늦게까지 문틈으로 불빛이 보였던 것이다.

그러나 케이드는 소파나 다른 어떤 곳에도 보이지 않았다. 나는 주방으로 갔다. 또다시 갓 내린 커피포트와 쪽지가 보였다. 갤러리로 갑니다. 나중에 들를게요.

나는 그가 없어서 무척 실망스러웠다. 내게 닥친 모든 충격의 파도를 함께 맞으며 그가 옆에 있는 것에 익숙해져 있었던 것이다. 그러

거울 자매

나 그에게는 해야 할 전시회가 있었고 나의 문제를 그에게 계속 떠넘기는 것은 정당치 못했다.

그의 어머니가 우리 엄마와 이상한 관계에 있었다 해도 그랬다. 그리고 솔직히 말하자면 케이드 역시 엄마와 이상한 관계이긴 마찬가지였다. 나는 그런 연관성을 둘 다 이해할 수 없었다. 엄마의 인생이라는 퍼즐의 또 다른 잃어버린 조각이었다.

케이드가 가버리고 없는 것이 어쩌면 좋았던지도 몰랐다. 어젯밤에는 상황이 조금 뜨거웠던 것이다. 나에게 새로운 곡을 만들어 보라고 종용함으로써 그는 그동안 빛을 보지 못했던 내 속의 한 부분을 열어젖혔다. 그리고 그 음악은 내가 계속 묻어두는 쪽을 택했던 내 속의 감정들을 봉인 해제시켰다.

아마도 바로 그런 이유로 그가 방에 들어왔을 때 나는 그토록 감정적이었고, 그가 나를 쳐다봤을 때 그토록 안절부절못했던 것이었다. 나는 내 방어막이 벗겨져서 벌거벗은 무방비 상태가 되었다고 느꼈다. 그래서인지 모르지만, 모든 사람과 그토록 거리를 두던 내가 잘 알지도 못하는 이 사람을 받아들였던 것이다.

그러나 그것은 어젯밤이었다. 그리고 오늘은 새로운 날이었다. 우리 사이에는 아무런 일도 일어나지 않았다. 그건 모르면 몰라도 케이드가 급하게 방에서 나간 덕분이었다. 우리에게 어떤 순간이 있었다 해도 그건 이미 끝난 지 한참이었다. 나는 엄마를 보러 병원에 가야 하고 언니와 연락하고 사설탐정은 물론 그린맨 경위에게 일이 얼마나 진전됐는지 확인해야 했다. 또한 여전히 아빠를 찾아야 했다. 나는 아빠가 혹시 오늘 밤 엄마 학교에서 있을 촛불 기도에 나타나지는 않을까 궁금했다.

해야 했던 일을 쭉 정리해 보느라 내 머릿속에서 케이드에 대한 생각은 지워졌고 난 그것에 감사했다. 주방 조리대에 놓인 갓 구운 도넛 상자를 보자 불행하게도 그 생각들이 다시 날아오는 것이었다.

아, 돌아버리겠네. 그는 나가기 전에 내게 도넛을 사다 놓았던 것이다. **이 사람은 왜 이렇게 다정한 거지?**

나는 상자 뚜껑을 열었다. 슈가 글레이즈드 도넛과 초콜릿 도넛, 그리고 바닐라 도넛을 보는 순간 내 입에는 침이 고였다. 나는 글레이즈드 도넛을 손에 들었다. 그 따뜻하고 달콤한 빵에 마음이 바로 사르르 녹았다.

케이드는 거친 면과 다정한 면의 흥미로운 복합체였다. 나는 그가 나를 끊임없이 패대기치는 느낌이 들었다. 내가 어떤 견해를 확립하면 그는 바로 그 견해를 바꾸도록 하는, 그에 대해 달리 생각하도록 하는 어떤 일을 했다. 다니라면 내가 너무 빨리 너무 가까워지고 있다고 할 것이고, 그 말은 틀리지 않았을 것이다. 때를 맞추기라도 한 듯 내 핸드폰이 진동했고 다니의 이름이 화면에 나타났다. 다니는 내 마음을 읽고 있는 것이 틀림없었다.

"안녕, 다니." 내가 말했다.

"네가 호텔에서 찍어서 보내준다는 사진을 여태 기다리는 중이야."

"난 집에 있어. 어젯밤에는 아무런 문제도 없었어."

"네가 나가지 않을 거라는 걸 알고 있었어. 정말 괜찮았어? 방금 새엄마와 전화 통화를 끝낸 참이야. 새엄마가 너와 했던 얘기를 해줬어. 그 비디오 영상과 샌프란시스코에 갔던 일에 대해서 말이야. 넌 왜 내게 전화하지 않았어?"

"늦은 시간이었어. 오늘 아침에 전화하려고 했어. 그 영상을 봤어?"

"그래. 기분이 섬뜩했어. 난 아빠가 왜 그렇게 이상하게 행동했는지 알 수가 있어. 아빠는 혼란스럽고, 억장이 무너지고, 화가 났을 거야." 다니가 말했다. "아내가 죽은 걸로 위장해서 자기와 어린 두 자식을 버리고 떠났어. 아빠가 정신을 못 차리고 숨을 공간이 필요했던 건 놀라운 일이 아니야."

다니는 아빠를 변명하느라 혈안이 되어 있었다. 다니는 언제나 나보다 더 아빠에게 못되게 굴었지만, 그런데도 그들은 더 긴밀한 유대감을 갖고 있었다. 나는 아빠보다는 엄마와 더 많이 결속된 느낌을 갖고 있었다. "흠, 아빠가 자취를 감춘 이유가 뭐든지, 경찰이 찾기 전에 우리가 아빠를 찾아야 해."

"제러미는 아빠를 찾는 일을 제일 우선으로 할 거라고 했어."

"난 제러미와 함께 일하는 사람은 나인 걸로 생각했는데." 내가 말했다.

"스티브는 그냥 확인해 보고 싶었던 거야. 제러미가 사건을 맡았으니까 넌 집에 오면 돼, 브린."

"그럴 수 없어, 다니. 난 엄마 곁에 머물러야 해. 이따가 바로 병원으로 가볼 거야."

"넌 정말 엄마를 계속 보고 싶은 거니, 브린? 그게 쉬울 리 없어."

"쉽지 않아. 하지만 엄마가 그 남자의 목숨을 구하는 영상을 보고 나니 진짜 엄마인 것 같았어. 엄마가 좋은 사람이었다는 것도 기억났어. 아마 여전히 그럴 거야."

"엄마는 차도가 있어?"

"아직 다른 얘기는 못 들었어."

"넌 제프에게 전화해 줘야 해, 브린. 그는 널 걱정하고 있어."

나는 목요일에, 내 세상이 무너지기 직전에 제프를 만난 이후 한 번도 그를 떠올린 적이 없었다. "지금은 그 사람과 얘기할 수가 없어. 그에게 내가 바쁘다고, 이 일이 모두 끝나면 그와 얘기를 나눌 거라고 전해줘."

"그건 앞날을 기약하는 말로 들리지 않는데."

"그래, 다니. 난 제프와 사랑하는 사이가 아니야. 솔직히 말해서, 난 기분 전환 차원에서 그와 그냥 데이트했다고 생각해."

"하지만 너희 둘은 즐거운 시간을 보내고 있잖아."

"그는 괜찮은 사람이야. 단지 아무것도 되지 않을 거라는 것뿐이야."

"지금 마음을 정할 필요는 없어. 넌 짜증이 난 거야. 제프는 좋은 남자고 네가 의지할 수 있는 사람이야."

"내가 그 사람하고 곧 얘기할 거야." 나는 다니가 제프에 대한 칭찬을 더 늘어놓기 전에 전화를 끊으며 말했다. 몇 주 전에 이미 나는 제프와 미래를 함께 할 일은 없다는 것을 알고 있었다. 그래서 되는 대로 일이 흘러가도록 내버려 두고 있었다. 왜냐하면 나는 인생의 매 국면 그런 식이었기 때문이었다. 그건 이제 달라졌다. 나는 흘러가고 있지 않았다. 나는 격류에, 살아남을 수 있을지 확신할 수 없는 격류에 빨려 들어와 있었다. 그러나 그 격류는 또한 내가 알지 못했던 내 속의 강인함을 일깨워 주었다.

나는 가방과 열쇠를 손에 쥐고 케이드의 아파트를 나와서 위층으로 올라갔다. 모든 것이 그대로 튼튼하게 잠겨 있었다. 나는 샤워를 하고 옷을 갈아입은 다음 병원으로 향했다.

내가 도착했을 때 의사가 엄마에게 와 있었고, 간호사는 내게 검사가 끝날 때까지 기다리라고 했다. 나는 초조하게 발로 바닥을 탁탁 치면서 복도를 둘러보았다. 엄마의 병실 문 밖에는 여전히 경호 요원이 있었고 그걸 보자 마음이 놓였다. 그러나 내가 정말로 봐야 하는 것은 엄마의 상태가 호전되는 것이었다.

마침내 문이 열렸고 의사가 나왔다. 금발이 매력적인 엘리자베스 라이커 박사는 뒤로 넘겨 땋은 머리를 하고 있었다.

"엄마는 어떠세요?" 내가 물었다.

"안타깝게도, 아직은 아무런 변화가 없습니다." 라이커 박사가 대답했다. "하지만 자력으로 버티고 계십니다."

"엄마가 언제 깨어날지 전혀 모르시나요? 엄마는 아직도 약물에 크게 영향을 받는 상태인가요?"

"우리는 통증 약물을 투여하고 있습니다만 이제는 그것 때문에 깨어나지 못하는 것은 아닙니다."

"그럼 왜 못 깨어나는 거죠?" 나는 절망스럽게 물었다.

"어머니의 몸은 치유되는 과정에 있습니다. 앞으로 48시간 이내에 상태가 어떤지 좀 더 알게 될 거예요."

"전에도 그렇게 말씀하셨어요." 나는 지적을 하지 않을 수가 없었다.

"긍정적인 마음을 갖기 힘드신 건 압니다만 그렇게 되도록 노력해보시죠. 뭔가 변화가 생기면 알려드리겠습니다."

"감사합니다."

의사가 가고 난 후 나는 엄마의 병실로 들어갔다. 간호사가 마침 채혈을 끝낸 상태였다. 그녀는 내게 미소를 짓고는 우리 둘만 남겨두고 나갔다.

나는 병상으로 가서 엄마를 다시 한번 내려다봤다. 얼굴에 좀 더

혈색이 도는 것 같았다. 아니 어쩌면 그건 나의 상상일지도 몰랐다.

"엄마, 깨어나야 해요." 내가 말했다. "저 브린이에요. 제가 여기 있어요. 전 엄마 집에서 지내고 있어요. 누가 엄마를 다치게 했는지 알아내려 애쓰는 중이에요. 하지만 엄마의 도움이 필요해요." 나는 내게는 엄마가 필요했다고 말하고 싶었지만 그렇게 말하면 내가 무너질 것만 같았다. 어렸을 때 내겐 엄마가 필요했는데 엄마는 나를 버리고 떠났다. **내 감정이 어땠는지 지금 그게 왜 중요하단 말인가?** 내가 필요로 했다고 해도 엄마는 나를 떠났던 것이다.

"엄마는 내게 갚아야 할 게 있어요." 나는 대신 이렇게 말했다. "엄마는 나와 다니에게 답해야 할 게 있어요. 아빠에게도요. 우리는 엄마를 사랑했어요. 깨어난다면, 우리에게 얘기해 준다면, 상황은 좀 더 나아질 수 있어요. 이렇게 아무것도 모르는 끔찍한 공백 상태보다 진실이 더 나쁠 거라고는 상상할 수가 없어요."

말을 끝마쳤을 때 나는 방금 내가 한 말이 사실일지 아닐지 종잡을 수가 없었다. 어쩌면 진실은 우리에게 더욱 큰 상처를 줄지도 몰랐다.

나는 엄마의 손 위에 내 손을 얹었다가 그 차가운 피부에 거의 움찔하고 말았다. 엄마는 언제나 너무나 따뜻하고 너무나 안전한 느낌을 주었었다. 나는 엄마의 손을 손가락으로 감쌌다. "엄마 딸들에게는 엄마가 필요해요." 내가 말했다. "우리한테 돌아와 줘요. 제발, 돌아와요."

나는 엄마의 손가락들이 움직이는 느낌이 들어 숨을 죽였다. 그러나 엄마와 나의 손을 쳐다본 순간 아무런 움직임도 없었다. 나는 엄마의 바이털 사인을 기록하고 있는 기계 장치로 시선을 돌렸다. 어떠한 변화도 없었다. 내가 너무나 간절히 원했기 때문에 손가락이 움직였다고 상상한 것이 틀림없었다.

나는 자리를 떠야 했다. 여기 계속 있으면서 미쳐버릴 수는 없었다. 엄마에게서는 답이 나오지 않을 것이었다. 나는 밖으로 나가서 그 대답을 찾아야 했다.

나는 엄마의 손을 놓고 병상에서 멀리 떨어졌다. 그런 다음 병실을 나와서 복도를 빠르게 걸어 내려갔다. 그 냄새와 두려움, 그리고 불확실성에 속이 메슥거렸다. 너무 버거웠다.

엘리베이터가 나를 로비에 내려주었다. 바깥으로 나오자 나는 엄청난 안도감을 느꼈다. 바람이 얼굴을 때렸다. 나는 건물 앞 반원형 진입로를 가로질러 주차장으로 향했다. 모퉁이를 돌아서 내 차를 향해 차량 출입구를 건너려는데 느닷없이 끼익하는 타이어 소리가 들렸다. 나는 얼어붙었다. 차 한 대가 나를 향해 속도를 내며 직진했던 것이다.

멈추지를 않네.

그 놀라운 사실을 깨닫자 나는 순간적으로 몸을 움직였지만, 내 동작은 그만큼 빠르지 못했다. 차의 범퍼가 나를 부딪쳐서 나는 공중으로 훌쩍 튕겨 나갔다. 내가 땅바닥에 강하게 부딪히자 어떤 여자가 비명을 질렀고 차는 속력을 내며 사라져갔다.

어떤 남자와 여자가 내게로 뛰어왔다.

"괜찮아요?" 여자가 내 옆에 무릎 꿇으며 물었다.

나는 온몸이 심하게 떨려서 대답을 할 수가 없었다. 남자가 119에 전화하는 소리가 들렸다. 그리고 다른 사람들이 나를 향해 달려왔다.

그들은 모두 똑같은 걸 물었다. 무슨 일이야?

병원으로 실려 가자 같은 질문이 되풀이됐다. 그 남자와 여자는 누군가 나를 차로 치었다고, 그 차는 속력을 내어 달리고 있었고 멈추지 않았다고 말했다.

나는 왜 그 차가 멈추지 않는지 알고 있었다. 그것은 사고가 아니었기 때문이었다.

내가 떨어져 부딪힌 땅보다 그 사실이 더 나를 강하게 타격했다.

누군가 나를 죽이려고 했다. 그들은 엄마만 노린 것이 아니었다. 이제 그들은 나를 노리고 있었던 것이다.

16

응급실에서 검사를 받은 후 나는 바닥에 부딪혔을 때 양쪽 무릎에 찰과상을 입고 손가락 몇 개가 몸과 바닥 사이에 끼이기는 했지만 부러진 데는 없다는 것을 알게 되었다. 그랬을 가능성을 고려해 보면 천만다행한 일이었다. 간호사는 내게 가도 된다는 의사의 서명을 받아서 돌아오겠다고 했다. 그녀를 기다리고 있는데 그린맨 경위가 들어왔다.

"랜드리 씨, 몸은 어떠신가요?" 그가 근심 어린 눈빛으로 물었다.

"전 괜찮을 거예요. 그냥 좀 다쳤을 뿐이에요."

"제가 들은 바로는, 당신은 운이 좋았던 겁니다."

"알아요."

"그 차는 찾았습니다." 그가 말했다. "몇 시간 전에 도난당한 차였는데 멀지 않은 곳에 버려져 있었어요. 운전자를 봤나요?"

"그는 야구 모자를 쓰고 있었다고 생각해요. 하지만 제대로 보지는 못했어요."

"그럼 분명 남자였겠군요?"

나는 그의 눈을 마주 보면서 그 차가 나를 향해 속력을 냈던 그 순간을 마음속으로 다시 그려보았다. 남자였다는 생각이 들었다. 하지만 내가 실제로 본 것은 그 야구 모자가 전부였다. "모르겠어요." 나는 중얼거렸다. "남자였던 것 같아요."

"좋습니다."

"좋기는요." 나는 절망적으로 말했다. "누군가 나를 죽이려고 했어요. 난 그게 엄마를 쏜 사람과 동일인일 거로 확신해요. 그러니까 경위님이 뭔가 생각한 게 있으면 제발 제게 말해주세요."

"당신 아버지가 목요일 오후에 놉 힐의 힐 크레스트 호텔에 체크인했더군요. 아직 체크아웃은 하지 않았어요. 그러나 우리가 찾으러 갔을 때 그는 방에 없었습니다."

나는 심장이 벌렁거렸다. "이런. 전 경위님이 그런 말을 하리라곤 예상치 못했어요."

"방에는 열어둔 여행 가방이 있었습니다. 그러니까 그가 여기를 떠난 것으로 보이지는 않아요."

나는 몸을 똑바로 했다. "저기요, 우리 아빠는 저를 차로 치려고 하지 않았어요. 아빠는 그 차를 운전하지 않았어요."

"그걸 전적으로 확신하세요?"

"그분은 우리 아빠예요." 이렇게 말하면서 나는 속이 뒤틀렸다. "물론 확신하죠. 아빠는 저를 다치게 할 분이 절대 아니에요. 우리 엄마를 다치게 했을 분이 절대 아니라고요. 다른 누군가란 말이에요." 나는 그를 설득하려고 거의 필사적인 나를 느꼈다.

"우리는 당신 아버지에게 초점을 두고 있는 게 아닙니다." 경위가 나를 안심시켰다. "그와 얘기할 필요가 있다는 겁니다. 아직도 그에게서 연락을 못 받았나요?"

나는 고개를 젓는 것으로 답을 한 다음 말했다. "새엄마는요? 새엄마가 제게 말하지 않은 어떤 걸 경위님에게 말한 게 있나요?"

"아뇨. 그녀는 전화로 변호사가 있어야만 저와 말하겠다고 했습니다. 오늘 약속을 잡아 둔 상태입니다. 그동안에, 저는 순찰대에 당신 어머니 집을 감시하라고 해 두었습니다. 당신이 나갈 준비가 되면 경호 요원에게 당신을 차까지 인도하도록 할 겁니다. 그래도 조심하셔야 합니다. 이 도시를 떠나는 것도 고려해 보실 수 있고요."

"생각해 보겠습니다." 내가 낮은 소리로 말했다.

"병원에서 나오면 경호 요원이 기다리고 있을 겁니다."

"감사합니다."

간호사는 몇 분 뒤에 돌아왔다. 나는 병원 서류에 서명한 다음 응급실에서 나와 경호 요원을 옆에 세우고 차를 향해 움직였다. 차에 들어가 문을 잠그고 주차장을 빠져나오고 나서야 나는 제대로 숨을 쉴 수 있었다.

다시 상황을 통제할 수 있게 되자 다소나마 기분이 나아졌다. 하지만 이제 뭘 해야 한단 말인가?

나는 어디로 가야 할지, 뭘 해야 할지를 몰랐다. 이야기를 나눌 누군가가 필요했는데 내가 생각할 수 있는 유일한 사람은 케이드밖에 없었다. 나는 차를 길가에 세우고 그에게 전화를 했다. 그는 전화를 받지 않았다. 아마도 아직 갤러리에 있을 것이었다. 나는 인터넷에 들어가서 화가 케이드 베컴의 전시회를 검색했다. 나는 그 갤러리의 이름을 찾아낸 다음 차를 출발시켰다.

갤러리는 불과 몇 킬로미터 떨어진 곳에 있었다. 그곳으로 가는 내내 나는 내가 뭘 하는 건지 자문했다. 케이드는 작업 중이었다. 나는 그걸 방해할 권리가 없었다. 그러나 나는 방향을 돌릴 수 없을 것 같았다.

갤러리에 도착하자 나는 옆에 있는 주차장에 차를 세우고 정문을 향해 걸어갔다. 창문에 케이드의 전시회를 알리는 전단이 붙어 있었다. 전시회는 2주 후에 시작될 것이었고 1주일 뒤에 특별 시사회가 예정되어 있었다. 전단에는 그의 작품 샘플들이 나와 있고 미술계에서 놀랍게 부상하고 있는 그의 간단한 약력이 적혀 있었다. 이 전시회가 그에게는 중대한 사건이 될 것이었고, 나는 정말로 그를 방해해서는 안 되었다.

내가 막 돌아서려는 찰나에 문이 열리더니 케이드가 걸어 나왔다.

"브린," 그가 놀라서 말했다. "당신이라고 생각했어요. 여기서 뭘 하는 거예요?"

"정확히는 모르겠어요." 나는 실토했다. "당신에게 전화했는데 받지 않더군요."

"미안해요. 갤러리 주인을 만나는 중이었어요." 그가 눈을 가늘게 떴다. "무슨 일이죠?"

걱정하는 그의 태도에 나는 눈물이 왈칵 솟았다. 나는 미친 듯이 눈을 깜박이며 눈물을 털어냈다. "여기 오지 말아야 했는데."

"잠깐만요." 그가 내 쪽으로 가까이 오며 말했다. "무슨 일이 있는 건데요? 아무것도 아니라는 말은 하지 말아요."

"내가 병원에서 나오고 있을 때 어떤 사람이 나를 차로 치려고 했어요. 난 멀쩡해요. 단지 어디로 가야 할지, 다음에 뭘 해야 할지를 몰랐던 거였어요. 내가 여기 있으면 안 되는 건데 말이죠. 당신은 바쁘잖아요."

"누군가 당신을 차로 치려 했다고요?" 그의 눈이 거리를 순식간에 훑었다. "들어와요. 안에서 얘기해요."

"난 당신을 방해하고 싶지 않아요. 나중에 얘기하면 돼요."

"괜찮아요. 난 어차피 좀 쉬려던 참이었어요."

그는 나를 갤러리 안으로 이끌었다. 몇몇 사람들이 주 전시실을 관람하고 있었지만 케이드는 그들 옆을 지나서 나를 커다란 작업실로 데리고 갔다. 그곳에는 여러 가지 작품들이 보였는데, 그중 하나는 전날 밤에 그의 아파트에 있던 것이었다.

"이건 어젯밤에 당신이 작업하고 있던 거네요." 나는 병들과 병뚜껑, 그리고 철사가 뒤섞여 있고 깨진 유리 조각들을 나무에 붙여 놓은 조각품을 쳐다보며 말했다. "그새 많은 걸 했군요." 나는 잠깐 있다가 말했다. "그래도 난 이게 뭔지 정말 모르겠어요."

"뭐같이 느껴져요?"

"누군가 화가 나서 술집을 깨부순 것 같은데요."

"이걸 보니까 뭘 하고 싶어요?"

"유리를 깨고 싶어요." 내가 말했다.

그는 미소 지었다. "나중에 그렇게 하도록 해줄 수도 있어요."

"지금 나는 물건들을 깨부수는 것 말고 다른 나은 일을 하나도 생각할 수가 없어요." 나는 그 작품을 다시 쳐다봤다. "어젯밤에 당신은 꽉 막혀 있다고 말한 걸로 생각되는데, 헤치고 나온 거네요."

"당신의 음악을 듣다 보니 내가 뭘 원했는지 파악이 되더군요."

"내 음악이라고요?"

"작은 아파트잖아요. 그 음악이 내게 흘러 들어와서 영감을 줬어요. 그렇지만 화가 나서 유리를 깨는 생각을 한 건 진짜 아니었어요. 병이 아니라 유리 조각이라면 어떤 다른 그림이 만들어질까, 생각하고 있었죠. 그건 부분들을 다 모은다고 해서 항상 전체가 되지는 않는 것 비슷한 거죠."

그는 나보다 훨씬 깊이 파고들었던 것이다. "그러니까, 똑같은 조각들로도 수많은 다른 것들을 만들 수 있는 거군요." 내가 중얼거렸다.

"바로 그 말이에요. 인생도 비슷한 거죠."

"당신은 정말 재능이 있어요, 케이드. 그리고 깊이 사유하는 사람이고요.”

“당신도 재능이 있어요. 그렇지만 당신은 또 자신을 단단히 방어하고 있죠. 난 당신이 연주를 하기 전까지는 당신이 어떤 사람인지 알지 못했답니다.”

그의 말은 맞았다. “내가 제일 안전하다고 느끼는 곳이 음악이니까요.” 나는 숨을 들이쉬었다. “하지만 음악이 멈추면 안전은 더 이상 없어요. 특히 지금은요.”

“무슨 일이 있었는지 경찰에 말했어요?”

“네. 그린맨 경위가 병원으로 왔어요. 그들은 차를 발견했어요. 도난 차량이었고 버려져 있었죠. 그러니까 경찰이 그 차량을 조사해서 사람을 찾아낼 수 있을지 의문이에요. 또 다른 막다른 길에 맞닥뜨린 느낌이에요. 이 일을 벌이고 있는 사람이 누구든 그자는 똑똑한 사람이에요.”

케이드는 양손을 내 어깨에 얹고서 내 눈을 들여다봤다. “난감한가 보네요, 브린.”

“그렇게 느껴져요.” 내가 속삭이듯 말했다. “그린맨 경위가 아빠가 있는 호텔을 찾아냈어요. 아빠는 거기 없었지만 옷은 있었대요. 아빠는 분명 샌프란시스코에 있는 거예요. 그런데 내게 전화해 주지 않는 거죠. 좋은 일일 수가 없어요.” 나는 손으로 머리카락을 쓸어내리며 거칠게 숨을 쉬었다. “미안해요. 당신은 다시 작업을 시작해야 하는데, 내가 해야 할 건… 모르겠어요. 뭔가를 해야 하는데.”

“우리 나가죠.” 그가 말했다.

“어디로요?” 내가 놀라서 물었다.

“일단 여기서 나가요.”

“당신은 작업해야 하잖아요.”

"말했다시피, 좀 휴식을 취하려고요. 자, 어서."

케이드가 나를 뒷문으로 이끌자 내가 말했다. "내 차는 앞쪽에 있어요."

"내 오토바이를 타요."

"정말요? 오토바이를?" 내가 긴가민가하며 물었다.

"재미있을 거예요. 얼굴에 바람을 좀 맞게 될걸요. 그러면 머리가 맑아질 거예요." 그는 나를 뒷골목으로 이끌었고, 그런 다음 내게 헬멧을 건넸다. "다치는 일 없을 거예요, 브린."

나는 안심하지는 못했지만 케이드와 함께 있는 것이 혼자인 것보다는 좋았다. "어디로 갈 거예요?"

"길 따라 아무 데로나요."

"나한테 해줄 말이 그게 다예요?"

그는 미소로만 답했다. 나는 그 미소에 가슴이 두근거렸다. 어쩌면 나는 실수하고 있는 것일지도 몰랐다. 그러나 나는 탈출하고 싶었고 그는 내게 오토바이를 태워주겠다는 것이었다. 어떻게 싫다고 할 수 있단 말인가?

우리는 길을 따라 골든게이트교를 건너 노스 베이의 소살리토, 밀밸리, 그리고 산 라파엘까지 달렸다. 나는 한 번도 오토바이 뒷좌석에 타본 적이 없었기에 거의 20분이 지나서야 죽을 둥 살 둥 케이드를 꼭 붙잡았던 손을 늦출 수 있었다. 그리고 점차 편안해지기 시작했다. 차량이 뜸해지자 특히 그랬다.

소노마 와인 지대까지 오자 케이드는 고속도로를 벗어났고 우리는 포도밭과 농장들이 이어지는 인적 드문 도로를 따라 달렸다. 등 뒤에선 바람을, 얼굴에는 햇빛을 받으며 나는 스트레스가 날아가는 것을 느꼈고 오토바이를 타는 것이 신나기 시작했다. 나는 오토바이의 느낌과 나와 꼭 붙어 있는 케이드의 몸이 좋았다. 오토바이를 타는 것이 이렇게 짜릿하리라고는 상상조차 하지 못했었다. 그러나 그 짜릿함은 단지 오토바이만이 아니었다. 오토바이를 몰고 있는 그 남자였다. 그의 복근이, 그의 강인한 몸이 느껴져서 나는 안전한 느낌만이 아니라 흥분이 되기도 했다. 언제까지라도 이렇게 타고 갈 수 있을 것 같았다. 남겨놓고 온 모든 것을 나는 잊을 수가 있었다.

그러나 오후의 그림자가 길어지자 케이드는 다시 고속도로로 들어서서 도시를 향해 남쪽으로 갔다. 샌프란시스코가 가까워지자 나는 다시 긴장되었다. 돌아가야만 하는 상황이, 여전히 파헤쳐야 할 그 모든 비밀이, 내가 회피해야만 했던 그 위험이 두려워지고 있었다. 그래서 케이드가 골든게이트교 직전에서 고속도로를 빠져나가자 나는 몇 분간 더 현실을 멀리 할 수 있어서 행복했다.

그는 언덕으로 올라가서 작은 주차 구역에 오토바이를 세웠다. 나는 오토바이에서 내려서 헬멧을 벗고 머리를 흔들어 털었다. 케이드도 똑같이 하며 내게 묻는 듯한 미소를 보냈다. "재미있었어요?"

"이렇게 재미있는 건 정말 오랜만이에요." 내가 말했다. "다시 갤러리로 데려갈 거로 생각했는데요."

"그럴 거예요. 하지만 아직은 아니에요. 여기가 이 도시에서 제일 전망이 좋은 곳이에요. 이 곳 지대에서 도시를 본 적 있어요?"

나는 고개를 저었다. "아뇨."

"이리 와봐요."

그를 따라가지 않을 수 있다는 건 생각할 수도 없었다. 그는 자석이었고 나는 그의 자력 속에 갇혀 있었다. 아니 어쩌면 내가 그냥 그 속에 갇히고 싶었는지도 몰랐다. 그러면 다른 어떤 것, 재미와는 거리가 먼 어떤 것을 선택하지 않아도 되었으니까 말이다.

우리는 다리 바로 위 가파른 언덕을 걸어 내려갔다. 케이드의 말이 맞았다. 정말 장대한 광경이었다. 도시가 우리 바로 앞에 펼쳐져 있었다. 바로 오른쪽으로는 태평양이 열려 있었다. 그 대양이 거의 매일같이 만으로 밀어 보내는 짙은 물안개가 피어오르고 있었다. 왼쪽으로는 한때 유명한 감옥이었던 알카트라즈와 앤젤섬이 보였다. 멀리로는 이스트 베이로 이어지는 베이브리지가 보였다.

"무슨 생각을 해요?" 케이드가 물었다.

"정말 눈이 부셔요." 바람에 머리카락이 날리자 나는 몸을 떨었다. 안개가 더욱 짙어져서 태양을 완전히 가렸다. "하지만 이건 또 내 인생에 대한 비유같이 느껴지기도 해요. 불과 1분 전엔 모든 게 선명했는데 지금은 안갯속이죠. 전에는 보였던 게 지금은 안개 속으로 사라지고 있어요."

양손을 청바지 주머니에 꽂으며 케이드가 고개를 끄덕였다. "그런 느낌이 이해돼요. 난 엄마와 다시 얘기했어요." 그가 말했다. 나는 그의 말에 놀랐다. 그의 눈길이 풍경에서 내게로 옮겨왔는데 우울한 빛이 감돌고 있었다.

"뭐라고 하셨는데요?"

"엄마는 어제 전화 통화에서 완전히 솔직했던 게 아니었어요. 돈을 그 재단에 돌려보낸 후 엄마는 어떤 여자에게서 전화를 받았대요. 그녀는 돈을 받았다고 하면서 그 돈이 없어도 우리가 괜찮을지 확인하고 싶다고 했어요. 엄마는 그녀에게 돈을 너무 오랫동안 받았다고, 하지만 그 돈으로 궁지에서 벗어날 수 있었다고, 고마웠다고 말했고요. 내가 대학에 갈 수 있도록 도와준 게 그 돈이었어요.”

“대학에 다녔어요?” 나는 그 사실에 놀라며 물었다.

“2년 다녔어요. 대학은 내게 맞지 않았어요. 하지만 그건 중요하지 않아요.”

“그 여자의 이름이 로라였나요?”

“엄마는 그 여자의 이름이 클레어라고 생각하고 있었어요.”

“클레어? 그건 또 새로운 이름이네요. 당신 어머니께 전화한 사람이 우리 엄마가 아니라면 말이죠.”

“그 사람은 로라였던 게 분명하다고 느껴져요. 엄마는 그녀에게 내가 화가라고 말했죠. 내가 시애틀에서 곧 전시회를 한다고도 했고요.”

“그래서 우리 엄마가 당신 전시회에 갔군요. 왜죠? 왜 엄마는 당신들에게 그토록 관심을 보였던 거죠?” 내가 물었다.

“모르겠어요. 난 엄마에게 내가 입양아냐고 단도직입적으로 물었어요. 내게 진실을 말해줘야 한다고요. 엄마는 내가 입양되지 않았다고 했어요. 난 엄마 아들이라고요. 그 여자가 왜 내게 그토록 관심이 있는지 엄마는 알지 못했지만, 어쩌면 아버지가 돌아가신 일과 연관된 것일지도 모른다고 생각했어요.”

“아버지가 돌아가신 일이라고요? 아버지가 어떻게 돌아가셨는데요?” 나는 케이드의 아버지가 사고나 질병으로 돌아가신 거로 추정했었다.

“아버지는 살해되셨어요.”

“그런 말은 안 했잖아요.”

“그건 비밀은 아니에요.” 케이드는 인상을 쓰며 말했다. “난 숨기려 한 건 전혀 없어요.”

"정확하게 무슨 일이 있었던 거죠?"

"아버지는 경비원이셨어요. 그날 밤 아버지는 롱 아일랜드의 대저택에서 열린 파티장에서 근무하셨죠. 부동산 투자가이자 유명한 미술품 수집가였던 갑부의 집에서요. 파티가 열리는 동안은 모든 게 괜찮았는데 그 후에 아버지가 그 집을 마지막으로 쭉 훑다가 강도와 맞닥뜨린 거였어요. 아버지는 총에 맞아서 한밤중에 그 집에서 돌아가셨어요. 집의 관리인이 다음 날 아침에 아버지를 발견했죠."

케이드의 목소리는 잠잠했지만 나는 그의 속이 불타는 것을 느낄 수 있었다. 이제 나는 그 분노와 악몽이 어디서 오는지를 알았다.

"정말 안됐어요, 케이드."

"아버지가 돌아가셨다는 말을 누군가 말해준 기억은 내게 없어요." 케이드가 계속해서 말했다. "엄마가 분명 무슨 말을 했겠지만 나는 겨우 네 살이었어요. 내가 그날 밤을 기억하지 못한다는 게 마음에 걸리죠. 내 인생이 틀어지게 된 분명한 지점이었는데 말이에요."

"당신은 운이 좋은 거예요, 케이드. 난 내 인생의 모든 것이 바뀌어버린 그 정확한 순간을 기억하고 있어요. 창문에 내리던 비를 기억하고 있어요. 언니와 나는 자고 있었어야 하는 때 놀이를 하고 있었죠. 전화벨이 울리고 아빠의 숨죽인 목소리가 들리더니 믿을 수 없는 비명이 들렸죠. 내 인생에서 그때처럼 무서웠던 순간은 없었어요."

"괴로운 일이군요."

"우리는 엄마가 돌아가셨다는 걸 바로 알지는 못했어요. 확실해지기까지 일주일이 걸렸죠. 하지만 나는 마음속으로 엄마가 사라졌다는 걸 알고 있었어요. 비록 인정하고 싶지 않았지만 말이에요. 그날 밤이, 그리고 아빠가 마침내 우리에게 엄마가 돌아가셨다고, 하늘나라로 가셨다고 말했던 날 밤이 계속해서 내 머릿속을 맴돌곤 해요."
나는 울컥해지는 마음을 삼켰다. "하지만 당신 얘기로 돌아가요. 경
찰에서 당신 아버지를 죽인 사람을 밝혀냈나요?"

"아뇨. 그리고 난 경찰이 영원히 못 찾을 거라고 생각해요. 엄마
는 마음속으로 그걸 받아들였어요. 나는 머릿속을 스쳐 가는 온갖
부정적인 생각을 그림으로 그리면서 그러려고 노력해 왔죠. 그렇게
해서 한동안은 괜찮았어요. 그런데 다시 그 분노가 되살아나네요."

"누구의 짓인지 안다면 달라질까요?"

"아뇨. 하지만 정의가 있다면, 그들이 저지른 짓에 대해 대가를 치
러야 한다면 달라지겠죠."

나는 그가 했던 말을 떠올리며 그 문제를 생각했다. "당신은 우리
엄마가 당신에게 관심을 가진 게 당신 아버지가 돌아가신 일 때문이
라고 추측했잖아요. 왜죠? 난 연관성을 모르겠어요."

"엄마는 그 여자가 자신에게 폭력은 낯선 일이 아니라고, 가장 고
통받는 건 언제나 아이들이라고, 아무런 잘못도 없는 아이들이라고
말했다고 했어요. 그녀는 폭력에 희생당한 아이들을 돕는 일을 자기
일생일대의 일로 하고 있다고 했어요."

"그건 말이 안 돼요. 엄마는 폭력으로 얼룩진 개인사 같은 건 없
었어요."

케이드는 나를 한참이나 날카롭게 쳐다봤다.

"내가 진짜로 아는 건 없다는 거죠?" 나는 한숨을 쉬며 말했다.
"엄마가 과거에, 아빠와 결혼하기 오래전에 폭력을 겪었을 수도 있
겠죠."

"아니면 당신 아버지와 결혼 생활 중에 그랬을지도 모르고요."

"그건 믿기 어려워요. 하지만 내가 알지 못하는 걸 방어하는 건

그만해야겠죠. 난 진실을 찾아내야만 해요." 나는 안개 속에서 이제 겨우 모습을 드러내고 있는 도시를 바라보았다. "어딘가엔 답이 있겠죠."

"답이 있을지도 모르지만 위험도 있어요." 그가 내게 상기시켰다. "누군가 당신을 차로 치려고 했어요. 당신이 계속해서 물어 나가면 그들은 당신을 계속 노릴 거예요. 당신은 지금 떠나서 당신 어머니가 어둠 속에서 나타나기 전에 살고 있던 당신의 생활로 되돌아가면 돼요. 당신은 그분께 갚을 게 전혀 없는걸요."

"나를 버리고 떠났다 해도, 엄마는 여전히 우리 엄마예요. 내게 생명을 주셨죠. 난 엄마가 누구인지, 엄마가 폭력의 피해자인지, 아니면 끔찍한 악한인지 알아내야 해요."

"진실은 아마도 그사이 어디쯤 있겠죠. 그걸로 당신이 마음의 평화를 찾지는 못할 것 같아요."

나는 그의 눈을 들여다보았다. "당신은 아버지에게 일어난 일을 밝혀낼 수 있다면 그렇게 할 건가요?"

"난 밝혀내려고 노력했어요. 아무것도 알아내지 못했죠. 그 사건은 미궁에 빠져 있어요."

"그런데 당신에게 단서가 생긴다면요?"

"캄캄한 벽에 부딪힐 때까지 쫓아가겠죠." 그가 수긍했다. "그렇게 된다 해도 그 벽을 깨부수려고 노력할지도 모르고요. 하지만 그렇게 하면 엄청난 대가가 따를 거예요."

"내가 위험을 무릅쓰게 되리라는 건 알고 있어요, 케이드. 하지만 난 그만둘 수가 없어요, 아직은요. 오늘 밤에 엄마 학교에서 촛불 기도가 열릴 거예요. 거기 가겠다고 했고, 그렇게 하고 싶어요. 그 기도회에서 엄마를 쏜 사람에 대한 단서를 찾게 될지는 모르겠지만 엄마의 인생에 대해 더 많은 걸 알 수 있을 거예요. 게다가 난 그 단서들에 목말라 있고요. 아마도 엄마를 죽이려고 했던 사람을 밝혀내지는 못하겠지만, 적어도 엄마가 어떤 사람인지는 알 필요가 있어요.”

그가 고개를 끄덕였다. “알겠어요. 당신의 고집이 존경스럽네요, 브린. 당신은 자기가 생각하는 것보다 훨씬 용감한 사람이에요.”

“오늘 오후는 고마웠어요. 잠시나마 이렇게 멀리 데려와 줘서요. 오토바이를 신나게 타게 될 거라고는 한 번도 생각해 본 적이 없어요. 굉장히 무서울 거로 생각했는데, 멋지더군요. 재미있게 잘 탔어요.”

“무서워서 나한테 매달리지 않았을 땐 말이죠.” 그가 놀렸다.

“나중엔 나아졌잖아요.” 내가 방어하듯 말했다.

“그랬죠. 꽉 매달리던 게 분명 풀리긴 했어요. 그렇다고 해서 나를 너무 꽉 잡고 있었다고 불평하는 건 아니고요.”

지금 그의 눈은 반짝거리고 있었다. 그런 눈빛이 나타날 때면 내 속은 동요하곤 했었다. 나는 그 눈빛을 무시해야만 했다. 적어도 지금은 그랬다.

케이드도 같은 결론에 도달했던지 목청을 가다듬었다. “당신을 데려다줄게요. 그리고 당신이 진실을 찾는 걸 내가 도울게요, 브린. 당신 어머니가 나와 특이하게 묶여 있다고 했던 당신 말은 맞았어요. 그것 때문에 계속 괴로웠어요. 우리 엄마가 돈을 받지 않겠다고 한 후 로라가 나를 만날 기회를 만든 이유를 난 알아야 해요. 로라는 나를 격려하고, 내 작품을 후원하고, 이 전시회를 내게 마련해 주느라 열성이었어요. 나는 그분이 그렇게 해야 했던 동인이 무엇이었는지 알아야겠어요. 그리고 내가 바라는 건….” 다시 도시의 전경으로 시선을 옮기는 그의 목소리가 작아져 갔다.

"바라는 게 뭔가요?" 나는 그의 태도가 달라진 것이 걱정되어 물었다. 그는 장난치는 미소를 잃어버리고 굳어 있었다.

"우리가 서로 적이 된 상태로 끝이 나지 않았으면 하는 거예요." 그가 나를 다시 쳐다보며 마침내 말했다.

나는 그가 무엇을 생각하는지 알고 있었다. 그러나 그걸 받아들이고 싶지는 않았다. "엄마는 당신 아버지의 죽음과는 아무 상관도 없을지 몰라요." 내가 말했다. "그건 롱아일랜드에서 있었던 강도 사건이었어요. 엄마는 반대쪽 지역에 살고 있었단 말이에요."

"그랬을지도 모르고, 안 그랬을지도 몰라요. 나는 그분이 아버지에게 일어난 일과 아무런 상관이 없었기를 바라고 있어요. 당신 어머니를 좋아하니까요. 아니, 좋아했으니까요. 지금 그분에 대해 내가 어떤 느낌인지 난 확실히는 모르겠어요."

"엄마가 깨어나서 무슨 일이 벌어지고 있는지 우리에게 말해준다면 얼마나 좋을까요."

"그렇게 되기를 바라고 있어요. 그때까지 우리는 스스로 헤쳐 나가야죠."

"우리가 함께요." 나는 그가 가능한 한 나와 같은 배에 있기를 원하며 그렇게 말했다.

17

갤러리로 돌아온 후 케이드는 나를 차까지 바래다 주었고 자신은 몇 가지 일을 마무리하고 집으로 가겠다고 했다. 혼자서 차를 몰고 집으로 오는 동안 안개는 더 짙어져서 어두워지는 시간에 으스스한 분위기를 더했다. 케이드와 함께 그의 오토바이를 타고 모든 근심 걱정을 뒤로 하고 해변을 달리는 동안 나는 마음을 놓고 있었으나 이제 그 근심 걱정이 다시 나를 찾아왔다.

나는 케이드의 트럭 뒤 진입로에 차를 세우고 현관문까지 계단을 뛰어 올라갔다. 열쇠를 넣어 돌리는 동안 내 손은 떨리고 있었다. 그러나 나는 아무 문제 없이 안으로 들어갔고 그 즉시 걸쇠를 내렸다. 나는 초긴장 상태로 집의 나머지 부분들을 한 바퀴 둘렀다. 하지만 아무도 없었고 내가 나간 이후 몇 시간 동안 바뀐 것은 하나도 없었다. 나는 안도의 숨을 내쉬었다.

땅에 떨어질 때 받은 충격으로 손이 조금 아팠고 손가락들은 여전히 부어 있었다. 무릎과 등, 그리고 엉덩이가 쓰라렸고, 그러자 병원 주차장에서 있었던 일이 선연히 떠올랐다. 하지만 나는 살아남았다. 그리고 앞으로 더 조심할 것이었다.

나는 거실 소파에 앉아서 소파 테이블에 발을 올렸다. 심호흡으로 마음을 가다듬으려는 찰나에 핸드폰이 울렸다. 나는 다니의 이름을 보고는 신음했다. 그러나 전화를 받지 않는 것은 선택 사항이 아니었다.

"응." 나는 힘없이 말했다.

"목소리가 안 좋네, 브린."

"좀 피곤해."

"어떻게 돼 가고 있어? 몇 시간 동안 전화도 안 하고."

나는 그 뺑소니 사건을 다니에게 말하고 싶지 않았다. 언니는 신경이 너무 곤두설 것이었다. "아빠는 여기 샌프란시스코 호텔에 묵고 있어. 경찰이 갔지만 방에 없었대."

"알아. 새엄마가 말해줬어. 새엄마는 방금 경찰과 얘기를 했어."

"다른 건 또 뭘 말해줬어?"

"경찰은 아빠가 엄마를 공격한 걸로 죄를 뒤집어씌우려 하고 있다고 했어."

"그러니까 아빠는 우리 중 누구에게라도 전화를 해줘야 한다고." 나는 절망적으로 말했다. "아빠는 심각하게 곤란해질 수 있어, 다니."

"알아. 내가 계속 전화하고 있는데 받지 않아." 다니가 한숨을 내쉬었다. "엄마는 봤어? 엄마는 어때?"

"똑같아. 아무 변화가 없어. 내가 말을 걸어봤지만 답이 없었어."

"엄마가 뭘 했건 상관없이 넌 엄마를 사랑한다고 말한 거야?"

나는 그녀의 목소리에서 날 선 분노를 느낄 수 있었다. 그리고 그건 내게는 괴로운 일이었다. 다니와 나는 심하게 다툰 적이 없었다. 내가 그녀의 계획을 주로 따랐기 때문이었다. 그러나 그것은 또 우리가 언제나 같은 편에 있었기 때문이기도 했다. 이제, 우리 엄마가 우리 사이를 갈라놓고 있었다. "난 엄마에게 깨어나야 한다고, 내게 얘기해 줘야 한다고 말했어. 엄마는 우리에게 진 빚이 있다고."

"엄마가 우리에게 진 빚은 결코 갚을 수 없는 거야."

"그건 그래." 내가 중얼거렸다.

"나는 엄마가 살아 있다는 걸 아빠가 알게 됐고, 그래서 무너져 버린 거로 생각해. 그게 바로 아빠가 우리 중 누구에게도 연락하지 않는 이유야."

"그게 이유인지 아닌지 난 모르겠어." 내가 느릿느릿 말했다. 아빠와 연락이 닿지 않는 시간이 길어질수록 아빠에 대한 의혹이 점점 커졌기 때문이었다.

"그게 맞아." 다니는 자신 있게 말했다. "엄마가 돌아가셨을 때 아빠가 어땠는지 기억하잖아. 아무하고도 말을 하지 않았어. 장례식 때 아빠는 식이 진행되는 도중에 사라졌어. 통나무집으로 가서는 2주 동안 돌아오지 않았지. 아빠는 힘이 빠지면 누구하고도 함께 있고 싶어 하지 않는다고."

"사라지는 걸 좋아하고. 안 그래? 힘든 일이 생기면 찾을 수 없는 곳으로 가버리잖아."

"그래도 언제나 돌아오지."

"얼른 돌아오는 게 좋을 텐데." 내가 무겁게 말했다.

"넌 오늘 밤에는 뭘 할 거니?" 다니가 물었다. "이제는 정말 호텔로 가라고 설득해도 돼?"

"난 오늘 밤 엄마 학교에서 열리는 콘서트에 갈 거야. 콘서트 시작 전에 엄마를 위한 촛불 기도가 있을 거래. 교장은 내가 거기 와주면 좋을 거로 생각해."

"고등학교 콘서트장에서 큰 문제에 휘말리는 일은 없겠지. 하지만 난 네가 혼자 있는 게 싫어."

"케이드가 나와 함께 있을 거야." 나는 다니의 부정적인 반응을 기대하며 마음을 단단히 먹었다.

내게 돌아온 것은 커다란 한숨이었다. "넌 뭘 하고 있는 거야, 브린?"

"내가 뭘 하는지 알잖아."

"넌 그 남자를 너무 많이 좋아하고 있어. 그가 엄마의 후원을 그냥 받아들이고 있는 건 정말 이상한 일이야. 아래층에 살고 있다는 것도 이상해. 우리는 그 두 사람이 어떤 관계인지 정말 모른다고."

"같이 자는 사이는 아니야." 내가 말했다.

"난 그가 말하는 건 아무것도 믿지 않을 거야."

"엄마는 그와 연관되어 있지만, 그게 성적인 관계인 건 아니야."

"그럼 그게 뭐란 말이야?" 다니가 물었다.

"글쎄, 알고 보니 엄마는 폭력으로 상처 입은 아이들을 찾아 도와주는 자선 단체와 함께 일하고 있었던 거야. 케이드의 아버지는 강도 사건 중에 살해당했어. 그래서 엄마는 그 단체를 통해 이렇게 오랫동안 그의 어머니에게 돈을 보내고 있었고. 케이드는 어젯밤 우리가 그런 내용을 알게 될 때까지 아무것도 몰랐어. 그는 엄마가 단순히 예술을 사랑한다고 생각했어. 엄마는 그에게 자선 단체나 그의 어머니에게 했던 기부에 관해 전혀, 아무것도 말하지 않았던 거야."

"그건 해괴한 이야기야." 다니가 말했다. "넌 그게 사실이라고 확신해?"

"증거가 있어. 이건 케이드가 한 이야기가 아니야. 그는 우리만큼이나 충격을 받은 상태야. 지금 그는 엄마에 관해 알고 있는 모든 것에 의문을 품고 있어."

"흠, 우리 같은 신세가 됐네. 우리 엄마는 비밀이 너무 많아. 난 우리가 엄마에 대해 알았던 적도 없다고 생각해"

"나도 그래. 하지만 이제 나는 엄마가 누구인지 알아낼 거야. 이건 다른 얘긴데, 넌 어때? 아기는 어떻게 하고 있어?"

"모든 게 다 좋아. 난 그냥 너와 함께 있지 못해서 죄책감이 들어. 내가 이 얘기를 꺼낼 때마다 스티브가 나를 만류해. 그는 내가 어떤 위험도 감수하길 원하지 않아."

"형부가 옳아. 넌 그대로 있어야 해." 나는 오늘 나를 노렸던 자들이 다니를 노린다는 생각을 하자 속으로 진저리가 쳐졌다. "내 조카를 안전하게 지켜줘야지."

"그럴 거야. 조심해, 브린. 그리고 가능한 한 얼른 집으로 와."

"난 엄청나게 조심할 거야. 내일 전화할게." 나는 전화를 끊고는 위층으로 옷을 갈아입으러 올라갔다. 나는 검은색 바지와 은색 스웨터를 입었다. 여행 가방에 청바지 말고 다른 것들을 던져 넣은 것에 감사했다. 학교 콘서트가 거창한 자리여서가 아니라 기도회에서 엄마를 명예롭게 하고 싶었던 것이다.

6시 15분 전에 케이드가 현관 앞에 와 있다고, 초인종을 울려서 나를 겁먹게 하고 싶지 않다고 문자 메시지를 보냈다. 나는 그가 이미 나를 너무 잘 알기 시작했다는 생각이 들어 혼자 웃었다. 나는 서둘러 계단을 내려가서 문을 열었다.

케이드도 역시 옷을 갈아입은 상태였다. 그는 검은색 청바지와 검은색 셔츠 위에 짙은 밤색 가죽 재킷을 입고 있었다. 머리는 아직 젖은 상태였는데 정말 좋은 냄새가 났다. 그러나 나는 그런 것은 생각하지 않을 것이었다. "난 갈 준비됐어요." 내가 말했다.

"좋아요. 오토바이 타고 갈래요, 아님….”

"차로 갈래요. 머리에 바람은 이미 맞았는걸요.”

"당신 머리가 바람에 날리는 게 좋았어요.” 그가 말했다. 그의 눈길이 내 얼굴을 훑어보고는 몸으로 내려왔다. "그런데 이런 차림도 보기 좋네요.”

"고마워요.” 나는 갑자기 긴장감을 느끼며 말했다. 지난밤에 나는 이 남자의 침대에서 잠을 잤다. 그러나 지금 이 순간이 훨씬 더 친밀하게 느껴졌다. 나는 문 옆에 있는 테이블에서 가방을 거머쥐었다. "우리 가야 해요.”

"그러죠.”

우리는 내 차로 걸어갔고, 나는 케이드가 옆에 있어 다행이었다. 내가 가는 곳마다 누군가 보고 있다는 느낌이 들었던 것이다.

우리가 도착했을 때 막 촛불 기도가 시작되고 있었다. 상당히 많은 군중이 있었다. 아마도 백 명은 넘을 것 같았다. 지역 뉴스 방송국 두 곳이 학교 앞에 차량을 대놓고 모인 사람들을 스포트라이트로 비추고 있었다.

우리는 조앤 헌트 교장이 촛불을 나눠주고 있는 테이블 쪽으로 걸어갔다. 그녀는 나를 보고 미소를 지었다.

"랜드리 씨, 와주셔서 기쁩니다.”

"제가 생각했던 것보다 훨씬 규모가 크네요.” 내가 답했다.

"콘서트를 하면 보통 많은 사람이 모입니다. 게다가 당신 어머니는 콘서트에서 정말 큰 비중을 차지하셨기 때문에 모든 사람이 촛불 기도에 참여하려고 일찍 오고 싶어 했어요. 몇 마디 말씀을 해주신다면 정말 좋겠어요.”

"어머, 저는 잘 모르겠어요.” 나는 그 말에 당황해서 말했다.

"로라 선생님 따님의 말을 듣는 건 아이들에게 큰 의미가 있을 겁니다. 부탁드려요."

"어, 그게…, 알겠습니다."

"잘됐어요. 이제 시작할 거예요." 조앤은 나의 손을 잡고 나를 관중들 앞으로 데리고 갔다. 그녀는 마이크를 집어 들고는 주목해 달라고 했다. 사람들이 잠잠해지자 그녀가 말했다. "여러분, 모두 와 주셔서 감사합니다. 로라 호손 선생님은 우리 학교 공동체가 사랑하는 분입니다. 그분이 없는 우리의 콘서트는 지금까지처럼 멋지지 못할 겁니다. 그리고 저는 우리 모두 그분의 빠른 회복을 기원하고 있다는 것을 알고 있습니다." 그녀가 잠시 멈췄다가 말했다. "오늘 밤 여기 특별한 손님이 와 계십니다. 로라 선생님의 따님인 브린입니다. 브린 씨가 몇 마디 말씀을 하시겠습니다."

내가 소개되자 사람들 사이에서 웅성거리는 소리가 떠도는 것이 들렸다. 대부분의 사람들이 로라에게 딸이 있는 것을 몰랐으리라 생각되었다.

조앤이 내게 마이크를 건네주었다. 나는 케이드 쪽을 보았다. 그는 고개를 끄덕이며 나를 격려하고 있었다. 그다음 나는 엄마를 후원하기 위해 나온 사람들을 향했다. 막 말을 시작하려는 나를 향해 뉴스 기자들이 조명을 켜는 바람에 내게는 그들의 얼굴이 보이지 않았다. 그 조명 때문에 나는 더욱 긴장되기만 했다. 군중 속에 누가 있는지 나는 알지 못했다. 어쩌면 엄마를 쏜 사람이 있을지도 몰랐다. 어쩌면 이제 내가 거대하게 번쩍이는 타깃이 되어 있는지도 몰랐다. 나는 억지로 힘을 내어 호흡을 했다. 무슨 말이라도 잠깐 해야만 했다. 그러면 다 끝날 것이었다.

"안녕하세요," 내가 말했다. 내 목소리는 살짝 갈라져 있었다. 나는 목청을 가다듬었다. "저희 어머니를 위해서 촛불 기도를 마련해 주셔서 감사합니다. 저는 어머니가 이렇게 많은 사랑을 받고 계신 것에 감명받았습니다. 제가 아는 한, 어머니는 여러분께 돌아오기 위해서 분투하고 계십니다. 감사합니다."

나는 마이크를 다시 조앤에게 넘겼다. 눈에 눈물이 차올랐다. 방금 내가 한 말이 사실이라는 것을 나는 알고 있었다. 우리 엄마는 내가 아니라 그들에게 돌아오기 위해 사투를 벌이고 있는 것이고, 그 사실을 깨닫자 가슴이 쓰렸다.

케이드가 한 팔로 내 어깨를 감쌌다. 그런 버팀목이 고마웠다. "완벽한 말이었어요." 그가 나지막하게 말했다.

나는 눈을 들어 그를 쳐다봤다. "저 사람들은 정말로 엄마를 사랑하고 있네요."

그가 이해한다는 듯 고개를 끄덕였다. "네. 하지만 이건 잊지 말아요. 그분이 병원에 갔을 때 마지막으로 생각하고 있던 사람이 당신이라는 것 말이에요."

나는 그의 말에 가슴이 먹먹해져서 입술을 깨물었다. 말이 나오지 않았다. 그래서 나는 그냥 고개만 끄덕이며 그에게 고맙다는 무언의 인사를 했다.

교장이 학교를 도는 촛불 행진이 시작될 것이라고 발표하자 케이드와 나는 사람들 속으로 들어갔다. 다른 교사들 중 한 명이 우리의 초에 불을 붙여주었고 우리는 아이들, 그리고 학부모들과 함께 걸어갔다. 플루트와 기타를 든 여러 명의 학생들이 희망과 치유의 곡을 연주했다.

촛불 기도는 굉장히 감동적이었다. 그리고 나는 우리 엄마가 얼마나 많은 사람의 삶에 감동을 줬는지 생각하게 되었다. 또 한편으로는 내가 왜 여기 있는지, 자기의 정체를 내가 결코 알지 못하게 하려고 엄마가 그토록 단호한 결정을 내렸던 것인데 나는 왜 그걸 알아내려고 하는지 마음이 착잡했다.

시작된 곳까지 되돌아와서 행진이 끝나자 교장은 30분 뒤에 콘서트가 시작될 것이라고 알리면서 모든 사람이 거기 참석해 주기를 바랐다.

"랜드리 씨, 말씀 좀 나눠도 될까요?" 여성 기자 한 사람이 마이크를 내 얼굴에 들이대며 물었고 카메라맨이 그녀의 바로 뒤에 있었다. "어머니 상태가 어떤지 말씀해 주실 수 있나요?"

"어머니는 사투를 벌이고 있어요." 내가 말했다.

"경찰은 누가 그녀를 쐈는지 아나요?"

"아뇨."

"당신 어머니가 삼각관계에 얽혀 있다는 소문을 들었는데요."

나는 입이 벌어졌다. "뭐라고요?"

"당신 어머니와 아버지는 언제 이혼하셨죠?" 그 기자가 계속해서 물었다. "당신 어머니의 결혼 기록을 우리는 전혀 찾지 못했는데요."

질문이 더 나올수록 그녀의 질문은 점점 더 개인적인 영역을 건드리며 마음을 괴롭혔기에 나는 뒷걸음질 쳤다.

케이드가 내 앞으로 한 걸음 나섰다. "할 말은 다 했습니다." 그는 내 팔을 잡고 나를 학교 쪽으로 데리고 갔다.

우리가 강당의 정문에 거의 다 왔을 때 어떤 남자가 내게 다가왔다. "괜찮으세요?" 그가 걱정스러운 표정으로 물었다.

나는 그의 파란 눈을 들여다보면서 그가 꽃병을 두고 갔던 톰 웰스임을 알아보았다. "전 괜찮아요."

"그 기자가 당신에게 한 말을 들었는데요. 그건 사실이 아닙니다."

"아니라고요? 어떤 사람이 당신의 전 부인이 우리 엄마와 다툰 일이 있다고 말했어요."

"그건 대화를 나눈 거지 다툰 게 아니에요." 그가 말했다. "르네가 착각한 겁니다. 그녀는 우리가 헤어진 후 힘든 시간을 보냈어요. 하지만 나는 그녀에게 당신 어머니와 우리 결혼 생활의 문제들은 아무 상관이 없었다는 것을 분명히 했는데, 그녀가 받아들이지 않았던 거죠. 우리가 데이트한 건 르네와 내가 갈라서고 난 이후예요."

"우리 엄마는 그 대화를 한 후 당신과 결별했잖아요?" 내가 물었다.

톰이 고개를 끄덕였다. "네. 그녀는 르네와 나 사이에 어떤 일이 일어나든 거기에 개입하고 싶지 않았던 겁니다. 매우 슬픈 일이었어요. 나는 정말 그녀를 좋아했지만, 사태가 정리될 때까지 우리에게는 시간과 공간이 필요하다고 그녀가 느꼈던 이유를 이해했습니다." 그가 잠깐 있다가 말했다. "나는 그 일이 다 가라앉았다고 생각했어요. 하지만 우리가 삼각관계였다고 그 기자에게 말한 사람은 르네가 아닌가 싶습니다. 그녀는 예전에 뉴스 프로듀서였고 아직도 그쪽 사람들과 연락하고 지내거든요."

"흠, 훌륭하군요." 내가 한숨을 쉬며 말했다.

톰은 사과하는 표정으로 나를 봤다. "미안합니다."

"미안한 걸로 다가 아니죠." 내가 그에게 말했다. "당신은 경찰에 얘기를 해야 해요. 당신 전 부인도 마찬가지고요."

"르네는 당신 어머니께 일어난 일과는 아무런 관계가 없습니다."

그의 말에도 불구하고 나는 그의 눈빛에 스쳐 가는 불확실한 느낌을 읽을 수 있었다. "확실하지는 않잖아요. 안 그래요?"

"확실합니다. 그녀는 어디로 튈지 모르는 사람이긴 하지만 폭력적이진 않습니다."

"그렇다면 경찰에 얘기하는 걸 걱정할 필요가 없겠군요. 그렇죠?"

그는 어깨를 쫙 폈다. "네, 아무 문제 없습니다. 이 일은 내가 해결하겠습니다."

"좋아요."

톰이 내 얼굴을 보며 실눈을 떴다. "로라가 내게 딸이 있다고 왜 말하지 않았는지 도무지 납득이 되지 않네요. 난 우리가 가까운 사이였다고 생각했거든요. 그렇게 중요한 뭔가를 빼먹고 말하지 않는다는 건 상상이 안 돼요."

"엄마는 오래전에 제 인생에서 떠나가셨어요." 내가 말했다.

"우린 안으로 들어가야 해요." 케이드가 끼어들었다. 나로서는 다행스러운 일이었다. 나는 톰과 얘기하고 싶지 않았다. 그가 엄마에게 어떤 사람이었는지, 그리고 그들 사이에 어떤 일이 있었는지 나는 너무나 혼란스러웠던 것이다.

"부탁이니, 경찰과 얘기해 주세요." 나는 톰에게 말했다. "아직도 우리 엄마를 좋아하신다면, 엄마를 안전하게 지킬 수 있도록 할 수 있는 모든 일을 하셔야 해요. 엄마를 쏜 사람은 엄마를 죽이려는 시도를 끝낸 것 같지 않으니까요."

톰은 내 말에 얼굴이 창백해졌다. 그러나 그는 아무런 대꾸도 하지 않았다.

케이드가 손을 내 허리에 두르고 강당 안으로 나를 인도하자 나는 돌아섰다. 안에 들어와서 기자들에게서 멀어지게 되자 마음이 놓였다. 줄을 서서 우리 자리로 가기를 기다리면서 나는 케이드를 돌아봤다. "이 삼각관계가 엄마가 총에 맞은 동기일 가능성이 있다고 생각해요? 난 엄마의 먼 과거에서 위험이 왔다는 가정하에 움직이고 있었는데, 어쩌면 그게 아니었는지도 모르겠네요."

"난 경찰이 톰과 그의 전 부인을 조사할 필요가 있다고 생각해요."

"공연이 끝나고 나서 내가 그린맨 경위에게 연락할게요."

"제러미에게도 알리세요." 케이드가 말했다.

"자리에 앉으면 그에게 문자 메시지를 보내겠어요." 내가 말을 마치자 엄마의 또 다른 남자친구가 내 앞에 섰다. 마크 해리슨은 검은색 양복에 회색 넥타이를 매고 있었는데 꽤 잘생겨 보였다. 나는 엄마가 그에게 관심이 있었을지도 모를 이유를 알 수 있었다. 어쩌면 톰보다 그에게 더 관심이 있었을지도 몰랐다. 엄마는 톰의 전 부인 때문에 그 사람과 헤어진 것이 아니라 이 남자 때문에 그랬을 수도 있었다.

"안녕하세요." 그가 상냥하게 미소 지으며 내게 말했다. "나를 기억하실지 모르겠네요. 지난번에 만났었는데요"

"그럼요. 마크 해리슨 씨죠."

그는 고개를 끄덕였다. "그때 당신 어머니에 관해 굉장히 상냥하게 말해주셨죠."

"감사합니다." 나는 손을 펴서 케이드를 가리켰다. "이쪽은 케이드 베컴 씨예요."

"만나서 반갑습니다." 마크가 말했다.

"저도요." 케이드가 대답을 했고, 그들은 악수를 나누었다.

"따님이 공연에 참여하나요?"

"네. 실비는 오늘 밤 클라리넷을 불 거예요. 그 아이가 당신 어머니 집에서 하던 것보다 훨씬 잘 불기를 기대하고 있답니다." 그가 가볍게 말했다.

"분명 멋지게 해낼 거예요. 음악가는 보통 공연 때 최고의 실력을 발휘하죠.”

“그러길 바랍니다. 어머니는 어떤가요? 의식이 돌아왔나요?”

“아뇨, 아직은요.”

“너무 안됐군요. 하지만 곧 그렇게 되겠죠?”

“그랬으면 좋겠어요. 병원에서는 어머니가 치유되고 있다고, 긍정적으로 생각하라고 하더군요.” 내가 더 말을 하기 전에 조앤 교장이 우리에게 끼어들었다. 얼굴에는 수심이 가득했다.

“무슨 일 있으신가요?” 내가 물었다.

“당신 어머니가 우리 학생들 중 한 명에게 콘서트에서 그 아이와 협연을 하겠다고 약속했거든요. 그래서 지금 이 여학생이 무대 뒤에서 울고 있답니다. 콘트라베이스와 바이올린의 협연인데, 바이올린 연주자가 없으면 할 수가 없으니까요. 바이올린을 켠다고 하지 않으셨나요?”

“제가 켜기는 하지만 일전에 손을 다쳤어요.” 나는 말을 마치면서 손가락들을 굽혀 보았다.

“아이고, 그건 몰랐습니다.” 교장이 말했다. 그녀의 눈이 내 손으로 내려왔다. “하지만 이 곡 하나 정도도 절대 연주하실 수 없을까요? 이 학생은 몇 달 전에 사고로 어머니를 잃었답니다. 음악만이 이 아이를 계속 살아가게 하고 있어요. 이 학생과 맞는 수준으로 바이올린을 연주할 수 있는 사람이 학교에는 한 명도 없습니다. 재능이 출중한 아이거든요. 당신이 어머니를 대신한다면 어머니께 뜻깊은 일이 될 거예요.”

나는 다음 순간 내적으로 갈등했다. 그러나 교장의 말이 내 심금을 울렸다. 나는 엄마를 위해서 그렇게 하지는 않을 것이었다. 음악에서 탈출구를 찾았던 또 하나의 엄마 잃은 아이를 위해서 할 것이었다. "좋아요. 제가 켜겠습니다. 최선을 다해 볼게요."

교장의 두 눈에 안도의 물결이 흘렀다. "최선을 다해 주시는 것보다 더 좋은 건 없지요. 제가 무대 뒤로 모시고 갈게요."

나는 고개를 끄덕이고 케이드 쪽으로 돌아섰다. "나중에 봐요."

"힘내요." 그가 눈에 격려하는 웃음을 머금고 천천히 말했다.

"사실 난 당신이 행운을 빌어주는 편이 더 좋은데요." 내가 건조하게 말했다.

"행운을 빌어요."

18

조앤 교장을 따라 무대 뒤로 간 나는 어깨를 들썩이며 울고 있는 여학생을 발견했다. 바람 불면 날아갈 것만 같이 마른 아이였다. 아이 옆에는 거의 비슷한 키의 콘트라베이스가 서 있었다.

"밀라, 이분은 브린 씨야." 교장이 말했다. "로라 선생님의 따님이야."

"알아요." 밀라가 코를 훌쩍이며 말했다. "바깥에서 말씀하시는 걸 들었어요."

"교장 선생님께서 네가 이중주곡을 연주하지 않으려 한다고 하시더구나." 내가 말했다.

"저와 같이 연주할 수 있는 사람이 아무도 없어요." 그 아이가 말했다. "제가 그 곡을 하려고 했던 건 호손 선생님이 같이 있어주겠다고 하셨기 때문이에요."

내가 밀라 옆으로 다가서자 교장은 뒤쪽으로 사라져갔다. "몇 학년이니?"

"2학년이에요."

"악기를 배운 지는 얼마나 됐어?"

"몇 년 됐어요. 엄마가 옛날에 콘트라베이스를 연주하셨어요. 엄마에게 악기를 배웠는데, 돌아가셨어요. 엄마가 더는 들으실 수도 없는데 제가 왜 계속 악기를 켜고 있는 건지 저도 모르겠어요."

"나도 똑같은 생각을 했었어."

밀라는 어리둥절한 표정으로 나를 봤다. "하지만 당신 어머니는 살아 계시잖아요."

"그래." 나는 그 아이를 혼란스럽게 하고 싶지 않았다. "어머니가 내게 바이올린을 가르쳐 주셨어. 그래서 네가 괜찮다면 난 너와 이 중주로 연주하고 싶단다. 네가 무대에 서기를 우리 어머니가 원한다는 걸 나는 알거든. 넌 어떤 곡을 켜고 있었어?"

"<사계> 중에서 '가을'요."

"비발디 곡 중에서 내가 제일 좋아하는 곡이네. 내 생각에 우리는 멋진 팀이 될 것 같아, 밀라."

"바이올린을… 잘 켜세요?" 밀라가 머뭇거리며 물었다.

나는 미소 지었다. "꽤 잘하지."

"좋아요, 그럼."

하나의 문제가 풀린 것이었다. 그러나 다른 문제가 있다는 걸 알았다. "바이올린이 필요한데."

"로라 선생님이 쓰려고 하셨던 게 음악실에 있어요. 제가 가져올게요."

밀라가 나가자 나는 커튼 사이로 무대를 엿보았다. 첫 번째 그룹이 무대에 서 있는 것이 보였다. 색소폰 트리오였다. 금관악기 음으로 강당이 환하게 밝아지자 나는 그들이 얼마나 재능 있는 연주자들인지 알게 되었다. 이 예술 고등학교에는 영재들이 넘쳐났던 것이다. 밀라는 그중 한 명이었다. 나는 그 아이의 기대를 저버리고 싶지 않았다. 나는 그 아이가 연주하려던 곡을 아주 잘 알고 있었다. 아름다운 연주가 될 것이었다.

무대 뒤에서 연습을 좀 하고 나서 밀라와 나는 20분 뒤에 무대로 나갔다. 밀라를 보자 두 눈에 공포의 빛이 어린 것이 보였다. 나는 재빨리 그 아이를 안심시켜 주었다. "넌 잘할 거야, 밀라."

"저기 사람들이 너무 많아요."

"넌 저 사람들을 위해 연주하는 게 아니야. 너를 위해 하는 거지. 넌 오직 그것만 생각하면 돼."

"그게 로라 선생님이 항상 하신 말씀이에요."

그 말을 듣고서 나는 속으로 움찔했다. 엄마와 나는 중요한 여러 부분이 여전히 닮아 있는지도 몰랐다. "우리 어머니가 널 잘 가르쳤네. 넌 다 준비된 거야."

"그러면 좋겠어요." 아이가 조용히 읊조렸다.

우리는 열광적인 박수를 받으며 밖으로 나가서 무대 위에 자리를 잡았다. 우리는 서로를 쳐다보며 순간에 몰입했다. 그리고 연주를 시작했다.

밀라는 처음 몇 음이 떨렸지만 내가 따라 나가자 점점 대담해져서 자신감을 얻고 자기 자신과 나를 믿었다. 나는 그 아이가 내 앞에서 활짝 꽃을 피우는 것을 보는 순간이 행복했고 이 순간을 특별한 것으로 만들기 위해, 그 아이가 자신의 음악을 최고의 지점까지 끌고 가도록 돕기 위해 할 수 있는 모든 것을 다하고 싶었다. 나의 기운이 아이의 기운을 북돋웠고 우리의 연주는 열정으로 채워졌다. 선율이 우리의 마음으로, 우리의 몸으로, 그리고 우리의 손가락으로 흐르고 있었다.

우리의 연주는 최고조에 도달하며 끝이 났고 그 뒤 홀연히 고요가 찾아왔다.

우리는 서로를 향해 미소를 지었고, 그러고 나자 박수가 터졌다. 사람들이 일어서서 있는 힘껏 박수를 쳤다.

나는 밀라를 앞으로 한 걸음 나가게 했고, 아이는 수줍은 동작으로 앞으로 나서서 자신이 이루어 낸 영광의 순간을 누렸다. 그런 다음 우리는 함께 무대에서 내려왔다.

우리가 악기를 내려놓자마자 밀라는 나를 양팔로 감싸 안고 꽉 껴안았다. "고마워요." 그 아이가 말했다. "여태껏 제가 연주했던 것 중에서 최고였어요."

"나도 그래. 넌 대단했어, 밀라. 우리 어머니가 들었으면 널 정말 자랑스러워했을 거야."

"그리고 언니도요."

그 아이의 말에 나는 울컥 목이 메었다. 바이올린을 켤 때면 나는 종종 엄마를 생각했었다. 엄마가 하늘에서 내가 연주하는 걸 지켜보고 나를 자랑스러워하리라 생각하면서. 그러나 엄마는 하늘에 계신 것이 아니었다. 엄마는 나를 전혀 지켜보고 있지 않았다. 엄마에게는 두 딸이 있었는데, 딸들을 두고 떠나서 그들의 가슴에 커다란 구멍을 남겨둔 채 다른 아이들에게 전념하고 있었던 것이다.

아빠가 축하해 주러 오자 밀라는 내게서 돌아섰다. 나는 모든 것이 무사히 끝났다는 사실에 안도하며 숨을 내쉬었다. 세 번의 연주가 더 남아 있어서 나는 앞으로 나가서 그 연주를 지켜봤으나 우리의 연주를 마치고 나자 감정이 다 소진된 느낌이었다. 그래서 무대 옆의 문으로 가서 밖으로 나갔다.

작은 안뜰에서 여학생 둘이 곡을 연습하고 있었다.

나는 몇 걸음 더 가서 벽에 몸을 기댔다. 이 동네의 하늘에는 안개가 걷히고 별들이 빼꼼 고개를 내밀고 있었다. 날씨는 추웠지만 나는 춥다고 느끼지 못했다. 연주에서 오는 뜨거운 열기에서 아직 빠져나오지 못하고 있었던 것이다. 그 연주는 전적으로 밀라를 위한 것이었으나, 나는 무대에 서니 기분이 좋았다는 것을 시인하지 않을 수 없었다.

나는 여태껏 우리 지역의 주민 콘서트에서 연주를 하곤 했지만, 마지막으로 공연을 한 것이 1년도 넘은 일이었다. 오늘 밤 나는 연주하는 그 모든 순간이 좋았다. 앞으로 내게는 이와 같은 밤이 훨씬 더 많을 거라는 생각이 들었다. 레이에게 내가 어떤 결정을 했는지 알려줘야 하는 시간이 하루 더 남아 있었다. 24시간 안에 내 인생의 그 모든 문제들을 해결한다는 것은 너무도 현실성이 없었지만 나는 몇 개의 물음에 대해서라도 답을 더 얻고 나서 그 일에 전념하고 싶었다. 그건 거절할 수 있는 제안이 아니었다. 나는 꼭 하겠다고 해야 했다. 나는 그런 인생을 살 필요가 있었다. 그러나 정말 새롭게 시작하기 위해서라도 나는 엄마가 깨어나기를, 내게 말해주기를, 더는 생과 사의 중간에 머물러 있지 않기를 바랐다.

비록, 어떤 점에서 엄마는 오랜 시간 그런 상태로 머물러 있었다 해도 그랬다. 엄마는 다른 인생을 시작하기 위해 이전의 인생을 삭제해 버렸다. 지금까지 엄마는 다른 사람이 되어 새 친구들을 사귀고 과거와는 어떤 연관도 없는 인생을 개척했다. 엄마의 세상이 총성으로 한꺼번에 무너지기 전까지 말이다.

지금까지 나는 엄마를 미워하는 사람은 전혀 만나지 못했다. 그와는 반대로, 모든 사람이 로라를 사랑했다. 엄마는 멋진 친구이자 훌륭한 선생님이고 다른 사람들에게 영감을 준 사람이었다. 엄마는 한 남자의 생명을 구하기도 했다. 그러나 누군가는 엄마를 죽이고 싶어

했다. 그 사람이 엄마의 과거에서 온 사람인지 현재의 사람인지 나는 알지 못했지만, 그의 일이 끝나지 않았다는 것은 알았다. 그 사실을 상기하자 속이 울렁거리고 양팔에 소름이 쭉 돋았다. 아드레날린이 다 빠져나간 지금, 입고 있는 스웨터는 전혀 따뜻하지 않았다. 또한 나는 혼자 있다는 사실을 불현듯 깨달았다. 거기 있던 여학생들은 가고 없었다.

나는 벽에서 몸을 떼서 강당 문을 향해 돌아섰다. 그때 등 뒤에서 무슨 소리가 났다. 뒤를 돌아보려 했으나 너무 늦었다. 누군가 나를 붙잡았다. 한 팔이 내 목을 감았고, 냄새 나는 수건이 코와 입을 짓눌렀다. 나는 몸부림을 쳤지만 나를 덮친 사람은 크고 강했다. 나는 의식이 없어지는 것을 느끼고 있었다.

내가 흡입한 게 무엇인지 모르지만 나는 어지러웠다. 팔다리가 무겁게 느껴졌다. 그가 나를 바닥을 가로질러 끌고 가자 나는 발로 차고 비명을 지르려 했지만 아무것도 되지 않았다. 몸이 거의 마비된 느낌이었다. 혼자서 밖으로 나가다니, 나는 너무 어리석었다.

자동차 문이 열리는 소리가 들렸다. 그는 나를 안으로 밀어 넣어 납치하려 하고 있었다. 차 안에 들어가는 순간 아무도 나를 찾지 못할 것이었다. 내 속 깊은 곳 어디쯤에서 나는 그자에게 발길질할 힘을 찾아냈다. 그는 신음하면서 순간적으로 나를 잡은 손을 놓았다. 나는 허둥지둥 도망치려 했지만 아무 데도 갈 수가 없었다.

마음속 어딘가에서 비명이 들려 왔다. 그 남자는 나를 끌어올리려고 애썼다. 나는 할 수 있는 한 힘을 주며 버텼다. 그때 그의 등 뒤에 누군가 나타났고 그는 나를 놓았다. 머리가 바닥에 부딪히면서 나는 마침내 그의 손아귀에서 풀려났다.

나는 기어서 도망가려 했지만 거의 움직일 수가 없었다. 깨어 있으려고 애쓰고 숨을 쉬는 것조차 버거웠다. 희미해지는 시야를 통해 나는 이제 두 남자가 싸우고 있다는 것을 알게 되었다.

케이드가 그 남자를 차에 쿵 밀어붙였다. 너무 세게 부딪쳐서 차 유리가 산산이 부서져 내 옆 사방으로 떨어져 내렸다.

그리고 여기저기서 비명과 고함이 들리더니 사람들이 우리를 향해 달려왔다. 그들의 얼굴이 내 앞에서 물결쳤다. 그들은 내게 질문을 해댔지만 나는 한마디도 할 수가 없었다. 그리고 그때 케이드가 나를 둘러싼 사람들을 뚫고 달려왔다. 검은 머리카락이 그의 한쪽 눈을 가리고 있었고 얼굴에는 시커먼 멍이 들어 있었다.

"괜찮아요?" 그가 물었다.

"그런 것 같아요." 여전히 눈의 초점을 잡지 못한 채 내가 말했다. "그 사람은 죽었어요?"

"아뇨. 그냥 때려눕히기만 했어요." 케이드가 말했다. "그가 약물을 썼나요?"

"무슨 냄새가 났어요."

나는 케이드가 땅바닥에서 흰색의 어떤 물건을 집어 올리는 것을 봤다. "걱정하지 말아요." 그가 내게 말했다. "냄새는 없어질 거예요. 당신은 괜찮아질 거예요."

내가 눈을 계속 뜨고 있으려고 애쓰는 사이에 사이렌 울리는 소리가 들렸다. 몇 분 뒤에 앰뷸런스에 이어 경찰이 도착했다. 응급구조대가 나를 들것으로 옮겼다. "케이드." 내가 불렀다. 나는 다시 혼자 있고 싶지 않았다.

"병원에서 봐요. 난 경찰과 얘기를 해야 해요. 당신은 안전할 거예요."

"난 당신 말고는 아무도 믿지 못하겠어요."

"그럼 나를 믿어요." 그가 나의 눈을 들여다보았다. "이 사람들이 당신을 병원에 데리고 가서 검사를 해줄 거예요. 내가 금방 보러 갈 게요."

나는 그가 거짓말을 하는 것이 아니기를 바랐다. 그러나 그의 얼굴은 응급구조대에 가려졌고 곧 그들이 나를 앰뷸런스에 태웠다. 나는 눈을 감았다. 몸싸움을 하느라 지쳐버린 것이었다. 나는 정말로 안전한 상태이길 바랐다. 더는 깨어 있는 상태로 버틸 수가 없었기 때문이었다.

의식이 희미해진 채 병원에 실려 온 뒤 나는 응급실로 보내졌고, 젊은 남자 의사가 여러 가지 검사를 하는 동안 좀 더 나이 든 간호사가 옆에 서서 나를 안심시켜 주었다. 시간이 지나면서 나는 점점 정신이 또렷해졌고 의사가 만족할 만큼 질문에 대답할 수 있게 되었다. 검사가 끝나자 나는 뒷머리를 약하게 부딪쳤는데 뇌진탕의 근거는 없다는 말을 들었다. 내가 흡입한 약물은 지속력이 짧아서 아침에는 기분이 나아질 것이라고 했다.

의사와 간호사가 퇴원 서류를 가지러 갔을 때 그린맨 경위와 케이드가 들어왔다.

"이런 식으로 계속 만나면 안 되는데요." 내가 말했다.

그는 내게 짧지만 강한 미소를 지어 보였다. "그렇죠. 기분은 좀 어떻습니까, 랜드리 씨?"

"나를 공격한 그 남자가 수감되었다면 기분이 나아질 거예요."

"그렇게 했습니다. 베컴 씨 덕분이죠. 그 남자의 이름은 JR 비티입니다. 청부 폭력배예요. 온라인의 불법 앱을 통해 일을 떠맡죠. 2만 달러를 받고 오늘 당신을 치고 달아나기로 했다고 말했어요. 그다음엔 오늘 당신을 납치하는 것으로 5천 달러를 더 받았다고 하더군요. 그는 당신을 차에 태워 골든 게이트 파크로 가서 풍차 옆에 내려놓기로 했답니다. 그다음에 당신이 어떻게 되는지는 전혀 모른다고 주장했고요."

의식을 잃은 채로 손쓸 길 없이 공원에 내던져졌을 거라는 생각을 하자 나는 속이 뒤집히는 것 같았다. "누가 그를 고용했나요?"

"그는 앱에 나온 Jerdog27이라는 이름밖에는 아는 게 없어요. 우리가 거기 들어가 볼 겁니다."

"그가 우리 엄마도 쏜 건가요?"

"그는 아니라고 합니다." 경위가 대답했다. "그의 얼굴을 다 꿰매는 대로 우리가 계속 그를 조사할 거예요."

"또 다른 막다른 골목인 것 같군요." 내가 힘없이 말했다.

"아뇨. 이건 훌륭한 단서예요. 우리는 누가 그를 고용했는지 찾아낼 겁니다. 그가 당신에게 무슨 말이라도 했나요?"

"한마디도요."

"알겠습니다. 더 많은 걸 알아내면 연락드리겠습니다. 오늘 밤에, 최소한 지금부터는 아무런 문제 없이 지내도록 신경 써 주세요."

"최선을 다해 볼게요."

그린맨 경위가 떠나자 케이드가 앞으로 나와서 내 팔에 손을 얹었다. "당신 정말 어때요?" 그의 눈이 진실을 찾아 내 눈을 살폈다.

"아프고, 피곤하고, 무서워요."

"그 소리를 들으니 정상인 것 같군요."

나는 그를 다시 쳐다봤다. 왼쪽 눈이 부풀어 있고 뺨에는 시퍼렇게 멍이 들어 있었다. "아프겠어요."

"이건 아무것도 아니에요. 그자의 꼴은 나보다 더 형편없어요."

"아무것도 아닌 게 아니죠. 당신은 내 목숨을 구해줬어요, 케이드. 내가 위험에 빠진 걸 어떻게 알았어요?"

"연주를 끝낸 후 당신이 돌아오지 않아서 느낌이 좋지 않았어요. 무대 뒤로 갔더니 어떤 사람이 당신이 밖으로 나가는 걸 봤다고 하더군요. 그 문으로 나가자 그자가 당신을 차에 집어넣으려고 하는 게 보였어요." 그의 입이 굳어졌다. "제때 내가 거기 가게 돼서 기쁩니다."

"몇 분만 지났어도 못 왔겠죠. 나는 싸우려고 애썼지만 그 사람이 숨을 틀어막은 그 정체 모를 물질 때문에 힘이 쭉 빠졌어요. 나는 그자를 발로 차려고 노력했어요."

"봤어요. 당신이 그자의 주의를 그렇게 돌렸기 때문에 그자는 내가 오는 걸 보지 못한 거죠. 우리는 팀워크가 좋았어요."

"당신은 나와 팀이 되면 안 돼요. 난 골칫덩어리예요. 그러니까 당신이 나와 같이 있으면 당신도 골칫거리를 안게 된다고요."

"난 예전에 골칫덩어리였어요. 내 걱정은 할 필요 없어요." 그는 잠깐 숨을 돌렸다. "그래서 당신은 여기 계속 있어야 하나요?"

"아뇨. 병원에선 나를 가게 해 줄 거예요. 아침이면 괜찮아질 거래요. 당신이 집에 데려다 주겠어요?"

"듣던 중 반가운 소리네요. 우리는 오늘 밤 집에 함께 있을 거예요. 내가 아무도 당신을 건드리지 못하게 할 테니까."

"난 당신이 왜 내 옆에 계속 있는지 모르겠어요, 케이드."

"당신 어머니에 관한 진실을 알아내고 싶어요. 그리고 우리는 거의 근접해가고 있어요."

"어떻게 그렇게 생각하죠? 모든 단서가 허사가 되고 있는데 말이에요."

"이번 건은 아니에요. 경찰에 수감 중인 남자가 있어요. 경찰은 그를 고용한 자를 찾아낼 거예요."

나는 멍한 채로 고개를 저었다. "당신은 언제 그렇게 낙관주의자가 된 거예요?"

"누군가는 긍정적인 생각을 해야죠. 오늘 밤 내내 힘들었던 만큼, 경찰에는 지금 조사할 사람이 있고 따라갈 자취가 있어요. 그건 진일보한 거예요."

"그래요, 내가 납치될 뻔한 걸로 도움이 돼서 행복하네요." 내가 건조하게 말했다.

그는 미소를 지었다. "난 당신이 그런 농담을 할 수 있어서 기쁜데요."

"난 밝게 보려고 노력하는 거예요." 내가 말했다. 얼마나 나쁜 일들이 벌어질 수 있을지 생각하고 있자면 제대로 일을 할 수 있을 거라는 생각이 들지 않았다.

문이 열리고 간호사가 들어왔다. "나가실 생각이라면 여기 퇴원 서류를 가져왔어요. 하지만 우리는 오늘 밤에 당신 옆에 사람이 있어야 한다고 강하게 말씀드립니다. 온전히 회복될 때까지는요."

"제가 옆에 있을 겁니다." 케이드가 말했다.

"잘됐네요."

그날 나는 두 번째로 응급실에서 나왔다. 그러나 이번에 우리가 주차장으로 들어갔을 때는 케이드가 내 바로 옆에 있었다. 그는 나를 조수석에 앉힌 다음 운전석으로 들어갔다.

엄마의 집으로 돌아왔을 때는 거의 11시가 다 되어 있었다. 거리는 너무나 고요했고 집은 어두웠다. 그러나 우리가 계단을 올라갔을 때 나는 얼어붙고 말았다. 현관 앞 의자에 한 남자가 앉아 있는 것이 보였던 것이다.

그 남자가 일어서자 케이드가 내 앞으로 달려와서 그를 벽에 밀어붙였다.

"당신 누구야? 여기서 뭘 하는 거야?" 케이드는 그를 거칠게 흔들며 다그쳐 물었다.

그때 나는 처음으로 그 남자의 얼굴을 보았다. "멈춰요." 나는 또 한 번 충격을 받고 말했다.

케이드가 물음을 던지는 표정으로 나를 봤다. "아는 사람이에요?"

"네. 우리 아빠예요."

19

케이드는 바로 아빠를 놔주었다. "죄송합니다." 그가 작은 소리로 말했다.

아빠는 게슴츠레한 눈빛으로 나를 봤다. "너 브린이니?"

가까이 다가가자 술 냄새가 진동했다. "아빠 술 마셨어요?" 나는 놀라서 물었다.

우리 아빠는 와인 두 잔 이상을 마시는 법이 없었다. 아빠는 항상 음주에 엄격한 선을 긋고 있었는데 오늘 밤은 흠뻑 취해 있었다. 바지는 구겨지고 셔츠는 뭐가 묻은 상태로 바지 밖으로 나와 있었다. 며칠 동안 면도도 하지 않은 것 같았고 무성한 흰 턱수염이 턱을 덮고 있었다. 눈은 붉게 충혈되어 부어 있고 안색은 창백했으며 눈을 뜨고 제대로 서 있기도 힘들어 보였다.

"집 안으로 들어가요." 내가 케이드에게서 열쇠를 받아 들며 말했다. "아빠를 좀 도와줄래요?"

"안으로 모시려면 그러는 수밖에 없겠는걸요." 케이드가 대답했다.

나는 문을 열고 한 걸음 뒤로 물러나서 케이드가 아빠의 팔을 자기 어깨에 걸치고 부축하여 거실로 들어갈 수 있도록 했다. 그는 아빠를 소파까지 부축해 갔고 아빠는 쿠션에 등을 부딪치며 소파에 쓰러졌다.

"내가 커피를 좀 내릴게요." 케이드가 말했다.

나는 아빠 옆에 앉았다. "아빠, 어디 있었던 거예요?"

그는 내게 멍한 눈길을 주었다. "여긴 너희 엄마 집이구나. 그렇지?"

"네."

아빠는 눈길로 방 안을 이리저리 둘러보다가 이맛살을 찌푸렸다. "엉망진창이네."

"누군가 침입해 들어와서 다 부숴 놓았어요. 제가 최대한 원래 상태로 돌려놓은 거예요." 나는 입술을 훔쳤다. "엄마가 살아 있다는 걸 언제 알았어요?"

"지난주에." 아빠는 입술을 깨물었다. "너희 엄마가 죽은 걸로 위장했다는 걸 난 믿을 수가 없었다. 너희 엄마는 나를 배신했어. 너와 다니를 배신했어. 우리를 버리고 떠났다고. 우리가 비탄에 잠기도록 했어. 나는 너희 엄마를 증오한다." 아빠는 말을 멈췄다. 그리고 하염없이 머리를 흔들었다. "증오하고 싶다."

"알아요." 나는 아빠의 상충된 기분을 전적으로 이해했다. 나는 아빠의 팔에 손을 얹었다. "사랑했던 사람을 증오하는 건 힘든 일이죠."

"사랑이라…" 아빠가 내뱉듯 말했다. "난 그 사람이 나를 사랑하기는 했던 건지 모르겠다. 그냥 나를 이용했던 거야. 그게 전부였어. 나는 우리가 대단한 사랑을 이뤄냈다고, 우리는 영원히 함께할 거라고 생각했었다. 난 바보였어. 그게 내 인생에서 제일 바보 같은 일이었단 말이다."

"엄마가 총에 맞기 전에 엄마를 만났어요?" 나는 먼 과거의 일보다는 지난주의 일에 대해 먼저 알고 싶어서 물었다.

"만났다."

"엄마가 뭐라고 했어요?" 나는 서둘러 물었다.

아빠는 나를 다시 응시하더니 정신을 차리기가 힘들다는 듯이 몇 번 눈을 깜박거렸다.

"아빠, 엄마가 뭐라고 했냐고요?"

"미안하다고 하더라." 아빠는 절망과 분노로 고개를 내저었다. "그런다고 달라지는 건 아무것도 없는 것처럼 말이다. 너희 엄마가 미안한지 아닌지 난 아무 관심도 없다. 난 개탄스러워. 너희 엄마를 만났다는 것 자체가 개탄스럽다고."

"그동안 어디 있었어요, 아빠? 우리가 전화했는데 왜 아무에게도 전화해 주지 않았어요?"

"무슨 말을 해야 할지 몰랐어. 생각을 할 필요가 있었는데, 생각해 봐도 모든 게 다 그냥 울화가 치밀었다. 그래서 생각을 중단하고 술을 마시기로 마음먹었지. 그런데 오늘 밤 뉴스에 네가 나온 걸 봤어. 난 술집에 있었는데 네가 거기 나온 거야. 너는 마치 너희 엄마가 여전히 너와 함께 지냈던 것처럼 행동하면서 엄마 얘기를 하더구나. 그건 말이 안 되잖아. 난 너를 찾아서 네가 말도 안 되게 굴고 있다는 말을 해주려고 여기 온 거다."

"말이 안 되는 사람은 아빠예요." 나는 힘없이 말했다. "아빠는 취했어요."

"너희 엄마는 좋은 사람이 아니야. 전혀 아니라고, 브린."

"아빠는 술이 깨야 해요. 커피가 어떻게 됐나 보고 올게요." 나는 일어나서 주방으로 향했다. 케이드가 손에 머그잔을 들고 복도에서 나를 맞았다.

"고마워요." 내가 말했다. "아빠는 횡설수설하고 있어요. 무슨 말인지 제대로 알아들을 수가 없어요."

"이 커피가 좀 도움이 됐으면 좋겠군요."

나는 커피를 받아서 거실로 돌아왔지만, 아빠는 그새 소파에 뻗어서 거친 숨을 내쉬며 곯아떨어져 있었다. "아빠." 내가 불렀다.

움직임이 없었다.

"밤새 주무실 것 같은데요." 케이드가 말했다.

"그래 보이네요." 나는 커피 머그잔을 내려놓고 옆 의자에서 담요를 들어 아빠를 덮어 주었다. 아빠를 쳐다보니 그 역시 낯선 사람 같았다. 엄마가 그렇게 느껴진 것과는 또 달랐지만 말이다. 그러나 아빠는 전에 한 번도 이런 모습을 보인 적이 없었다. 이렇게 절제되지 않게 행동한 적은 당연히 없었다. 아침에는 내가 알던 원래의 모습으로 돌아오길 바랄 뿐이었다.

나는 커피를 들고 케이드를 따라 주방으로 들어갔다. 나는 보통 이렇게 늦은 밤에는 카페인 음료를 마시지 않지만 한 모금 마시자 머리가 개운해지는 느낌이 들었다. 그래서 한 모금을 더 마셨다.

"피자 남은 게 있어요." 케이드가 냉장고 옆에서 말했다. "배고프죠?"

"별로요."

"당신은 뭘 좀 먹어야 해요. 쿠키도 아직 있네요."

"피자 한 조각 먹어볼게요." 내가 말했다.

"내가 데워주죠."

나는 주방 조리대 옆의 의자에 미끄러지듯 앉았다. "당신은 내게 너무 친절한걸요, 케이드."

"오늘 밤에 당신은 힘든 일을 겪었잖아요."

"당신도 그렇죠." 나는 그의 얼굴에 든 멍이 더 짙어진 것을 알아보고 말했다. "눈 위에 얼음을 좀 대고 있어야 할 것 같아요."

"내 걱정은 하지 말아요."

"당신 걱정을 해주는 사람이 있긴 한가요?" 내가 호기심을 가지고 물었다.

"없을 것 같군요." 그는 전자레인지에 피자를 데우며 말했다.

"모호한 대답이군요."

"질문을 좀 더 구체적으로 해줄래요?" 그가 맞받았다.

"좋아요. 당신 인생에 어머니 외에 당신이 좋아하는, 혹은 당신을 좋아하는 사람이 있나요?"

"친구들은 많아요. 샌프란시스코에 없을 뿐이죠. 하지만 여자친구나 아내는 없어요. 그게 당신이 묻는 거라면요. 당신은요? 당신에겐 중요한 다른 사람이 있나요?"

"어떤 사람과 몇 주간 데이트를 하고 있어요. 하지만 솔직히 말해, 난 즐기기 위해 그 사람을 이용하는 것뿐이에요. 그 사람에겐 옳지 못한 일이죠. 돌아가면 그 관계를 정리해야 해요."

"그는 왜 당신과 같이 오지 않았어요?"

"내가 부탁하지 않았으니까요. 사실, 난 그에게 그러지 말라고 했어요. 그는 형부의 친한 친구예요. 그래서 좀 복잡하게 된 거죠."

"언니가 주선한 거예요?"

"언니 때문에 많이 함께하게 된 거죠. 제프는 잘못한 게 전혀 없어요. 좋은 남자랍니다."

"단지 당신에게 맞는 남자가 아닌 거군요."

"맞아요. 그 사람은 내 인생에서 또 다른 대니가 될 거예요. 너무 튀는 짓은 시도하지 말라고, 너무 높이 날려 하지 말라고 경고하면서 말이죠. 언니가 그러는 건 괜찮아요. 하지만 내게 뭘 하지 말라고 하는, 또 다른 사람은 필요 없어요. 내게는 안온한 삶에서 나를 벗어나게 해줄 누군가가 필요해요." 나는 그와 같은 사람이 필요하다는 말은 하고 싶지 않았지만, 그런 생각이 내 마음속을 스쳐 갔다.

케이드가 전자레인지에서 접시를 꺼내 내 앞에 놓았다. 그런 다음 남아 있는 조각들을 다른 접시에 담아 자기 몫으로 데웠다.

"얘기를 들으니 당신은 그를 놔줘야 할 것 같네요." 케이드는 주방 조리대에 몸을 기댄 채 팔짱을 끼고 뭔가를 생각하는 눈빛으로 나를 보며 말했다.

"이 일이 다 끝나면 그렇게 할 거예요." 생각하는 듯한 그의 표정을 보며 내가 말했다. "무슨 생각을 하고 있어요?"

"그냥, 쌍둥이로 자란다는 건 어떤 걸까, 나와 똑같이 생긴 누군가, 혼자가 아니라 2인조의 한 부분이라는 느낌이 드는 건 어떤 걸까 생각하고 있었어요."

"다니에게 나는 그런 느낌을 갖지는 않아요. 그냥 사실일 뿐이죠. 쌍둥이는 태어나기 전부터, 그리고 태어난 후에도 영원히 함께하는 존재죠. 그 유대감은 경험하지 못한 사람에게 설명하는 게 불가능해요. 내가 내 가슴 속에 있는 다니를 느낄 수 있고 다니도 마찬가지인, 그런 거예요." 나는 말을 끝마치고 피자를 한 입 먹었다. 피자 맛이 정상적이어서, 그래서 약물을 흡입한 이후 내 입에 남아 있던 쇠비린내를 없애줘서 나는 마음이 놓였다.

"하지만 당신과 당신 언니는 다른 사람이잖아요." 케이드가 말했다.

"그렇죠. 그리고 그게 바로 힘든 부분이에요. 같아지는 게 더 쉽기 때문이죠. 사람들은 우리가 같다고 예상하거든요. 다니는 수학을 잘했어요. 그래서 수학 선생님은 나에 대해 기대치가 높았지만 나는 그걸 만족시킬 수가 없었어요. 음악에 대해서도 똑같은 일이, 하지만 반대로 생겼죠. 내가 악기를 연주했기 때문에 모두들 다니도

244

당연히 그럴 거로 생각했지만, 다니는 음악에는 관심도, 재주도 없었거든요."

"아빠는 어때요?" 전자레인지에서 삐 소리가 나자 그가 물었다. "당신들 두 사람과 아빠는 사이가 어땠어요?"

나는 피자를 다 씹을 때까지 그의 질문을 생각했다. "그건 대답하기가 쉽지 않네요. 엄마가 돌아가시기 전, 우리가 어렸을 때 나는 우리가 친밀했다고 생각해요. 엄마가 돌아가신 후 아빠는 다니와 내게서 멀어졌어요. 엄마의 장례식 때 아빠가 사라져서 2주 동안 돌아오지 않았던 그날부터 시작이었죠. 그 후에 아빠는 우리를 구별하지 못하는 것 같았고 우리는 둘 다 그것 때문에 신경이 쓰였어요. 지금도 아빠에게 전화할 때면 내가 누군지 곧바로 말하지 않으면 아빠는 짜증스러워해요. 우리 목소리가 똑같이 들리기 때문이겠죠. 하지만 엄마는 항상 우리를 구별할 줄 알았어요."

"장례식 때 당신 아버지는 어디로 사라지셨던 거죠?" 케이드가 양미간을 찌푸리면서 궁금한 표정으로 물었다.

"빅 베어에 있는 우리 통나무집으로 간 거였어요. 아빠가 집으로 돌아올 때까지 어떤 이웃이 우리를 자기 집으로 데려가 있었답니다."

"희한한 일이네요. 당신들에게서 달아나는 게 아니라 당신들을 위로해 줬어야 하는데 말이죠."

"나도 항상 그렇게 생각했어요. 아빠는 돌아온 다음에는 도우미를 구해서 다니와 나를 돌보게 하고 일에 파묻혀 버렸어요. 우리에게 필요한 게 있는지 챙기고 한 번씩 학교의 공개 수업이나 축구 경기에 얼굴을 비추곤 했죠. 그렇지만 잊어버린 적도 많았고, 그래서 우리는 아빠가 나타날 거라는 기대를 접었죠. 그 뒤에 아빠는 새엄마와 결혼했고 새엄마와 두 사람의 생활이 전부가 되었어요."

"당신들 사이는 전혀 친밀한 것 같지 않군요."

"다니는 나보다는 아빠와 더 가까웠어요. 언니는 보통 아빠가 뭐라고 하건 다 받아들이는 편이죠. 내가 아까 다니와 통화했을 때 다니는 아빠가 왜 연락이 안 되는지 알지 못하면서도 아빠가 전화해 주지 않는 것에 대해 아빠를 변호했어요. 언니는 아빠를 좋은 방향으로 생각하고 싶어 했어요. 이제 아빠가 술에 취해 엉망인 상태로 나타난 만큼 나도 아빠를 좀 봐줘야겠죠. 아빠는 엄마가 살아 있는 것을 알고서 충격을 받았던 게 분명해요."

"당신 아버지는 어머니와 얘기를 했다고, 그분이 미안하다고 했다고 말했어요. 언제 그런 일이 있었는지 궁금하군요. 이 집 앞에서 당신 아버지가 찍힌 비디오 영상은 없잖아요."

"그건 사실이죠. 새엄마만 카메라에 잡혔어요. 어쩌면 학교에서 만났을 수도 있죠. 금요일에 내가 학교에 갔을 때 아빠를 거기서 봤다고 생각했어요. 하지만 그때는 이미 엄마가 병원에 있었는데, 그렇다면 아빠는 그날 왜 학교에 갔던 걸까요?"

"당신이 아버지께 물어봐야죠."

"아빠가 일어나면요." 나는 그 말에 동의했다.

"당신 아버지는 분노가 많은 사람이 아니라고 했잖아요. 그렇지만 당신 어머니가 자신을 배신했다고 말할 때 분노로 들끓고 계시더군요."

나는 그의 눈을 마주 봤다. 그의 검은 눈에서 나는 그 질문이 뭔지 알 수 있었다. "아빠는 엄마를 쏘지 않았어요, 케이드."

"그러면 좋겠죠."

"아빠는 엄마를 사랑했어요."

"사랑과 증오는 동전의 양면일 수 있어요."

"설령 아빠가 엄마를 증오하고 또 그럴 권리가 있다고 해도 난 아빠가 엄마를 해치지 않을 거라는 걸 알아요. 그냥 그러지 않을 거라고요. 그건 확실해요."

"당신이 아버지를 제일 잘 알겠죠."

나는 아빠를 내가 제일 잘 아는 게 아니라는 것을 알기에 한숨을 내쉬었다. 그런 사람은 다니 아니면 새엄마였다. 그러나 그 두 사람 다 여기 있지 않았다. 나는 냅킨으로 입을 닦았다. "피자와 커피 고마워요. 기분이 나아졌어요."

"그렇다니 기쁘네요."

"당신이 나를 구해준 후 일어난 모든 일이 기억나지 않아요. 옆에 사람들이 많이 있었죠? 아이들이 겁먹지 않았으면 좋겠는데."

"부모들이 아이들을 막아서 오지 못하게 했어요."

"다행이에요."

"그건 그렇고, 오늘 밤 당신이 무대에서 한 연주는 놀라웠어요."

"난 할 수 있는 모든 걸 다해서 밀라를 빛나게 하고 싶었을 뿐이에요. 그 아이는 재능이 출중해요. 그리고 엄마를 정말 많이 좋아하더군요. 그 아이가 슬픔에 잠겨 있을 때도 엄마는 그 애가 연주할 수 있도록 힘이 되어줬대요." 나는 고개를 저었다. "엄마가 다른 사람들에게 얼마나 친절하고 관대한 사람이었지 다시 생각하게 되네요."

"하지만 당신이 슬픔에 잠겨 있었을 때 그분은 어디 계셨죠?" 그가 물었다.

"그러니까요. 엄마는 어떻게 한 번도 뒤돌아보지 않을 수가 있었을까요?" 나는 한숨을 쉬었다. "아무 말 안 해도 돼요. 이 질문에는 엄마만 대답할 수 있으니까요." 나는 잠깐 있다가 말했다. "내가 오늘 밤 밖으로 나간 건 연주를 하고 나니 감정이 북받쳤기 때문이었어요. 좀 더 경계심을 가졌어야 했는데 말이죠. 무슨 생각을 하고 있었는지 모르겠어요."

"매 순간 방심하지 않고 있는 건 힘든 일이에요."

"오늘 밤엔 정말 끔찍한 일이 생길 수도 있었어요. 그 공원에서 내게 어떤 일이 벌어졌을지 아무도 모르죠."

"그런 생각은 하지 않는 거예요. 알겠어요?"

"해야 할지도 모르죠. 자신의 두려움을 직면하면 카타르시스가 느껴지지 않아요?"

"그렇게 되려면 시간이 필요해요. 지금은 너무 생생한 상황이죠."

"다른 어떤 일이 일어날 때까지 시간이 얼마나 있을지 누가 알겠어요? 이건 끝나지 않았어요, 케이드. 경찰이 내게 덤벼든 남자를 데리고 있지만, 그는 당사자가 아니에요. 그는 우리 엄마를 쏜 사람이 아니에요. 머리가 어떻게 된 배후 인물은 꼭두각시 조종자처럼 밖에 있단 말이에요. 다음번에 무슨 일이 생길지 모르겠어요."

"그건 내일 걱정할 일이에요."

"머릿속에서 그런 물음들을 지우는 게 어려워요."

"당신은 좀 쉬어야 해요, 브린. 위층에 올라가서 잠을 좀 자는 게 어때요? 오늘 밤엔 안심해도 돼요."

"이 일이 끝날 때까지 내가 안심할 수 있을지 전혀 모르겠어요. 하지만 난 당신에게 빚을 졌어요, 케이드. 당신이 해준 그 모든 것에 말이에요. 어떻게 갚아야 할지 모르겠네요."

"갚을 필요 없어요."

나는 높은 의자에서 내려왔다. "아빠를 좀 보고 나서 위층으로 갈게요."

그는 고개를 끄덕이며 나를 따라 거실로 갔다.

아빠는 내가 나왔을 때와 같은 자리에 있었지만, 담요를 발로 걷어차 놓고 있었다. 밤에는 추워질 것이었다. 나는 담요를 다시 덮어 드렸다.

아빠는 옆으로 몸을 웅크리며 돌아눕다가 눈을 깜박이며 떴다. "브린이니? 아니면 다니냐?"

"브린이에요." 나는 소파 테이블 끝에 걸터앉으며 말했다. "아빠, 괜찮아요?"

"여기가 어디냐?"

"엄마 집이에요."

"맞다." 아빠는 비웃듯이 입술을 말아 올렸다. "킴의 집. 킴의 인생. 난 킴이 싫다, 브린. 그 여자가 했던 짓을 증오해."

"엄마는 아빠를 떠난 이유를 말해줬어요?" 내가 물었다.

"나만 떠났던 게 아니지. 너희들을 떠난 거야." 그는 내게 그 사실을 상기시켰다. "너희 엄마는 자기의 소중한 딸들을 버리고 떠났어. 내가 우리 가족을 이루어 내려고 그 모든 일을 다했는데 말이다. 너희 엄마는 나를 배신했어."

속에서 경련이 일어나는 것 아팠다. "엄마가 왜 그랬는지 말했어요?"

"왜 자기 딸들을 걔들 아버지도 아닌 남자에게 남겨 놓고 떠났냐고?" 아빠가 물었다. "아니, 너희 엄마는 왜 그랬는지 말하지 않았어. 난 너무 피곤하다." 그는 눈을 감으며 말했다.

"아빠, 일어나 봐요." 나는 심장이 쿵쾅거렸다. "그게 무슨 말이에요? 엄마는 아빠에게 우리를 남겨 놓고 떠났어요. 아빠가 우리 아버지잖아요."

나는 아빠의 어깨를 흔들었지만, 그의 눈은 그대로 감겨 있었다.

벌어진 입술 틈으로 코 고는 소리가 새어 나왔다. 내 피가 다시 한번 끓고 있었다. 나는 케이드 쪽을 쳐다봤다. "아빠가 한 말 들었죠?"

"확실히는 모르겠어요." 케이드가 조심스럽게 말했다.

"아빠는 우리 엄마가 다니와 나를 우리 아버지도 아닌 남자에게 남겨 놓고 떠났다고 했어요. 하지만 아빠가 우리 아빠인걸요." 나는 갑자기 욱신거리는 머리를 양손으로 눌렀다. "내가 잘못 들은 게 분명해요. 아빠는 취했어요. 정신이 없다고요. 아빠는 언제나 우리 아버지였어요. 일어나요." 내가 소리쳤다.

"지금 필름이 끊긴 상태세요, 브린." 케이드가 나지막이 말했다. "오늘 밤엔 아버지에게서 아무 말도 듣지 못할 거예요." 그는 내게 한 손을 내밀었다. 조금 망설이다가 나는 그 손을 잡았다. 그는 나를 양팔로 끌어당겼고 나는 팔로 그의 허리를 감쌌다. 나는 머리를 그의 가슴에 기대고 뛰는 가슴을 진정시키려고 애쓰면서 눈을 감았다.

"다 괜찮아질 거예요." 케이드가 말했다. "아침에는 답을 알게 될 거고요."

"괜찮아질 기로 생각되지 않아요." 나는 미리를 들어 그의 눈을 들여다봤다. "여기 온 후 처음으로 난 답을 알고 싶지 않아요. 내 인생에 관해 나는 모든 걸 알고 있다고 생각했는데, 아무것도 몰랐던 거예요. 아빠가 진짜 우리 아빠가 아니라면…."

"그런 의미로 그 말씀을 하신 게 아닐지도 몰라요. 내일이면 좀 더 알게 되겠죠."

"난 그게 두려운 거예요." 내가 속삭이듯 말했다.

그는 나를 응시하면 고개를 저었다. "아무 문제 없을 거라고 내가 말할 수 있다면 얼마나 좋을까요."

"나도 그래요. 하지만 당신은 그러지 못해요. 이건 너무 버거워요, 케이드."

"당신은 잠을 자야 해요, 브린."

"지금은 잠들 수가 없을 거예요."

"그럼 바이올린을 가져가요."

나는 그를 다시 바라보며 그가 옆에 있으면 더 좋겠다는 생각이 들었다. 그러나 그는 이미 나를 밀어내고 있었다. 열이 올랐던 내 몸에 싸늘한 기운이 전해졌다. 그는 나를 쳐다보고는 입을 굳게 닫고 고개를 흔들었다. "가서 자요, 브린. 당신 아버지는 내가 지켜볼게요."

나를 안고 있던 그의 팔이 없어지자 추워진 나는 두 팔로 내 몸을 감싸 안았다. 그런 다음 복도로 가서 계단을 올라갔다. 엄마의 침대 위에 몸을 눕히자 내 마음은 또다시 빙빙 돌기 시작했다. 머리가 어지러운 것은 비단 내가 흡입했던 그 약물 때문이 아니라 내 인생의 다른 모든 것 때문이었다. 다니가 옳았는지도 몰랐다. 다치기 전에 집에 갔어야 했다. 하지만 돌아가기엔 이미 너무 늦었다. 나는 이미 다쳤고 훨씬 더 많은 고통이 내 앞에 있다는 것을 느끼고 있었다.

20

일요일 아침에 나는 머리를 두드리는 두통에 잠이 깼다. 예견했던 것처럼 나는 밤새 이리저리 뒤척이며 제대로 잠을 자지 못했다. 아빠의 말들이 머릿속에서 끝없이 맴돌았기 때문이었다. 이제 답을 들을 시간이었다. 아직 8시밖에 되지 않은 시간이었고 집 안은 고요했다. 그래서 나는 샤워를 하고 청바지와 스웨터로 갈아입은 다음 아래층으로 내려갔다. 언제나 그런 것처럼 케이드가 커피를 만들어 놓았다. 오늘 아침에 그는 아침도 준비해 놓았다.

"잘 잤어요?" 그가 에그 스크램블을 만들면서 말했다. "당신 어머니네 냉장고에 있는 걸 다 써보려고 했죠."

"음식을 할 줄 아는군요. 멋져요."

"제대로 하는 건 아니에요. 굶어 죽지 않을 정도로만 만들 줄 알죠."

"아빠 봤어요?"

"몇 분 전에 보고 왔어요. 여전히 주무시고 계시던데요."

"그렇군요. 밤중에 사라진 건 아닐까 했는데 그것보단 나은 거겠죠."

"나도 그 생각을 했어요." 케이드가 말했다. "들어가서 몇 번 확인해 봤는데 당신 아버지는 나가실 상태가 아니었어요. 그리고 그러지 않으셨고요."

"아빠가 잠이 깼는지 보고 올게요." 나는 복도에서 응접실로 들어갔다. 케이드의 말처럼 아빠는 코를 심하게 골며 자고 있었다. 나는 주방으로 돌아와서 조리대 앞에 앉았다. 케이드가 접시 하나를 내 앞에 놓았다. "아직 정신이 들지 않았어요."

"그럼 이거 먹어요."

"나를 정말 잘 거둬 먹이네요." 내가 감사하며 말했다.

"나도 배고팠거든요."

다가올 대화가 두려워서 나는 입맛이 별로 없었지만 그래도 계란을 먹고 커피를 몇 모금 마셨다. 그때 내 핸드폰 진동음이 울렸다. "그 사설탐정이에요." 나는 핸드폰 스피커를 켜며 이렇게 말하고는 전화를 받았다. "안녕하세요, 제러미. 무슨 소식이 있나요?"

"네. 베컴 씨 어머니께 돈을 보냈던 자선 재단은 존재하지 않는 곳입니다. 우리나라 어디에도 그런 이름의 비영리 단체는 없어요. 사업자 등록증도, 은행 계좌도, 그 어떤 근거도 없습니다. 조작해 낸 거죠."

"그럼 우리 엄마가 자기 돈을 그의 어머니에게 보냈던 건가요?"

"그게 제가 생각할 수 있는 유일한 설명입니다. 그런데 어머니의 금융 계좌들을 다 살펴봐도 급여 외의 자금이 있는 증거가 없습니다. 어머니는 16년 전에 집을 구매할 때 현금으로 전액을 지불하셨어요. 30만 달러 정도의 돈을요. 하지만 당신 아버지에게서 가져온 게 아니라면 그 돈을 어디서 마련한 건지 모르겠습니다. 킴 랜드리의 삶은 뉴올리언스 허리케인 때 끝이 났죠. 로라 호손의 삶은 그로부터 9개월 뒤에 시작됐습니다."

"그 9개월 사이에 엄마는 누구로 살았던 거죠?"

"모르겠어요. 하지만 어느 시점에선가 새로운 신원을 돈으로 산 겁니다. 그리고 이 신원은 믿을 수 없을 만큼 세부적이었어요. 어머

거울 자매 253

니는 새 지문에 합치하는 새 신분증과 콜로라도 대학 음악 학위가 포함된 위조 약력을 취득했습니다. 그렇게 해서 지금 일하는 학교에 취직할 수 있었던 거고요.”

그의 말에 나는 정신이 아득했다. “어떻게 그렇게까지 할 수 있죠?”

“돈이 많거나 권력과 연줄이 있으면, 혹은 둘 다 있으면 할 수 있죠.” 제러미는 잠깐 있다가 말했다. “저는 또 당신 어머니가 신분 세탁을 한 게 이번이 처음은 아니라고 생각합니다. 당신 아버지와 결혼하기 전의 과거를 조사했는데요. 당신은 어머니가 샌디에이고에서 전문대를 다녔다고 했지만, 그 도시의 어느 학교에도 재적 기록이 없었습니다. 사실, 킴 쿠퍼가 세상에 등장한 것은 당신 아버지와 결혼하기 1년 반 전이었어요. 그 이름으로 된 신용카드를 추적할 수 있었는데, 그랬더니 그 삶은 그녀가 뉴올리언스에서 실종된 후 끝났더군요.”

“말도 안 돼요. 어떻게 그렇게 신분을 계속 바꿀 수가 있죠? 그리고 왜요?”

“잘 물으셨어요. 저는 당신 어머니가 혹시 증인 보호 대상은 아닌지 경찰 쪽에 있는 친구에게 문의해 봤습니다.”

가슴이 쿵쾅거렸다. “그런 거라면 엄마가 다른 사람이 될 수 있었던 게 설명이 되는군요.”

“그렇죠. 불행히도, 당신 어머니가 그렇다는 것을 확인해 줄 사람을 아무도 만날 수가 없었습니다. 저는 그분이 지금 의식 없이 병원에 있는 상태라고, 따라서 그런 보호의 대상이라면 누군가 일을 엉망으로 만들었다는 점을 강조해서 지적했죠. 하지만 어떤 정보도 제공할 수 없다는 말을 또다시 들었습니다.”

나는 그에 관해 생각했다. "엄마가 증인 보호 대상이라면 죽음을 위장하셨던 이유도, 이 오랜 세월 동안 우리를 떠나 있었던 이유도, 지금 누군가 엄마를 죽이려 하는 이유도 설명이 돼요." 내가 말했다. "누군가에 대해 반대 증언을 할 때 보호 프로그램에 들어가게 되는 거죠?"

"그게 이유 중 하나죠. 보통은, 정부를 돕기 위해 한 일 때문에 생명이 위험에 처하게 되는 경우고요. 제가 계속 파보겠습니다." 제러미가 말했다. "아버지에게서는 연락이 왔나요? 그는 호텔 방에 돌아오지 않았어요. 경찰 역시 그를 계속 찾고 있는 것으로 압니다."

나는 망설였으나 지금 사실을 밝혀야 할지 확신이 들지 않았다. "저는 아직 아빠와 얘기를 나누려고 기다리는 상태예요." 내가 말했다. 그건 일부분 사실이었다. "다른 건요, 제러미?"

"케이드 아버지의 죽음에 관해 조사를 좀 했습니다."

나는 맞은편에 있는 케이드를 쳐다보며 입술을 훔쳤다. 그의 표정이 돌처럼 굳어졌다. "뭘 찾아냈나요?"

"그 강도 사건은 부동산 개발업자인 억만장자 제임스 홀든 소유 사유지에서 행사가 끝난 후 발생했습니다. 그들이 강탈해 간 건 당시에 1000만 달러 상당이던, 지금은 그 두 배 가치가 되었을 보석들과 100만 달러 이상으로 평가되던 그림 두 점, 그리고 약 50만 달러 정도의 현금이었습니다."

"엄청난 액수의 현금이로군요."

"그렇죠. 경찰은 그 강도들이 파티가 시작되기 전에 저택으로 들어가서 끝날 때까지 숨어 있었을 거로 믿고 있습니다. 강제로 진입한 흔적이 없었기 때문이죠. 또한 사설 경비업체에서 설치한 경보 장치가 있었던 만큼 저택 내부에 공범이 있었을 거로 믿어집니다. 케이드의 아버지가 그 일원이었을 것이란 추측도 좀 있었습니다. 원래는 다른 경비원과 함께 그곳을 떠나기로 되어 있었으니까요. 그가 그 강도를 들어오게 했지만 서로 간에 다툼이 있어서 총을 맞고 생을 마감했다는 가설이 하나 있었어요.”

“절대 아니야.” 케이드가 큰 소리로 말했다.

“케이드가 거기 있나 보군요. 미리 알려줬으면 좋았을 텐데요, 브린.” 제러미가 건조하게 말했다.

“그런 일은 일어나지 않았어요, 제러미.” 케이드가 나와 핸드폰 쪽으로 가까이 오며 말했다.

“전 그냥 경찰 보고서에서 본 걸 말하고 있는 것일 뿐입니다.” 제러미가 말했다. “아마도, 당신 아버지는 10대 후반에 경미한 절도 건으로 체포된 적이 있고 범죄 조직에 가담한 적이 있었나 봅니다.”

“그건 아버지가 나쁜 무리와 어울리던 어렸을 때 일이었어요. 아버지는 정신을 차리셨어요. 그 강도단을 집 안에 들어오게 하는 일은 하지 않았다고요.”

나는 케이드의 눈에 분노와 함께 불확실한 어떤 빛이 어리는 것을 보았다. 우리는 둘 다 우리 아버지들을 믿고 싶었지만, 이제는 의문이 생기고 있는 것이었다.

“그 문제는 제가 계속 조사하겠습니다.” 제러미가 말했다. “당신 쪽에서 새로운 소식은요?”

“많이 있어요.” 내가 한숨을 쉬며 말했다. “누군가 어젯밤에 저를 납치하려고 했어요. 경찰이 그 사람을 구금하고 있지만 그는 어둠의 세력에 채용된 자였어요. 그린맨 경위에게 확인해 보시고, 당신이 도울 일이 있는지 알아보시면 될 거예요.”

“당연히 그러겠습니다. 당신은 괜찮으세요? 방금 스티브와 통화했는데 납치 얘기는 전혀 하지 않던데요.”

“형부는 몰라요. 제가 직접 그 일에 대해 언니와 형부에게 얘기하게 해주신다면 감사하겠어요.”

“좋습니다. 조심하세요.”

“그럴게요.” 나는 이렇게 말하고 전화를 끊었다.

“제러미는 틀렸어요.” 케이드가 내게 말했다. “아버지는 좋은 분이셨어요. 그 강도를 막으려고 하셨던 겁니다. 거기에 가담하지 않았단 말이죠. 내 목숨을 걸고 말할 수 있어요.”

“그건 그냥 가설일 뿐이었어요, 케이드.”

“경찰이 만만한 희생양을 찾고 있었으니까 그렇죠.” 그가 씁쓸하게 말했다. “그저 아버지가 어렸을 때 문제가 좀 있었다는 이유로 요주의 인물이 된 거였어요.”

“그건 그냥 어떤 사람의 생각이었을 뿐 그 이상으로 나가지 않았잖아요.” 내가 그에게 사실을 상기시켰다.

“그렇다고 확신할 수가 없네요. 경찰이 아버지를 죽인 살인범을 찾는 걸 그만둔 건 아버지가 그 사건에 개입되어 있다고 생각해서였는지도 모르죠.”

나는 무슨 말을 해야 할지 몰랐다. “어쩌면 우리 엄마가 그 일에 관해 뭔가를 알지도 몰라요.” 내가 마침내 말했다.

“진짜 깨어나셨으면 좋겠어요.”

“나도 그래요.” 나는 잠깐 있다가 말했다. “엄마가 증인 보호 대상일지도 모른다는 제러미의 가설이 마음에 들어요. 그러면 엄마가 그토록 여러 번 인생을 바꾼 게 말이 되잖아요. 하지만 그것 역시 그냥 하나의 안일 뿐인걸요.” 나는 일어섰다. “아빠를 깨우러 갈래요. 이제 말을 해야 해요.”

나는 복도로 나와서 거실로 들어갔다. 아빠는 몸을 움직이기 시작하고 있었다.

"아빠." 내가 큰소리로 불렀다.

그는 눈을 떴고 실눈으로 나를 봤다. 그러고는 다시 눈을 감고 신음했다.

"숙취 때문에 머리가 많이 지끈거릴 거라는 건 알아요." 내가 말했다. "하지만 말을 해줘야 할 시간이에요."

케이드가 커피 머그잔을 들고 안으로 들어왔다. "이걸 마시면 좀 좋아지실 거예요."

아빠는 눈을 다시 뜨고는 일어나 앉으려고 애썼다. 겨우 그렇게 하자 케이드가 머그잔을 건넸다.

아빠는 한 모금을 마시고는 말했다. "당신은 누구요?"

"케이드 베컴입니다." 그가 대답했다.

아빠가 나를 쳐다봤다. "네 남자친구냐?"

"아뇨. 커피를 좀 더 마셔봐요." 내가 명령하듯 말했다.

그는 내가 하라는 대로 했다. 시간을 좀 벌려고 하는 것일 수도 있었다.

"두 분만 계실 수 있도록 저는 나가도 됩니다." 케이드가 제안했다.

"당신이 괜찮다면, 있는 게 난 좋아요." 내가 말했다.

"난 괜찮아요." 케이드는 옆에 있는 안락의자에 앉았다.

"난 우리가 단둘이 얘기해야 한다고 생각한다, 브린." 아빠가 참견했다.

"그건 아빠가 결정할 문제가 아니라고 생각해요. 아빠는 어디 있었던 거예요?" 내가 물었다. 나는 더 많은 내용을 알기 전까지는 아빠가 우리 아버지가 아니라는 문제는 제쳐놓아야 했다. "엄마가 살아 있다는 걸 언제 알게 됐어요? 엄마와 얘기를 해봤어요?"

"좀 천천히." 아빠가 괴로운 듯 얼굴을 찡그리며 말했다. "나는 머리가 터져 나갈 것 같다."

"아빠 머리가 어떤지 전 상관없어요. 아빠한테 며칠 동안 계속 전화했어요. 모두들 아빠를 걱정하고 있다고요. 새엄마는 아빠를 찾으러 여기로 날아오기까지 했어요."

"뭐라고?" 그가 놀라서 물었다.

"엄마가 총에 맞기 전날인 지난 수요일에요. 그 소식은 분명 들었겠죠."

"비키가 어떻게 했어? 엄마와 싸웠어?"

"아뇨. 새엄마는 엄마가 아빠 아닌 다른 어떤 남자와 같이 있는 걸 보고 여기를 떠나서 집으로 갔다고 주장해요. 아빠와 엄마가 비밀스럽게 만나고 있을 거로 자신이 생각한 게 바보 같았다고 느꼈대요."

"너희 엄마가 살아 있는 걸 비키가 알고 있었어? 우리가 바람을 피우고 있다고 생각했다고?" 아빠는 어안이 벙벙한 듯 물었다.

"네. 새엄마는 뉴스에서 어떤 남자의 목숨을 구해준 엄마를 봤어요. 아빠도 그런 것 아니에요?"

"나는 내 눈을 믿을 수가 없었어." 그가 말했다. 그 순간이 다시 떠오르는 듯 시선은 방향을 잃고 있었다. "난 TV를 켜놓은 채 사무실에서 늦게 일하고 있었다. 스포츠 경기 결과를 들으려고 기다리고 있었지. 그런데 미구엘 로드리게스가 심장마비를 일으킨 토막 뉴스가 나오는 거였어. 그리고 너희 엄마가 거기 있었어. 난 내가 꿈을 꾸고 있다고 생각했어. 그 토막 뉴스를 천 번은 봤단다. 난 확실하게 알아내야 했어. 그래서 포틀랜드로 출장을 가는 대신 샌프란시스코로 온 거야."

"언제 여기 도착했어요?"

"화요일 밤에. 난 수요일에 킴의 학교로 갔고 그 사람이 점심을 먹으러 가는 걸 봤어. 그 사람은 미소를 짓고 어떤 사람과 함께 웃음을 터트렸어. 그러다가 방향을 돌리면서 나를 봤고 그 얼굴에서 미소가 사라지더군. 난 그 사람이 달아날 거로 생각했어. 그러나 그러지 않았다. 그 사람은 내게 걸어오더니 가까운 커피숍에서 만나자고 했다. 그러고는 차를 타고 나갔어. 나는 또다시 그 사람을 잃어버릴까 봐 렌터카로 달려갔다. 하지만 그 사람은 가기로 했던 곳으로 갔어. 우리는 바깥 테이블에 앉아서 서로를 바라봤어. 무슨 말을 해야 할지 모르겠더군."

"엄마가 뭐라고 했어요?" 아빠가 다시 생각에 빠지자 내가 채근했다.

"미안하다고 했다. 그렇게 했던 건 나와 너, 그리고 다니를 보호하기 위해서였다고. 어떤 문제에 말려들었는데 죽은 것으로 위장하지 않고는 빠져나올 수가 없었다고 했다. 자세한 얘기는 전혀 해주지 않았어."

"그래서 지난 20년 동안 어떤 시점에서도 우리에게 진실을 말해줄 수 없었다고요?"

"나도 같은 걸 물었다. 너희 엄마는 그렇게 해서는 안전할 수가 없었다고 했어. 내가 너와 네 언니를 훌륭하게 키우고 있다는 건 알고 있었다고, 그게 자신이 받았던 유일한 위안이었다고 하더라."

"유일한 위안이라고요?" 내가 물었다. "엄마는 자신을 위해 다른 인생을 만들었어요. 친구와 동료, 그리고 직업과 집이 있는 인생 말이에요. 이 세월 내내 감옥에 있었던 게 아니라고요. 엄마는 활발하게 살고 있었어요."

"알아. 생각할 수 없는 일이지. 용서할 수 없는 일이야. 나는 그 사람에게 배신당했다고, 그 사람을 증오한다고 말했다. 그 사람은 몸을 기울이더니 또다시 미안하다고 했어. 나는 열이 치밀었어. 그 사람의 뺨을 때리고 말았어. 여태껏 한 번도 여자를 때려본 적이 없었는데 말이다. 난 망연자실했지. 옆 테이블에 있던 남녀가 와서 그 사람에게 괜찮냐고 물었어. 그들은 경찰을 부르겠다고 했어. 그 사람은 그들에게 그러지 말라고 하고는 일어나서 밖으로 나갔어. 나는 반대 방향으로 갔다. 그들이 내가 그 사람을 따라가는 걸로 생각하지 않기를 바랐어." 아빠는 거친 숨을 내뱉었다. "때리지 말았어야 했다. 하지만 내 평생 그렇게 화가 난 적은 없었어. 앞을 똑바로 볼 수가 없었다. 그날 밤 나는 술을 마시고 다음 날 거의 종일토록 잠을 잤어. 그다음에 총격이 있었다는 걸 듣게 됐고 뉴스에서 너희 엄마의 사진을 다시 보게 된 거야."

"금요일에 엄마의 학교에서 아빠를 봤다고 생각했어요."

"총격에 관해서 뭐라도 알 수 있을까 봐 거기 갔었다. 사무실에 들어가거나 관계자들을 만나고 싶지는 않았어. 그래서 걱정하는 친구인 척하면서 몇몇 교사들에게 물어봤어. 그들은 너희 엄마가 혼수상태에 빠져 있다고 했다." 아빠는 고개를 저었다. "나는 제일 가까이 있는 술집에 가서 또다시 술을 마시기 시작했지. 이틀 동안 호텔로 돌아가지 않았어. 술을 깨려고 해보면 매번 고통을 견딜 수가 없었어. 네 문자 메시지를 받았지만 너나 다른 누구와 말을 할 엄두가 나지 않았어. 내가 뭐라고 말을 할지 몰랐으니까."

"방금 말했잖아요." 내가 말했다. "우리는 아빠를 걱정하고 있었어요. 경찰이 아빠가 묵은 호텔 방을 찾아냈어요. 그들은 아빠가 돌아오기를 기다리고 있다고요."

"경찰이? 왜? 이런 빌어먹을! 우리가 싸웠다고 누가 신고한 거야?"

"그런 건 아니라고 생각해요. 하지만 제가 그 경위에게 엄마가 자기 인생을 버리고 도망쳤는데 이제 아빠를 어디서도 찾을 수 없다고 했을 때 경찰은 엄마가 아빠를 버리고 떠난 건 아빠가 폭력적이었기 때문이고, 그리고 아빠가 엄마를 다시 찾아낸 거로 생각한 거예요."

아빠는 얼굴이 창백해졌다. "난 너희 엄마의 뺨을 때린 죄밖에 없다, 브린. 그게 전부라는 걸 맹세해. 잘못된 행동이었어. 나는 그렇게 한 내가 혐오스럽다. 난 사람을 때리지 않아. 그건 네가 알잖아. 넌 나를 알잖아."

나는 감정이 격해져서 재빨리 마른침을 삼켰다. "전 제가 아빠를 안다고 생각했어요, 아빠. 지금은 과연 아빠라고 불러야 하는 건지 혼란스럽지만 말이에요."

"그게 무슨 말이니?" 아빠가 혼란스러운 듯 물었다.

"아빠가 어젯밤에 잠들기 전에 한 말을 말하는 거예요."

그의 입술이 굳어졌다. "어젯밤에 내가 무슨 말을 했는지 기억이 안 난다. 기억이 흐릿해."

내 속의 한 부분에서는 나도 그 말을 잊었기를 바랐다. 그러나 그렇지 않았다. "아빠가 한 말을 제가 들려줄게요. 그러면 아빠는 제게 진실을 말해줘요."

"무슨 진실?" 나는 용기를 내기 위해 숨을 들이쉰 다음 말했다. "어젯밤에 아빠는 엄마가 아빠 자식도 아닌 아이 둘을 아빠에게 남겨 놓고 떠났다고 했어요. 어떻게 그럴 수 있었는지 모르겠다고요."

아빠의 얼굴에서 핏기가 싹 가셨다. "브린." 그가 읊조리듯 말했다.

"다니와 제가 아빠 딸들이 아니라면 누가 우리 아빠인 거죠?"

21

"맙소사!" 아빠는 손으로 머리를 쓸어내렸다. 눈은 사방으로 정신 없이 움직였다. "내가… 내가 그런 말을 했을 리가 없다. 너희는 내 딸들이야. 언제나 내 자식이었다고."

"그럼 왜 그런 말을 한 거예요?"

"난 취했었다."

"지금은 취하지 않았잖아요. 그렇지만 거짓말을 하는 거고요. 아니에요? 아빠가 우리 친아빠인가요, 아닌가요? 이건 네, 아니면 아니오, 문제라고요."

그는 거칠게 숨을 들이쉬었다. 그리고 말했다. "그래. 난 너희 친아버지가 아니다."

그런 대답을 예상하고는 있었지만, 그럼에도 그 말은 내게 큰 충격을 주었다. "그럼 왜 그런 척했어요? 그리고 우리 아버지는 누구예요?" 내가 멍한 상태로 물었다.

"누군지 나는 모른다."

"그럼 엄마가 아빠 몰래 바람 피운 거예요? 그런 거예요? 그런 사실을 우리가 태어나기 전에 알게 됐어요, 아니면 우리가 태어난 후에?" 속에서 화가 치밀어서 나는 뛸 듯이 일어섰다. "네?" 아빠가 아무 말도 하지 않자 나는 다그쳐 물었다.

"너희 엄마는 바람 피운 적 없다." 그가 대답했다. "너희가 태어나고 나서 내가 너희 엄마를 만난 거였어. 우리가 만났을 때 너희는 3

개월 된 아기들이었다."

나는 믿을 수 없어 고개를 내저었다. "정말이에요?"

"그래. 우리는 너희 엄마가 일하던 커피숍에서 처음 만났다. 난 너희 엄마에게 첫눈에 반했어. 하지만 그 사람은 나와 데이트하지 않으려고 했다. 자기에게는 아기가 둘이라고, 데이트 같은 건 하지 않는다고 했어. 그러나 나는 안 된다는 그 대답을 받아들일 수가 없었어. 난 계속 청했고 결국 우리는 데이트를 하게 됐지. 마법 같은 일이었어. 우리는 서로에게 강하고 빠르게 빠져들었어. 나는 세 번째 데이트 때 그 사람에게 사랑한다고 말했어. 그리고 한 달 뒤에 청혼했지. 난 그 사람의 남편이 되고 싶었어. 너희의 아버지가 되고 싶었어. 우리가 가족이 되기를 원했다고."

"그 모든 일이 진행될 동안 우리의 친아버지는 어디 있었나요?"

"너희 엄마는 자기가 임신했다는 걸 알기 전에 그 사람이 자기를 버리고 떠났다고 했어. 그건 잘된 일이었다고도 했어. 왜냐하면 그는 술버릇이 고약했기 때문에 너희에 대해 아예 모르는 게 낫다는 거였어. 너희 엄마는 너희를 혼자 힘으로 키우려고 했어. 나는 그 사람의 과거가 아무렇지 않았어. 난 어려서 부모를 여의어서 가족이 그리웠거든. 킴도 역시 이 세상에서 혼자였고 하루하루 근근이 살아가려 애쓰고 있었지. 우리 둘은 운명이 연결해준 것만 같았어. 우리는 곧바로 결혼했고 난 너와 다니를 공식적으로 입양했단다."

"제가 어떻게 이런 걸 모를 수가 있었죠?" 나는 혼란에 빠져서 물었다. "전 출생증명서를 본 적이 있어요. 입양되었다는 기록은 없었어요."

"캘리포니아에서는 출생증명서 원본을 봉인하는 데다가 과거의 증명서와 성이 변경된 새 증명서가 모양이 똑같단다. 킴은 너희가 입양되었다는 사실을 아는 걸 원치 않았고 나도 역시 마찬가지였다. 나는 우리가 한 가족이길 원했으니까. 나는 이 세상 누구보다 그 사람을 사랑했어." 그는 무거운 숨을 쉬었다. "난 우리가 행복했다고 생각했어. 7년 동안 난 정확히 내가 원했던 걸 가졌지. 그러다가 너희 엄마가 죽었던 거란다."

"아빠는 장례식이 있던 날 떠나버렸죠. 2주 동안 돌아오지 않았어요. 돌아왔을 때 아빠는 달라져 있었어요. 아빠는 정말로 우리를 사랑하지는 않았던 거예요. 그렇죠?" 내가 물었다. "아빠는 엄마를 사랑했고 우리는 그냥 그 일괄 계약의 일부였던 거예요."

"난 당연히 너희를 사랑했다. 너희 엄마가 죽었을 때 나는 그냥 무기력하고 나약하게 느껴졌을 뿐이야. 그녀가 내 세상이었는데 가버렸으니 말이다. 그리고 너희 엄마는 너희에게 너무나 잘했었다. 너희가 필요한 걸 말하기 전에 미리 알고 했었지. 난 그렇지 못했어."

"사실 그건 말이 되는군요." 내가 말했다. "드디어 말이 되는 게 있긴 하네요. 아빠가 우리에게서 줄행랑친 이유 말이에요. 엄마가 없어진 이상 유대가 끊어진 거였죠.

"난 너희를 사랑했단다. 지금도 마찬가지야." 그가 우겼다. "나는 너희가 살아오는 동안 내내 옆에 있었어. 내가 그 말을 했다는 게 유감스럽다. 난 너희가 알게 되는 걸 절대로 원치 않았어. 특히 지금처럼은 말이다."

"새엄마는 알고 있어요?"

아빠는 죄지은 듯 고개를 끄덕였다. "그래. 너희 엄마가 죽고 나서 내가 말해줬다."

"아마도 그래서 기숙학교로 더 쉽게 보낼 수 있었던 거군요."

"난 그 학교가 너희에게 좋을 거로 생각했어. 너희는 둘 다 거기서 행복해 보였다. 집에 있었을 때처럼 슬퍼 보이지 않았어. 그리고 너희에겐 서로가 있었잖아. 너희는 언제나 서로가 함께였지. 때때로 나는 너희가 가진 결속이 부러웠어. 난 혼자 겉도는 것같이 느껴졌어."

"속으로 그렇게 생각했으니까 혼자 겉돌 수 있었겠죠." 나는 매몰차게 말했다. "전… 전 더는 못 견디겠어요." 나는 감정이 북받쳤다. "혼자 있고 싶어요." 나는 복도를 달려가서 위층으로 올라가 엄마의 침실에서 문을 잠갔다. 그러나 엄마의 방을 둘러보면서 나는 평정을 거의 찾지 못했다. 대신에 엄마가 했던 모든 거짓말이 계속 떠올랐다. 내 인생에 들어 있는 모든 사람이 내게 거짓말을 했다. 다니를 제외하고는 말이다. 그것조차 사실이 아니었다. 다니는 우리의 고등학교 졸업식 때 엄마를 본 것에 대해 거짓말을 했다.

그건 아무것도 아닌 거짓말이야, 나는 속으로 생각했다. **그리고 다니는 나를 보호하기 위해 그랬던 거야.**

하지만 모든 거짓말은 누군가 나를 보호하기 위해 그랬다고 생각하는 것으로 용서되지 않았던가?

그건 ─ 그 모든 건 잘못된 일이었다.

그리고 나는 더 이상은 혼자 해낼 수가 없었다. 나는 핸드폰을 꺼내 다니에게 전화했다. 다니가 전화를 받자마자 나는 울기 시작했다.

"무슨 일이야, 브린? 말해봐." 그녀가 걱정스럽게 말했다.

"모든 게 엉망이야, 다니. 이 모든 빌어먹을 일이 말이야."

"하나씩 먼저 말해봐."

나는 내가 거의 납치될 뻔한 일로 말을 시작하지는 않으리라 마음먹었다. 그렇게 하면 다니 역시 너무나 겁에 질릴 것이었다. "아빠가 어젯밤에 나타났어. 아빠는 엄청나게 많이 취해 있었어. 몰골이 말이 아니었고. 꼭 옷을 입은 채로 길거리에서 자고 있었던 것같이 말이야."

"아빠가 뭐라고 했어? 그동안 어디 있었대?"

"아빠는 지난 화요일부터 여기 샌프란시스코에 있었어. 수요일에 엄마와 짧게 대화를 나눴고, 엄마가 사과하려고 했지만 아빠는 너무 화가 나서 엄마 뺨을 때리는 바람에 몇몇 다른 사람들이 개입하려고 해서 —"

"이게 무슨 말이야?" 다니가 말을 끊었다. "아빠가 엄마 뺨을 때렸다고?"

"아빠는 분노가 치밀어 눈에 보이는 게 없었대. 어쨌거나, 엄마는 나가버렸어. 아빠는 그다음 날 엄마를 보러 가려 했지만 엄마가 총에 맞았고, 그래서 무너지고 말았던 거야. 아빠는 술을 마시기 시작했고 멈출 수가 없었대. 아빠 말로는 너무나 가슴이 미어지고 화가 나서 우리 누구와도 얘기를 할 수가 없었다고. 그토록 사랑했던 여자가 거짓말을 하고 자기 아이들을 내맡긴 채 떠나버린 것을 믿을 수가 없었던 거지."

"우리는 아빠 아이들이기도 해."

나는 숨을 들이쉬었다. "그것도 거짓말이었어, 다니. 우리는 아빠 아이들이 아니야."

"너 무슨 말을 하는 거니, 브린? 우리는 아빠 아이들이야. 네가 아빠에게 언제나 친밀감을 느끼지 않았다는 건 알고 있어. 하지만 난 그렇지 않았어."

"바로 그래서 넌 괴로울 거야." 나는 이 말을 할 필요가 없었어야 좋았을 거라고 생각하며 말했다. "아빠는 내게 자기가 우리의 친아버지가 아니라고 했어. 우리가 3개월이 되었을 때까지 아빠와 엄마는 만나지도 않은 상태였어. 아빠는 우리 모두를 동시에 사랑해서 가족이 되고 싶었고, 그래서 결혼하고 우리를 입양했다고 했어. 아빠와 엄마는 우리에게 그 사실을 절대로 말하지 않기로 했대.”

“그럼 지금은 왜 네게 말한 거야?” 다니가 도발적으로 말했다.

“아빠는 그럴 생각이 아니었어. 어젯밤에 술에 취해 횡설수설하다가 나온 말이었지. 오늘 아침에 내가 그 말을 다시 꺼냈더니 모든 걸 말해줬어. 아빠는 그 비밀을 누설해서 미안하다고, 우리를 당신 자식처럼 사랑했다고 했어. 하지만 우리는 아빠의 친자식이 아니야.”

“누가 우리 아버지라는 거야?”

“아빠는 모른대. 엄마가 그 남자는 좋은 남자가 아니었고, 그래서 그가 우리에 관해 알기를 원치 않았다고 했어. 아빠는 더는 아무것도 묻지 않았나 봐.”

“믿을 수가 없어.”

“알아. 충격의 연속이지.”

“엄마가 왜 떠났는지 아빠는 알고 있어?”

“모르는 것 같아. 하지만 솔직히 말해, 아빠가 내게 이런 폭탄을 던지고 나서 나는 아빠와 더는 얘기를 나눌 수가 없었어. 그래서 위층으로 왔어. 난 마음을 진정시킬 시간이 필요했어.”

“새엄마는 아빠가 우리 아빠가 아니라는 걸 알아?”

“아빠가 오래전에 새엄마에게 말했대.” 나는 잠깐 말을 중단했다. 긴장감이 또 다른 질문처럼 나를 휘감았다. “넌 전혀 몰랐지? 아니야?”

“당연히 몰랐지.” 다니가 날카롭게 말했다. “어떻게 나한테 그렇게 물을 수가 있어, 브린?”

“내가 생각했던 것보다 네 반응이 뭔가 너 차분한 것 같아서 그래.”

“난 모든 걸 소화해 보려고 노력하고 있어.”

"난 아빠에게 경찰이 얘기하기를 원한다고 말했어. 아빠는 별로 그러고 싶어 하지 않아. 그리고 난 왠지 알아. 엄마가 총에 맞기 바로 전에 사람들이 보는 앞에서 엄마와 싸운 일이 좋게 보이지 않을 테니까 말이야. 게다가 아빠가 그때 이후 술에 취해서 행방불명 상태였다는 사실은 아빠가 화가 나서 엄마를 쏘았다는 생각에 좀 더 많은 신빙성을 부여할 테고."

"하지만 아빠는 그러지 않았어."

"나도 아빠가 그럴 수 있다고 생각하지 않아. 어젯밤에 아빠는 인사불성 상태였어. 난 아빠가 우리에게 그런 비밀을 계속 유지해 왔다는 게 밉고 그렇게 상심한 걸 보는 것도 싫지만 그럴 만큼 아빠는 엄마를 진심으로 사랑했다고 생각해."

"아빠가 그랬다고 난 항상 생각했어." 다니가 말했다. "또 다른 건 뭘 알게 됐어?"

나는 여전히 납치 얘기는 하고 싶지 않았다. 그래서 제러미가 말한 증인 보호 가설로 넘어갔다. 내가 그 얘기를 다 하고 나자 또 다시 긴 침묵이 흘렀다.

"후유," 다니가 마침내 말했다. "생각할 게 많네. 그렇지?"

"그래. 그리고 밝혀내야 할 것도 아직 많지. 우리의 아버지도 이 세상 저 어딘가에 있고."

"그 사람은 질이 좋지 않은 남자고. 어쩌면 그가 엄마를 쏜 사람일지도 몰라. 지금까지 내내 엄마가 도망쳐 다닌 사람이 그 사람일지도 모르고."

나는 그런 연관은 생각지 못했었다. 하지만 그건 엄청난 일이었다. "그건 그래." 내가 느릿느릿 말했다. "하지만 문제는 우리에게 실제로 정보를 줄 수 있는 누군가를 찾으려고 노력해야 한다는 거야. 엄마는 세 번의 인생을 살아왔어. 아빠와 결혼하기 전, 우리와 함께했던 시절, 그리고 죽은 걸로 위장한 이후, 이렇게 말이야. 그 각각의 인생마다 엄마는 다른 이름을 썼던 게 확실해. 그러니까 증인 보호 프로그램이 말이 되는 거지. 하지만 아무도 엄마가 그 프로그램의 대상이라는 걸 인정하지 않을 거야."

"그렇게 여러 차례 새롭게 인생을 시작하려면 분명 누군가의 도움을 받았겠지."

"엄마가 뉴올리언스에서 만나려고 했던 친구가 그 사람일지도 몰라. 아빠에게 그 사람이 누구였는지 물어봐야겠어. 그 사람이 엄마의 과거에 대해 알 거라는 느낌이 드니까 말이야."

"아빠 좀 바꿔줄 수 있어? 나도 아빠와 얘기하고 싶어."

"정말로? 그렇게 하면 스트레스만 받을 거야."

"이미 스트레스받고 있어."

"알았어. 아빠는 아래층에 있어. 잠깐 기다려."

나는 엄마 방에서 나와 아래층으로 뛰어 내려갔다. 케이드가 주방에서 핸드폰으로 통화하고 있었다. 나는 복도로 가서 응접실로 들어갔다. 바닥에 놓인 담요와 완벽하게 없어진 아빠의 흔적을 보자 나는 입이 딱 벌어졌다.

"아빠." 욕실 문을 열며 내가 소리쳤다. 욕실은 비어 있었다. 손님 방도 마찬가지였다. 나는 현관문으로 되돌아가서 문을 홱 열어젖혔다. 아빠의 모습은 전혀 보이지 않았다. 나는 핸드폰을 귀에 댔다. "아빠가 없어졌어." 나는 다니에게 말했다. "아빠는 집을 나갔어. 어디로 갔을지 전혀 모르겠어." 실망과 더 큰 분노가 나를 휘감았다. "그렇게 사라지면 내가 어떻다는 걸 아빠는 분명 알았을 거야. 우리 중 누구에게도 전화해 주지 않아서 우리가 얼마나 괴로웠는지 내가 아빠에게 다 얘기했는데, 그런데도 어쨌건 떠나버린 거야."

"내가 아빠에게 전화해 볼게." 다니가 말했다. "아마도 아빠는 우리가 말도 못 하게 열 받았다고 생각하는 걸 거야."

"난 아빠에게 열 받았어. 사실, 난 피가 끓는 기분이야."

"알아. 이해해. 하지만 우리가 정말 화를 내야 할 사람이 누군지 잊지 말자. 그건 아빠가 아니야. 엄마라고."

"아마도 두 사람 다겠지." 내가 중얼거렸다. 전화를 끊자 나는 절절하게 외롭다고 느꼈다.

내 마음을 괴롭힌 것은 비단 나의 부모와 나 사이의 거리감만은 아니었다. 그것은 점점 커지는 다니와 나 사이의 공간이었다. 다니는 너무나 빨리 아빠를 방어하고 나섰다. 나는 우리가 같은 편에 있다고 생각해 왔다. 우리 둘이 이 세상과 맞서 싸우고 있었던 것이다. 그러나 바로 지금, 이 세상과 맞서 싸우는 것은 나 혼자인 것 같다는 느낌이 커졌다.

22

"무슨 일이에요?" 케이드가 내 뒤에 나타나서 물었다.

"아빠가 가버렸어요." 나는 집 안으로 다시 들어와서 문을 닫았다.
"아빠가 나가는 거 봤어요?"

"아뇨. 난 갤러리에서 전화가 와서 주방으로 들어가 전화를 받고
있었어요." 케이드가 유감스럽다는 듯 나를 봤다. "미안해요. 급히
가버리실 거라고는 생각하지 못했어요. 당신과 대화를 나눈 후 기분
이 안 좋으셨어요. 당신 아버지가 아니란 말을 당신한테 절대 해서
는 안 되는 거였다고, 그 사실이 드러나는 걸 결코 원치 않았다고 하
셨어요. 내게 자기가 당신을 정말 사랑했다는 걸 알리고 싶어 하셨
어요. 나는 나를 설득할 필요는 없다고 했죠. 그건 당신과 그분 사이
의 일이었으니까요."

"다른 건요?"

"아뇨. 그게 다였어요." 그가 잠깐 있다가 말했다. "난 갤러리로 가
봐야 해요. 설치 문제로 내가 해결해야 할 일이 있어요. 한 시간 이
상은 걸리지 않을 거예요. 나와 같이 갈래요? 당신을 여기 혼자 남겨
두고 싶진 않아요."

나는 망설였다. 이 모든 일이 있고 나서 나는 혼자 있고 싶지 않았다.
하지만 나는 또한 아빠가 찾을 수 있는 어딘가에 있고 싶었다. "모르겠
어요. 아빠가 돌아올지도 모르고, 만일 그렇다면 여기 있고 싶어요."

"그분이 돌아오실지 난 모르겠어요, 브린."

"아마도 당신 말이 맞겠죠. 그래도 당신은 가서 해야 할 일을 해요."

"오래 걸리지는 않을 거예요. 한 시간 이상은 아니에요."

"난 괜찮을 거예요. 모든 곳을 다 단단히 잠글 거고 당신이 없는 동안 전화를 몇 군데 할 거예요. 그린맨 경위와 제러미에게도 알리고 싶고요."

"제러미와 통화하게 되면 그에게 우리 아버지의 살인 사건에 관한 경찰 보고서를 보내달라고 부탁해 줄 수 있겠어요? 그 사람에게 사본이 있는 것 같았어요."

"물론이에요. 그 보고서를 전에 본 적이 없어요?" 내가 물었다.

그는 고개를 저었다. "아버지가 살해당하셨을 때 난 어린아이였고 몇 년 뒤 내가 그 일에 대해 물었을 때는 답변을 거부당했어요. 경찰은 그 사건이 여전히 종결되지 않았다고, 자신들은 포기하지 않았다고 내게 장담했지만 내가 볼 때는 그렇게 된 것 같았어요."

"지금 제러미에게 문자 메시지를 보낼게요." 나는 그의 요청을 입력하며 말했다. 할 일을 다하고 나는 케이드를 다시 쳐다봤다. "그에게서 답이 오면 알려줄게요. 난 병원에도 전화할 거예요. 아마도 오늘은 엄마가 깨어날 거예요."

"그랬으면 좋겠네요. 최대한 일찍 돌아올게요."

"좋아요." 나는 그가 출발할 때까지 불안한 모습을 보이지 않으려고 노력했다. 그러나 나는 지난 며칠 동안 그에게 너무 가까이 기대게 되었다. 나의 닻이 떠나가자 나는 갑자기 표류하는 느낌이 들었다.

케이드가 야릇한 표정으로 나를 쳐다봤다. 그러고는 앞으로 나오더니 팔로 나를 감싸 안았다.

나는 숨을 들이쉬며 그의 따뜻한 포옹 속에 한참 동안 녹아들었다. 나는 눈을 들어 그를 쳐다봤다. "나를 누군가 안아줬으면 하는 걸 어떻게 알았어요?"

"나도 그랬으니까요." 그가 내 눈에 시선을 고정하며 말했다.

우리 사이에 뭔가가 오갔다. 그 포옹은 더는 편안한, 혹은 친구 사이의 느낌이 아니었다. 그것은 뭔가 다른 느낌, 흥분되고 얼얼한 느낌이었고….

케이드가 고개를 내리자 나는 거부할 수 없었다. 나는 그의 입이 내게 닿기를 원했고 그건 내가 상상하던 모든 것, 그리고 그 이상이었다. 그의 키스는 뜨거웠고, 단호했고, 끝을 몰랐다. 케이드는 언제나 나를 안전지대에서 밀어냈고 이것도 예외가 아니었다. 한 번의 키스가 또 한 번 더, 그리고 또 한 번 더 이어졌다. 나는 그를 보내야 한다는 걸 알면서도 보낼 수 있을 것 같지 않았다.

마침내 케이드가 물러났다. 우리의 호흡이 서로 섞여 흥분되고 따뜻한 열정으로 우리를 감쌌다.

그가 말을 하려고 입을 열었을 때 나는 그를 제지했다. "아무 말하지 말아요. 이 순간을 망치지 말아요."

그는 나를 오래도록 바라보다가 또 한 번 키스를 하고는 집에서 나갔다. 나는 그가 오토바이를 타고 속도를 내며 사라지는 것을 지켜봤다. 그런 다음 문을 닫아 잠갔다. 내 입술은 아직도 얼얼했고 숨결은 조금 거칠었다. 우리는 방금 일을 더 복잡하게 만들고 말았다. 그러나 그럴 만하고도 남았다.

그리고 케이드와 키스하는 생각을 하는 것이 다른 어떤 것보다 훨씬 나은 일이었다. 나는 관능적인 케이드 베컴에 관한 아름다운 백일몽을 꾸면서 몇 분 동안이나마 아무도 나를 배신하지 않았던 때, 의문이 없었던 때, 내 인생을 내가 두려워하지 않았던 때처럼 살아가고 있는 척하고 싶었다.

그때 내 핸드폰이 진동했다.

세인트 메리 병원 번호가 화면에 떠올랐다.

현실이 돌아온 것이었다. 강하고 빠르게.

"여보세요?" 나는 조심스럽게 말했다.

"세인트 메리 병원의 레딩 간호사입니다. 브린 랜드리 씨인가요?"

"네, 그래요. 어머니 때문에 전화하신 건가요? 어머니는 괜찮아요?"

"어머니는 깨어나고 계신 중입니다." 간호사가 말했다.

나는 흥분과 안도감으로 맥박이 뛰었다. "아, 세상에나. 그럼 회복될 거란 말인가요?"

"담당 선생님이 지금 검사하는 중입니다."

"제가 최대한 빨리 가겠습니다." 나는 믿을 수가 없었다. 엄마가 눈을 뜨는 중인 것이다. 드디어 내게 대체 무슨 일이 일어난 건지 얘기해 줄 수 있을 것이었다.

나는 주방으로 달려가서 가방과 열쇠를 들고 서둘러 집을 나섰다. 나는 차로 뛰어가서 올라탔고 들어가자마자 문을 잠갔다. 케이드가 옆에 있었으면 좋겠다고 생각했지만, 그가 돌아올 때까지 기다릴 수는 없었다. 나는 엄마를 봐야 했고 병원에서는 어쨌거나 더 안전할 것이었다. 비록 그 주차 구조물에서 건물까지 가는 게 우선이기는 했지만….

병원에 도착하자 나는 최대한 입구 가까운 곳에 주차했다. 그리고 어떤 부녀가 내 차 옆으로 지나갈 때까지 기다렸다가 차에서 내렸다.

나는 여러 명의 경비원이 거기 있다는 생각을 하며 그들 옆에 붙어서 걸어갔다. 하지만 병원에 도착할 때까지 내 눈은 사방을 살피고 있었다. 나는 엘리베이터에서 내려 엄마의 병실로 걸어갈 때까지 숨한 번 크게 쉬지 않았다.

내가 문 앞에 막 왔을 때 의사가 병실에서 나왔다.

"엄마는 어떤가요?" 내가 물었다.

라이커 박사는 내게 미소를 지었다. "훨씬 좋아지셨어요. 목에서 튜브를 제거했습니다. 어머니는 여전히 매우 기력이 없고 정신도 뚜렷하지 않으세요. 하지만 그 모든 건 어머니와 같이 뇌를 다친 경우에는 예견되는 것입니다. 하루나 이틀 뒤에 더 많은 검사를 할 거예요. 붓기가 가라앉으면 계속해서 차도가 있을 겁니다."

"엄마는 여기가 어딘지 알고 있나요?"

"병원에 있다는 건 인지하고 계십니다. 총에 맞은 건 기억을 못 하세요."

그녀의 말에 나의 희망은 사그라들었다. 그러나 엄마가 총격을 기억하지 못한다 할지라도 나머지 본인의 인생에 관해서는 내게 말할 수 있을 것임이 분명했다.

"제가 그린맨 경위에게 연락했습니다." 의사가 덧붙여 말했다. "지금 오는 중입니다."

그 말은 엄마와 단둘이 얘기할 시간이 내게 몇 분밖에 없다는 뜻이었다. "모두 다 감사합니다. 전 정말로 엄마를 봐야겠어요."

"어서 들어가세요." 의사가 말했다. "하지만 천천히 하세요. 어머니는 말은 하실 수 있지만 튜브 때문에 목이 건조하고 아픈 상태예요. 물어볼 게 많겠지만 한 번에 다 몰아서 하지는 마세요."

"알겠습니다." 나는 심호흡을 하고는 문을 열었다.

병실로 들어갔을 때 엄마의 눈은 감겨 있는 것 같았다. 실망감이 밀려왔다. 엄마는 다시 잠에 빠진 것이었다. 어쩌면 엄마를 쉬게 해드려야 하는지도 몰랐지만, 나는 그럴 수가 없었다. 엄마의 눈을 보지 않고 엄마의 목소리를 듣지 않고는 한순간도 더 있을 수가 없었다.

나는 병상으로 더 가까이 다가갔다. "엄마." 내가 불렀다.

엄마의 눈이 파르르 떨리며 열렸다.

나는 숨을 멈췄다. 내가 기억하던 바로 그 푸른 보랏빛 눈, 내가 거울 속 내 얼굴을 볼 때마다 봤던 바로 그 눈이었다. 아빠는 나의 아버지가 아닐지 모르지만, 이 여자는 분명 나의 어머니였다.

"브린." 그녀가 낮게 읊조렸다.

나는 엄마가 내가 다니인지 브린인지 묻지도 않고 나를 단박에 알아본 것에 충격을 받았다. 엄마는 나를 봤다. 나를 알고 있었다.

그걸 깨닫자 고통스러울 만큼 깊은 아픔을 동반한 행복감이 밀려들었다. 20년 동안 나는 이런 감정을 느껴보지 못했다. 내 옆에는 엄마가 있었다. 엄마가 무슨 일을 했건 간에 엄마는 여전히 우리 엄마였고 내가 좋건 싫건 간에 우리는 끈끈하게 연결되어 있었다.

"저예요." 내가 말했다.

"넌 정말 예쁘구나. 완전히 어른이 됐네."

"오랜 시간이 지났잖아요. 전 엄마가 돌아가셨다고 생각했어요."

"네 언니가 내가 죽지 않았다고 말해주지 않았니?"

그 말에 나는 급히 숨을 들이쉬었다. "아뇨. 다니는 우리의 고등학교 졸업식에서 엄마를 봤다는 걸 며칠 전에야 제게 말했어요. 언니는 그 사람이 엄마라고 자기가 그냥 상상했던 걸로 생각했다고 했어요."

"나는 충동적으로 네 언니에게 손을 흔들었어. 그렇게 해서는 안 되는 거였는데. 난 다니가 나를 알아봤다고 생각했는데 그때 그 애는 등을 돌렸어. 그러니까 아마도 네 언니는 내가 유령이라고 생각했던 것 같아. 졸업식에 가지 말았어야 했어. 그냥 잊어버렸어야 했는데 난 너희 둘이 너무나 그리웠단다." 엄마의 눈길이 내 얼굴을 훑고 지나갔다. "넌 나한테 화가 났겠지."

"화났어요. 하지만 지금은 제 감정에 관해 말하고 싶지는 않아요. 누군가 엄마를 죽이려고 했어요, 엄마."

"의사는 내가 총에 맞았다고 했어. 난 기억이 나지 않는다."

"엄마를 쏘고 싶어 할 사람이 누군지 알아요?"

"난-난 모르겠어." 엄마는 말을 더듬었다. 그러나 엄마의 눈에는 이상한 빛이 스쳐 지나갔다.

"정말이에요? 왜냐하면 누군가 여기 병원에서도 엄마를 해치려고 했거든요. 그들은 성공할 때까지 멈추지 않을 거예요."

"여기서?" 엄마는 문 쪽으로 휙 눈길을 던졌다.

"네. 지금 밖에는 경호 요원이 있어요. 경찰이 수사를 하고 있지만 별로 소득이 없어요. 엄마는 도움이 될 뭔가를 분명 알고 있을 거예요, 엄마. 엄마는 정말 비밀스러운 삶을 이어왔더군요. 그 비밀들 중 하나가 엄마의 발목을 잡은 거예요. 안 그래요?"

"넌 카멜로 돌아가야 해, 브린."

"제가 카멜에 사는 건 어떻게 알아요?" 내가 물었다.

"난 너와 다니가 문을 연 가게에서 몇 가지를 구입했단다. 옷들이 아름답더구나. 네가 음악에 더 전념하지 않는 게 놀랍긴 했지만, 난 주민 센터에서 열린 네 연주도 한 번 보러 갔었다. 아주 잘하더구나."

"제 연주에 왔다고요? 왜 그랬어요? 엄마는 왜 우리를 떠난 거예요?" 나는 대답을 듣고 싶은 진짜 질문이 그것이라는 것을 알기에 그렇게 물었다. "엄마가 어떻게 그럴 수가 있어요? 엄마를 잃은 건 너무 고통스러웠어요. 우리는 모두 파탄이 났다고요." 나는 눈을 깜박여 눈물을 털어냈다. "우리가 엄마를 얼마나 사랑했는데요."

"나도 너희를 사랑했단다. 난 떠나야만 했었어. 그게 너희 모두를 보호할 유일한 방법이었어."

"그게 어떻게 유일한 방법이었을 수가 있죠?"

"이유는 네게 말할 수가 없구나. 넌 집으로 가야 해. 나를 봤다는 사실도 잊어야 한다."

"그러기엔 너무 늦었어요." 내가 고개를 흔들며 말했다. "어제 누군가 나를 납치하려고 했단 말이에요."

엄마의 눈에 두려움의 불꽃이 튀었다. "안 돼. 넌 떠나야 해, 브린. 이 도시에서 나가. 다니도 멀리 있어야 한다는 걸 명심해."

"무슨 일인지 말해줘요."

"그럴 수 없어." 엄마는 일어나 앉으려고 용을 쓰며 말했다. 엄마가 그렇게 하자 병실의 기계들이 삐 하는 경보음을 내기 시작했다. "난 너희를 보호해야 해. 그 모든 걸 허사가 되게 할 수는 없어." 엄마가 말했다. 말이 불분명해지기 시작하더니 숨이 너무 가빠졌다.

"엄마, 그만해요. 숨을 쉬세요."

엄마는 숨을 가다듬기 힘든 것 같았다. 잠시 뒤에 라이커 박사와 간호사가 병실로 들어왔다. "나가셔야겠습니다." 라이커 박사가 엄마 옆에 서며 내게 말했다.

"뭐가 잘못됐나요?" 내가 물었다.

간호사는 내게 손짓으로 복도를 가리켰다. "제발, 밖으로 나가주세요."

나는 어쩔 수 없이 그들이 하라는 대로 하는 수밖에 없었다. 복도로 나왔을 때 그린맨 경위가 복도를 걸어오고 있었다.

"어머니가 깨어나 계신가요?" 그가 물었다.

"그렇기는 하지만 일이 조금 생겼어요. 무슨 일인지 모르겠어요. 엄마는 제게 말을 하는 중이었어요. 그러다가 좀 흥분했는데 기계들이 삐 소리를 내기 시작했어요. 지금은 의사와 간호사가 옆에 있어요."

"어머니가 뭐라고 하셨나요?"

"누가 총을 쐈는지 모른다고 했어요. 하지만 뭔가는 알고 있어요. 제게 떠나라고 애원했거든요. 엄마는 우리를 보호하려고 종적을 감췄다고 했어요. 그러다가 흥분했고 모든 게 걷잡을 수 없어졌어요. 그게 제가 아는 전부예요."

"유감입니다." 그가 연민의 눈빛으로 말했다. "힘드셨겠어요."

"전 드디어 답을 얻게 되었다고 생각했는데 저 때문에 상황이 더 나빠졌어요. 엄마는 회복되는 중이었는데 말이에요. 이제… 전 모르겠어요." 의사가 병실에서 나오자 나는 몸을 돌렸다. "엄마는 어떤가요?" 내가 물었다. "어떻게 된 거예요?"

"혈압이 치솟고 있어서 진정제를 투여해야 했습니다. 어머니는 몇 시간 동안 잠들어 계실 거예요. 유감스럽군요. 두 분 다 여러 가지 묻고 싶으시다는 건 압니다만 기다려야만 할 거예요."

"엄마는 괜찮아질까요?" 내가 물었다. "전 엄마를 흥분하게 할 생각은 없었어요."

"몇 시간 지나면 알게 될 거예요."

나는 그런 대답을 듣는 것에, 몇 시간 지나면 더 많은 걸 알게 되길 바라는 것에 너무나 지쳐 있었다. 그 시간들이 왔다가 갔지만 나는 여전히 아무것도 모르고 있었다. 엄마의 과거에 집착하기보다는 엄마를 죽이려 했던 사람에 관해 엄마가 초점을 맞출 수 있도록 했어야 했다.

"좀 있다가 다시 오겠습니다." 경위가 내게 말했다.

나는 그에게 아빠가 나타났다고 말해야 할지 생각했으나 그건 아빠를 그냥 곤경에 빠뜨리는 것이 될 터였고 아빠에게 그래도 되는 건지 나는 여전히 알지 못했다. 그래서 나는 그를 그냥 보냈다.

나는 다음에 뭘 할지 고민했다. 엄마는 한참 동안 잠들어 있을 것이고 나는 병원에서 온종일 시간을 보내고 싶지는 않았다. 집으로 돌아가는 편이 나을 것 같았다. 어쩌면 아빠가 돌아올지도 모르고 그러면 좀 더 많은 얘기를 할 수 있을 것이었다.

엘리베이터로 향하기 전에 나는 화장실에 잠깐 들렀다. 문을 열다가 곧바로 어떤 여자를 맞닥뜨렸다.

"미안합니다." 내가 말했다. 그다음 그 여자의 얼굴을 본 나는 숨이 멎었다. "세상에, 이럴 수가." 나는 충격에 빠진 채 말했다. 그 여자는 나를 밀치고 지나가서 복도를 달려 내려갔다.

그녀를 가게 내버려 둘 수는 없었다. 나는 그녀를 쫓아가서 계단으로 따라 내려갔다. 우리가 아래로 뛰어 내려가자 계단으로 힐 소리가 요란하게 울렸다. 나는 그녀가 건물을 빠져나가기 직전에 문 앞으로 몸을 던져 그녀를 붙잡았다.

우리는 서로를 한참 동안 뚫어지게 바라봤다. 그녀의 머리는 어두운 금발이었지만 눈은 나와 같은 색이었고 얼굴도 나와 같았다. 나이만 훨씬 더 많았다. 그녀는 나와 똑같기만 한 것이 아니었다. 우리 엄마와 똑같았다.

"당신은 누구예요?" 내가 낮게 읊조렸다.

23

"아무도 아니야." 그 여자가 말했다. "저리 비켜." 목소리 역시 귀에 익었다.

"엄마의 자매로군요. 아마도 쌍둥이겠죠." 나는 어이가 없어서 물었다. "어떻게 이런 일이 있을 수 있죠?"

"넌 여기를 떠야 하고 나를 봤다는 것도 잊어야 해."

"그런 일은 없을 거예요." 그녀가 옆으로 비켜 가려 하자 나는 그녀의 앞을 막았다. "엄마는 가족이 없다고 했어요. 외동딸이었다고요. 그것도 분명 거짓말이었군요. 맙소사! 엄마가 내게 말한 모든 게 거짓말이었어요? 그중 사실인 것도 있었나요?"

"너희를 사랑했다. 그건 거짓말이 아니었어."

"당신이 어떻게 알죠?" 내가 물었다.

"넌 둘 중 누구니? 브린, 아니면 다니?"

"그러니까 당신은 우리와 달리 우리에 대해 많은 걸 알고 있군요. 저는 브린이에요. 당신 이름은 뭐죠?"

그녀는 입술을 훔쳤다. "레이철이야."

"그게 당신 진짜 이름이에요?" 내가 도발적으로 물었다.

"로라는 어때?" 그녀가 내 질문을 무시하며 물었다.

"킴이 아니고요?"

"살아 있어?" 그녀가 압박하듯 물었다.

"네. 엄마는 의식을 찾았어요. 하지만 저와 얘기를 시작하자 불안정해졌어요. 혈압이 너무 높아져서 의사가 진정제를 투여한 상태예요." 나는 잠깐 있다가 말했다. "엄마가 총에 맞았다는 걸 아시죠? 누가 엄마를 죽이려 하고 있다는 것도요?"

"뉴스에서 봤다. 엄마가 그 일에 관해 네게 뭐라고 했니?"

그녀가 질문을 하는 방식 때문에 나는 더 의심이 짙어졌다. 엄마를 쏜 사람이 남자라는 어떤 실질적인 증거도 없었다. 그 사람은 여자일 수도 있었다. 이 여자였을 수도 있는 것이다. 그러나 이 여자는 우리 엄마의 자매였다. 이 사람이 엄마를 죽이려 한다는 건 상상이 잘 안 되었다.

"엄마는 자기를 쏜 사람을 봤대?" 그녀가 다그쳤다.

"아뇨. 하지만 엄마는 그 얘기를 하고 싶어 하지 않았어요. 엄마는 제게 여기를 떠나라고 하는 얘기에 더 치중했어요. 엄마가 자취를 감춘 건 나와 언니를 보호하기 위해서였다고요. 그 일에 관해 당신은 뭘 알고 있죠?"

그녀는 내게 다시 시선을 주었다. "너희 엄마가 살면서 했던 일 중에 그게 제일 힘든 일이었다는 건 안다. 엄마가 하라는 대로 해야 해, 브린. 넌 가능한 한 빨리 샌프란시스코를 떠나야 해. 여기 있으면 넌 안전하지 않아."

"안전하지 않다는 건 알고 있어요. 누군가 저를 차로 치려고 했었고 어젯밤에는 어떤 남자가 제게 약물을 씌워서 차에 태우려고 했어요."

그녀의 눈이 커다래졌다. "어디서 그런 일이 있었어? 그 남자는 누구였어?"

"엄마가 일하는 학교에서요. 그 남자는 저를 납치해서 골든 게이트 파크로 실어 나르는 일을 하라고 인터넷에서 고용됐다고 주장해요. 그는 그 뒤에 무슨 일이 있을지는 몰랐대요. 그리고 자기를 고용한 사람도 모르는 눈치예요." 나는 이 여자에게 너무 많은 정보를 주는 것이 아닐까 하는 생각이 들었다. 좀 더 요령껏 해서 이 여자에게서 얘기를 끌어내야 했다. "제가 위험하다는 걸 안다면 당신은 그 이유도 분명 알겠죠. 말해주세요. 그래야 제가 스스로 보호할 수 있잖아요. 그래야 우리 두 사람 다 엄마를 보호할 수 있고요."

"네게 말하면 위험만 더 커질 뿐이란다. 지금 떠나면 넌 안전할 거야."

"그걸 당신이 보장할 수는 없죠." 나는 고개를 기울이며 진지한 표정으로 그녀를 봤다. "당신은 엄마를 보려고 했던 게 맞죠? 그래서 여기 온 거예요."

"그랬는데, 병실 바깥에 경호 요원이 있는 걸 봤어. 나는 가족이라고 주장할 수 있을 거로 생각했어. 비록 누군가 그렇게 빨리 우리가 아주 많이 닮았다는 걸 알아챌 거로는 생각하지 않았지만 말이야."

"전 그냥 누군가가 아니에요. 당신의 눈은 제 눈, 그리고 엄마의 눈, 그리고 언니의 눈과 닮았어요. 눈 밑에 주근깨가 있는 것도 같아요."

"넌 아름다운 여인이 됐구나." 레이철이라는 우리의 이모가 말했다. 그녀의 눈빛은 부드러워졌다.

그 말에 나는 혼란스러웠다. "제가 어렸을 때 저를 봤던 것처럼 말씀하시네요. 우리가 만난 적이 있나요?"

"아니. 하지만 네가 어렸을 때 박물관에서 아마 나를 봤을 거라고 생각해."

"박물관에서요?" 내가 되물었다.

"너희 엄마와 나는 두 달마다 한 번씩 거기서 만나곤 했었다. 그동안 너와 네 언니는 어린이 방에 있었지."

"그래서 엄마가 우리를 거기로 데려갔던 건가요? 우리 집에서 먼 곳에서 당신을 만날 수 있도록? 아빠는 당신에 관해 몰랐던 거로군요. 그렇죠?"

"그래. 우리는 오래전에 우리 둘에게 자매가 있다는 걸 아무도 모르는 편이 낫다는 데 의견을 같이했어."

"왜 그게 더 나았죠? 무슨 일에 말려들었던 건데요?"

계단으로 누군가 내려오는 소리가 들리는 바람에 그녀는 미처 대답을 하지 못했다. "여기서 나가야 해." 그녀가 말했다.

나는 고개를 끄덕인 다음 내 뒤의 문을 밀어 열었다. 우리가 빠져나온 출입문은 주차장 근처였고 우리는 안으로 들어가서 트럭 뒤에 몸을 숨겼다. 방금 나왔던 문을 보자 어떤 젊은 여자가 건물을 나오고 있었다. 그 여자는 전화 통화를 하는 중이었고 전혀 위협적으로 보이지 않았다.

나는 숨을 내쉬었다. "우린 괜찮아요." 내가 말했다.

"괜찮지 않아. 네 차는 어디 있니?"

나는 내 차로 향하면서 문을 열어 안에 탈 수 있도록 했다.

그녀는 안전벨트를 매고 말했다. "가자."

"어디로요?"

"여기가 아닌 어떤 곳으로. 우리는 이 병원에서 벗어나야 해."

나는 시동을 걸고 차를 몰고 나오면서 눈으로 바깥을 예의주시했다. 몇 블록 운전을 하다 보니 어디로 향해야 할지 알 수가 없었다.

"다음 길에서 좌회전해." 레이철 이모가 말했다.

나는 그녀의 지시대로 했다. 보니까 우리는 골든 게이트 파크를 향하고 있었다. 그러자 불길한 느낌이 되살아왔다.

"전 그 공원으로는 가지 않을 거예요." 나는 단호하게 말했다.

"아니야. 우린 해변으로 가는 거야. 그냥 직진해. 바로 거기로 가게 될 거야."

나는 그녀에게 물어볼 수만 가지 질문이 있었지만, 그것들은 머릿속에서 온통 뒤죽박죽되어 있었다. 그래서 나는 도로 끝까지 운전해서 오션 비치 옆 주차장으로 들어갔다. 해변은 막 안개가 걷힌 상태였고 파도가 높고 거칠었다.

나는 바다에서 시선을 돌려 레이철 이모를 봤다. "엄마가 위험에 처한 이유를 말해 주세요."

"오래전에 문제가 있었어." 레이철 이모가 내 얼굴을 돌아보며 말했다. "사실, 로라와 나는 태어날 때부터 문제를 안고 있었지."

"그게 무슨 말이죠?"

"우리는 어려서 부모님을 여의었어. 그 뒤 어떤 이웃 사람이 우리를 돌봐줬어. 허쉬 아주머니는 우리에게 정말 잘해줬지. 그녀는 음악 선생님이었어. 로라는 그때 악기를 배운 거야. 로라는 피아노부터 시작해서 그다음엔 바이올린으로 넘어갔지. 천부적인 재능이 있었어. 난 재능이라곤 전혀 없었고. 그런데 그때 카운티 정부에서 우리가 혼자 산다는 것을 알게 됐고, 그래서 우리는 3년 동안 떨어져 있게 됐어. 내 인생에서 제일 길었던 3년의 시간이었다."

"몇 살이었는데요?"

"열네 살. 고등학교를 마치고 우리는 어찌어찌해서 서로를 다시 찾을 수 있었어. 로라는 장학금을 받고 뉴욕대에서 음악을 전공하게 됐고 내게 자기와 함께 가자고 했어. 나는 로라의 기숙사 방에서 잠을 자면서 전문대에 가고 일을 할 수 있었지."

"그러니까 당신들은 뉴욕에 있었군요." 나는 또 다른 퍼즐 한 조각을 제자리에 끼우면서 말했다.

"뉴욕은 우리가 갈 수 있었던 곳 중 최악이었을 거야. 우리에겐 더 많은 문제가 생겼고 우리는 살아남기 위해 고군분투해야 했어."

"그 문제라는 게 강도 사건과 경비원이 죽은 일과 관계된 건가요?"

레이철 이모는 내 물음에 화들짝 놀랐다. 그녀는 실눈을 뜨고 내 눈을 봤다. "왜 내게 그런 걸 묻는 거지?"

"왜냐하면 엄마가 그 경비원의 가족에게 오랫동안 현금을 보내고 있었으니까요. 그들은 그 이유를 몰랐지만 나는 엄마가 그 강도 사건과 무슨 관계가 있었기 때문일 거로 생각이 돼요."

레이철 이모는 고개를 저었다. "그건 사실이 아니야, 브린. 너희 엄마는 그 일과는 아무런 관계도 없어."

"그럼 엄마는 왜 그 경비원의 남겨진 아내와 아이에게 비밀스럽게 돈을 보내고 있었던 거죠?"

"로라는 공연을 했던 주민 문화 센터에서 그 아내와 어린 남자아이를 만났어. 그들의 사연을 듣고 믿을 수 없을 만큼 슬픈 일이라고 생각했던 거지. 가욋돈이 생기자 그들을 돕기로 마음먹은 거고."

"정말요? 그런 인연이라고요?"

"그래."

나는 그녀의 이야기를 믿을 수는 없었다. 그러나 더 많은 것을 알아야 했다. "뉴욕 시절로 돌아가서요. 그 도시를 떠난 건 언제였어요?"

"로라가 대학을 졸업하고 나서야. 우리는 다른 어떤 곳에서 새롭게 출발할 때라고 결정했어."

"왜요? 무슨 일이 있었는데요?" 그녀가 주저하자 나는 덧붙여 말했다. "우리 아빠는 어제 제게 자기가 우리의 친아버지가 아니라고 했어요. 엄마를 만났을 때 엄마에게는 당시 3개월 된 두 아이가 있었다고 했죠. 엄마는 스물두 살 때 저를 낳았다고 했어요. 그러면 그건 엄마가 대학을 졸업하고 뉴욕에 살던 거의 그 시기인 것 같은데요."

"너와 다니가 태어났을 때 로라는 LA에 살고 있었어." 레이철 이모가 말했다.

"당신은 엄마와 같이 있었나요?"

"얼마 동안은 그랬다. 하지만 로라가 너희 아빠를 만났을 때는 아니었어. 그녀가 너희 아빠에 관해 전화로 내게 말했을 때 나는 너무나 행복했던 기억이 나. 그녀는 새로운 가족을 만들 거라고 했고 나는 정말 기뻤다."

"제가 일곱 살이 될 때까지, 엄마가 죽은 것으로 위장하고 자취를 감추기 전까지 엄마는 새 가족 안에서 행복했죠." 내가 말했다. "그 다음에 엄마는 이름을 바꿨어요. 자기 아이들과는 동떨어진 인생을 개척했고요. 그리고 전 그 이유를 이해하지 못하는 거예요. 뉴욕에서 무슨 일이 있었던 건가요? 제 친아버지는 어떻게 된 거죠? 왜 엄마는 제가 일곱 살 때 죽은 것으로 위장했던 거예요?"

"문제가 있어서." 레이철 이모는 제일 좋아하는 단어인 것 같은 그 말을 반복했다. "로라는 거기서 탈출했다고 생각했어. 하지만 그 문제가 다시 찾아온 거지. 그녀는 너와 네 언니를 위험에 몰아넣고 싶지 않았어. 그래서 떠나려는 어려운 결정을 내렸고. 너희 엄마는 너희를 보호해야 했던 거야."

"왜 그렇게 모호한 거예요? 엄마는 왜 경찰에 가지 않았어요? 당신은 왜 안 그랬어요? 당신이 말하는 문제라는 게 정확히 뭐란 말인가요?"

"복잡한 일이야."

"흠, 경찰이 당신과 얘기하면 그 복잡한 걸 풀어낼 방법을 찾겠죠."

"경찰에는 가면 안 돼. 경찰에 내 얘기를 해선 안 돼."

"왜 안 되죠?"

"그렇게 하면 너희 엄마가 죽게 될 수도 있으니까. 어떤 일이 벌어질지 넌 몰라."

"그건 당신이 제게 말해주지 않기 때문이죠." 나는 절망스럽게 말했다.

레이철 이모의 표정이 굳어졌다. "내가 네게 진실을 말해서 너를 위험에 빠지게 하는 일이야말로 너희 엄마가 절대로 원하지 않는 일이야."

"진실을 알지 않고는, 엄마의 안전을 확실히 하기 전에는 전 떠나지 않을 거예요."

"네 언니는 어디 있니? 다니는 어디 있어?"

"다니는 카멜에 있어요. 언니는 임신 중이고 스트레스를 받으면 안 돼요. 여기 있어선 안 돼요."

레이철 이모는 고개를 끄덕였다. 한 줄기 어슴푸레한 빛이 눈에 어렸다. "넌 네 엄마가 언제나 나를 보호했던 식으로 다니를 보호하고 있구나."

"엄마와는 쌍둥이인 거죠? 아니에요?"

"그래. 우리는 태어난 순간부터 거의 언제나 이 세상에 맞서 버티고 있던 두 사람이었어. 우리는 어떤 대가를 치르더라도 서로를 위해 뭐든 할 거야."

"자식은 있나요?"

"아니. 난 좋은 엄마가 되지 못했을 거야."

"우리 엄마는 떠나기 전까지는 좋은 엄마였죠."

"그 일로 너희 엄마는 가슴이 무너졌단다, 브린."

나는 고개를 가로저었다. 속으로는 엄마의 가슴이 무너졌건 아니 건 상관없다고 말하면서. "엄마는 피해자가 될 수 없어요. 그 비통한 일을 일으킨 당사자라고요."

"너희 엄마가 너와 언니에게 상처를 줬다는 건 알고 있다. 너희 엄마도 알고 있어. 하지만 그건 너희를 보호하려고 했던 거였어."

"글쎄요, 전 이제 스스로 보호할 수 있을 만한 나이예요. 우리는 경찰에 가야 해요. 아니면 적어도 제가 의뢰한 사설탐정에게라도 말이에요. 그가 우리를 도울 수 있어요. 하지만 조사를 시작할 지점은 우리에게 말해줘야죠. 이름은 말해줘야 한다고요."

레이철 이모는 한참 동안 나를 바라보다가 이윽고 바다로 다시 시선을 돌렸다. "난 언제나 바다에서 끝을 보는 것 같아." 그녀가 말했다.

나는 그 이상한 말에 이맛살을 찌푸렸다. "그게 무슨 말이에요?"

"중대한 결정을 내리기 전에 내가 얼마나 많이 바다로 달려갔던지 생각하는 것뿐이야. 살면서 물을 정말 많이 봤단다."

"사실 저도 그렇게 하곤 했어요." 나는 그녀와 기이하게 연결된 느낌을 받으며 말했다.

"세대를 넘어 이어지는 일들이 있지."

"쌍둥이처럼요. 엄마가 어떻게 당신 얘기를 하지 않았던 건지 모르겠어요. 엄마가 킴에서 로라가 된 이후에는 엄마와 함께 지냈나요?"

"아니. 우린 함께 있지 않았어. 그렇게 하는 건 안전하지 않았어. 하지만 연락은 하고 있었단다."

"어쨌건, 최소한 그렇게 할 기회는 있었던 거네요." 내가 쓸쓸하게 말했다.

"다니와 넌 가까운 사이니?"

"지극히 가깝죠. 다니는 지금 여기 있지 못하는 걸 괴로워해요. 하지만 지켜야 할 아기가 있는걸요."

"쌍둥이를 가졌니?"

"아뇨. 아들 하나예요."

"그래, 진짜 좋은 일이구나. 안 그래? 다니의 남편은 좋은 남자니?"

"아주 좋은 사람이에요. 다니를 굉장히 아껴요." 나는 차를 출발시켰다. "당신과 우리 엄마에 관해 좀 더 듣고 우리 자매 이야기를 하고 싶지만, 그것만큼이나 우리는 진도를 내야 해요. 저와 같이 가서 그 사설탐정과 얘기하겠어요?"

그녀는 망설이더니 말했다. "좋아. 하지만 너희 엄마 집으로 돌아가고 싶지는 않다."

"그에게 커피숍에서 만나자고 할게요."

"그게 좋겠다." 그녀가 천천히 말했다. "어쩌면 누군가의 소재를 파악하는 걸 그가 도울 수 있을지도 모르겠구나."

"그 누군가가 누구인지 제게 말하지는 않을 건가요?"

"두 사람 다에게 한꺼번에 말할게."

"좋아요." 나는 제러미에게 문자 메시지로 긴급한 새로운 정보가 있다고, 만나야겠다고 했다. 나는 그에게 카페에서 만나자고 청했다. 그는 거기서 보자고 거의 곧바로 답 문자를 보냈다. 그런 다음 나는 주차장에서 빠져나왔다.

시내를 가로질러 달리는 동안 나는 레이철 이모를 보고 말했다. "제 친아버지가 누군지 아세요?"

그녀의 몸이 뻣뻣해졌다. 그러더니 그녀는 고개를 저었다. "로라는 내게 말해주지 않으려 했어. 그는 좋은 사람이 아니었고 로라는 그가 누구인지 내가 알게 되기를 원치 않았지. 네가 알게 되는 것 역시 원치 않았다. 브린, 그를 찾으려고 하지 마."

"엄마가 당신에게 말해주지 않았다는 걸 믿을 수가 없어요. 두 분은 쌍둥이잖아요. 다른 모든 건 다 서로 말해줬고요. 그렇죠?"

"모든 건 아니었다." 레이철 이모가 조용히 말했다. "그리고 우리가 항상 그렇게 가까웠던 건 아니야. 서로에게 화가 나서 다른 길을 갔던 때가 있었단다. 그건 실수였어. 너와 다니에게 무슨 문제라도 생긴다면 그 문제들을 풀어내려고 노력하렴. 어떤 일로도 서로 갈라서면 안 돼."

"전 그러지 않을 거예요. 하지만 우리가 각자의 인생을 살 필요가 있다는 건 알 수 있어요. 서로에게 지나치게 의존하거나 서로의 걸림돌이 되는 건 원치 않아요. 무슨 말인지 아나요?"

레이철 이모는 한숨을 쉬었다. "정확하게 안단다."

내 핸드폰이 웅웅거리기 시작했고 케이드의 이름이 보였다. 신호등에 멈춰 섰을 때 나는 핸드폰을 들고 그에게 할 말이 많으니까 시간이 되면 나와 제러미, 그리고 나의 이모가 있는 곳으로 오라고 빠르게 문자 메시지를 보냈다. 이모는 따옴표 속에 넣어 썼다. 그는 출발했다고 답을 보내왔다.

"그 사람은 누구지?" 레이철 이모가 물었다. "남자친구?"

"아뇨. 케이드 베컴이라는 사람이에요. 어렸을 때부터 엄마가 돈을 보냈던 그 남자요. 뉴욕에서 총에 맞은 경비원의 아들이죠."

그녀의 입술이 굳어졌다. "그가 샌프란시스코에 있어?"

"네. 엄마가 그를 아래층에 묵게 해줬어요. 어떤 갤러리에서 여는 전시회를 준비하는 동안에요."

레이철 이모는 창을 향해 눈을 돌렸다. 그러나 그녀의 옆얼굴은 굳어 있었고 약간 화가 나 있었다.

"당신은 몰랐어요?" 나는 그녀에게 물었다.

"몰랐어." 그녀가 딱딱한 목소리로 말했다. "그건 실수였어."

"그게 왜 실수였어요?"

"초록 불 들어왔어." 그녀가 내 질문을 무시하며 말했다.

나는 교차로를 건넜다. "엄마가 케이드의 엄마를 주민 문화 센터에서 우연히 만났다는 건 믿지 못하겠어요. 잠깐 만났다는 이유로 전혀 모르는 사람을 20년 동안 도와준다는 건 있을 수 없는 일이에요. 전 진실을 알아야 해요. 그래야 저와 엄마를, 그리고 어쩌면 케이드도 보호할 수 있어요."

"이해해. 내가 그 사설탐정에게 말할 거라고 했잖아."

"그리고 케이드에게도요." 내가 말했다. "그 사람도 진실을 알 자격이 있어요."

"좋아. 하지만 같은 얘기를 두 번 되풀이하고 싶지는 않다." 레이철 이모가 딱딱한 어조로 말했다. "넌 기다려야겠다."

나는 기다리고 싶지 않았지만 선택의 여지가 없었다.

몇 분 후에 우리는 카페에 도착했다. 제러미가 테이블에 앉아 있다가 우리를 맞으러 일어났다.

"이쪽은 레이철 이모예요." 내가 말했다. "우리 엄마의 쌍둥이 자매죠."

제러미는 조금 놀란 정도가 아니었다. "아이쿠, 이건 제가 들을 것으로 예상했던 새로운 정보가 아닌걸요. 저는 당신 어머니 인생에서 자매의 흔적은 전혀 보지 못했습니다."

"그게 우리가 원했던 바예요." 레이철 이모가 말했다.

"두 분에게 제가 커피 주문해드릴까요?" 제러미가 물었다.

"아뇨, 괜찮아요." 나는 자리에 앉으며 말했다.

"커피의 힘을 빌어볼 수 있겠군요. 난 한 잔 마시겠어요." 레이철 이모가 카운터로 향하며 말했다.

"저분을 어디서 찾았나요?" 제러미가 자리에 앉아서 물었다.

"병원 화장실에서 부딪쳤어요. 저한테는 별로 말해준 게 없습니다." 나는 레이철 이모가 커피를 주문하고 있는 카운터로 시선을 옮기며 말했다. "이제 상황이 바뀌길 바라고 있어요." 케이드가 카페 안으로 들어왔기 때문에 나는 말을 중단했다.

"집에 돌아와서 당신이 없는 걸 알고서 걱정했어요." 그가 말했다. "당신이 집에 있을 거로 생각했으니까요."

"많은 일이 있었어요." 그가 내 옆에 앉자 내가 말했다. "엄마가 깨어나서 몇 분 정도 얘기를 나눴어요. 그러고 나서 병원 화장실에서 엄마의 쌍둥이 자매를 맞닥뜨린 거예요."

"쌍둥이 자매라고요?" 그가 되물었다. "농담 아니에요?"

"바로 저기 있는 사람이에요." 나는 카운터 쪽을 돌아봤지만 레이철 이모는 거기 없었다. "잠깐만요. 어디 있는 거죠?" 나는 벌떡 일어났다. 맥박이 뛰기 시작했다.

"화장실에 가신 건지도 모르죠." 제러미가 추측했다.

나는 복도로 나가 화장실 쪽으로 달려갔다. 화장실은 다 비어 있었다. 화장실 맞은편에 카페 밖으로 나가는 뒷문이 있었다. 나는 밖으로 뛰어나가 눈으로 주차장을 훑었다. 그러나 그녀는 전혀 보이지 않았다.

케이드와 제러미가 바깥에서 내게 합류했다.

"사라져 버렸어요." 내가 말했다. "망할. 마침내 답을 좀 얻게 될 거라고 생각했는데.”

“그분이 화장실에 갔을 때 누가 납치했다는 생각은요?” 케이드
가 물었다.

나는 그게 사실이기를 바라며 그의 눈을 마주 봤다. “아뇨. 내게
진실을 말하지 않으려고 가버렸다고 생각해요. 내가 좀 더 잘 지켜
봤어야 했어요. 하지만 당신들 두 사람을 기꺼이 만나려는 듯해 보
여서….” 내 목소리는 잦아들었다. “하지만 거짓말이었어요. 그리고
놀라지도 말아야 해요. 그 사람과 엄마는 한평생 거짓말을 해왔으
니까 말이에요. 아마도 내게 말해준 그 어떤 것도 사실이 아니었을
거예요.”

24

"그분이 뭐라고 했어요?" 케이드가 물었다.

"안으로 들어가요." 내가 말했다. "다 얘기해 줄게요."

우리는 카페 안으로 돌아왔다. 카운터에서 레이철이라는 이름을 부르고 있었다. 나는 카페인의 효과를 빌릴 수 있기에 그녀의 커피를 받아 오기로 했다. 커피와 함께 차가운 시나몬 롤도 나왔다. 나는 그것도 테이블로 가져왔다.

"그분에게 무슨 일이 생긴 건지도 모릅니다." 케이드가 말했다. "커피와 음식을 실제로 주문했잖아요."

"그건 그냥 계획된 행동이었다고 생각해요. 나와 함께 온 건 빠져나갈 쉬운 틈을 찾고 있었던 거예요." 나는 그녀의 커피를 한 모금 마셨다. 맛있는 커피였다. 아마 나도 똑같은 걸 주문했을 것 같았다. 희한한 일이었다. 나는 내 생각을 털어버리려고 어깨를 으쓱하며 앞에 앉아 있는 남자들에게 초점을 맞췄다. "난 병원에서 레이철 이모와 맞닥뜨렸어요. 보는 순간 내 혈육이라는 걸 알았어요. 눈이 똑같으니까요. 그녀는 내게서 달아나려 했어요. 내가 계단 아래로 쫓아 내려가서 얘기를 하게 만들었죠."

"뭘 알게 됐어요?" 케이드가 물었다.

"별로 많지 않아요. 그녀는 제러미에게 얘기하기로 하면서 같은 이야기를 두 번 하고 싶지 않다고 했어요. 한꺼번에 모든 걸 다 말하겠다고요."

"어떻게 그녀가 제게 말하겠다고 하게 된 거죠?" 제러미가 궁금하다는 듯 물었다.

"당신이 아니면 경찰에 말해야 한다고 했거든요. 누군가 엄마뿐만 아니라 저까지도 죽이려 했기 때문에 그녀는 그럴 책임이 있다고요. 레이철 이모는 어쩌면 당신이 누군가를 찾는 걸 도울 수 있을 거라고 했어요. 당신이 묻기 전에는 그 사람이 누군지 말하지 않았을 거예요." 나는 그 생각을 하자 스트레스를 느꼈고, 그래서 커피를 또 한 모금 더 마셨다. "그녀와 우리 엄마가 함께했던 과거에 관해 그녀가 말한 내용은 이런 거예요. 그들은 어려서 부모를 여의었어요. 그들은 허쉬 아주머니라는 어떤 이웃과 함께 살게 됐고요. 그게 어디였는지는 모르겠어요. 허쉬 아주머니가 우리 엄마에게 음악을 가르쳤어요. 하지만 그분은 어느 시점에서 그들을 돌볼 수가 없게 됐고, 그래서 그들은 3년 동안 위탁 가정에서 떨어져 살았어요. 고등학교를 졸업한 후 다시 만났고요. 우리 엄마는 장학금을 받고 뉴욕대 음악과에 들어갔고 자기와 함께 뉴욕에 가자고 레이철 이모를 설득했어요."

"그분들은 뉴욕에 있었군요." 케이드가 굳은 입으로 말했다.

"네. 난 왜 우리 엄마가 당신 어머니께 돈을 보냈냐고 물었어요. 레이철 이모는 당신 아버지가 돌아가신 직후에 우리 엄마가 당신 어머니를 뉴욕에 있는 주민 문화 센터에서 만났는데 당신 가족에게 강한 연대감을 느꼈다고 했어요. 돕고 싶어 했다고요."

"모르는 사람에게 돈을 보내는 방식으로요?" 그가 믿을 수 없다는 눈빛으로 반박했다.

"그게 내가 물었던 거예요. 레이철 이모는 자기 대답을 고수했지만 우리 엄마가 당신을 아래층에 묵도록 초대했다는 사실에 놀랐고 언짢아했어요."

"그 사연에는 더 많은 이야기가 있는 거군요." 케이드가 말했다.

"나도 그렇게 생각해요." 나는 제러미를 쳐다봤다. "당신은 아마 우리 엄마가 뉴욕대에 다녔던 근거를 찾을 수 있을 거예요. 엄마는 스물두 살에 저를 낳았다고 했어요. 그것도 물론 거짓말일 수 있지만, 그렇지 않다면 엄마가 몇 년도에 거기 다녔는지 당신은 아마도 찾아낼 수 있을 거예요."

"당연히 그렇게 해봐야죠." 제러미가 말했다. "하지만 당신 어머니는 아마도 다른 이름으로 등록했을 것 같아요."

"엄마는 음악 수업을 들었을 거예요. 그게 전공이었을 테니까요."

"그랬다면 범위는 좁아지겠죠."

"잠깐만요." 케이드가 갑자기 말했다. "어머니가 깨어나셨다고 했죠?"

"아, 맞아요. 내가 그 얘기를 안 하고 있었네요. 그래요. 엄마는 깨어났고 병원에서 튜브를 제거했어요. 그래서 엄마와 얘기할 수가 있었어요. 엄마는 나를 똑바로 쳐다보고 미안하다고 했죠. 총을 쏜 사람이 누군지 모른다고, 그날 일은 전혀 기억나지 않는다고도 했어요."

"하지만 당신은 기억하고 계셨군요. 그러면 과거는 알고 계시는 게 분명해요."

"엄마는 나를 보호하려고 떠났던 것이고, 그 일이 허사가 되는 건 원치 않는다는 것 말고는 아무것도 말해주지 않으려 했어요. 내게 집으로 가라고, 떠나라고, 질문은 그만하라고 소리치기 시작했고요. 그러다가 혈압이 올라가서 기계가 소리를 내기 시작했고 의사가 내게 나가라고 했어요. 엄마에겐 진정제가 투여되었고요. 내가 너무 강하게 압박해서 엄마의 회복을 망쳐 놓은 게 아니어야 할 텐데."

"당신은 엄마를 살아 계시게 하려고 애쓰고 있잖아요." 케이드가 말했다. "의사가 회복에 차질에 생겼다고 하던가요?"

"의사는 그냥 엄마에게 휴식과 치유의 시간이 필요하다고만 했어요. 엄마가 자기를 죽이려는 사람을 어디서 찾아야 하는지 우리에게 말해주지 않는다면 엄마에게 그럴 시간이 주어지지 않을까 봐 두려워요."

"당신은 그 사람이 엄마의 쌍둥이 자매라고는 생각하지 않는 거죠?" 제러미가 물었다.

"그렇다고는 믿을 수가 없어요. 하지만 그런 생각이 뇌리를 스쳐 갔다는 건 시인해야겠군요."

"우리는 온라인에서 주먹을 고용한 그 사람이 남자인지 여자인지 모릅니다." 케이드가 덧붙였다.

"하지만 레이철 이모는 우리 엄마의 쌍둥이 자매예요. 그런 유대감이 어떤 건지 난 알고 있어요. 그래서 레이철 이모가 자기 언니를 해하려고 병원에 갔다고는 믿지 않아요. 난 그녀가 엄마를 도우려고 거기 갔다고 생각해요." 나는 이맛살을 찌푸리며 말을 중단했다. "어쩌면 내가 순진한 건지도 모르죠."

"저는 뉴욕대에서 어떤 연결 고리를 파낼 수 있을지 알아보러 가겠습니다." 제러미가 말했다. "당신 어머니가 거기서 음악 전공으로 장학금을 받았다면 분명 범위를 좁힐 수 있을 겁니다. 희망 사항이긴 하지만, 오늘 밤까지는 당신 어머니가 누군지 정확히 알게 될 겁니다."

"그러면 대단한 일이 될 거예요."

"한 가지가 더 있습니다." 케이드가 말했다. "전 아버지 사건에 관한 경찰 서류가 필요해요."

"맞아요. 브린이 그걸 부탁했었죠." 제러드가 말했다. "돌아가서 제 컴퓨터를 보는 대로 당신에게 보내 드리겠습니다. 증거라는 면에서 보면 거기엔 별로 많은 내용이 없다는 건 미리 경고해 드려야겠군요."

"그건 이해합니다만 저는 보고 싶습니다."

"최대한 빨리 드리도록 하죠."

제러미가 나가고 나자 나는 시나몬 페스츄리를 한 뭉치 찢어서 입에 넣었다. "이거 맛있네요. 좀 먹을래요?"

"난 당을 보충하지 않아도 이미 충분히 열이 올라 있어요." 그가 잠깐 있다가 말했다. "나한테 병원에 갈 거라는 말을 했어야죠, 브린. 갤러리에서 돌아왔을 때 당신이 없어서…" 그는 손으로 머리카락을 쓸어내렸다. "당신이 내게 답하지는 않겠지만, 망할 —"

"걱정했다니 미안해요. 병원에서 전화가 왔을 때 난 너무 놀라서 바로 차에 올라탔던 거예요. 엄마와 말하는 것 말고는 아무 생각도 할 수가 없었어요."

"이해해요. 당신이 아무 문제 없어서 기쁘고요."

"난 괜찮지만 레이철 이모를 순식간에 놓쳐버리고 말았죠. 최고의 단서를 잃어버린 거예요. 더 많은 내용을 들었어야 했는데 말이죠."

"그분이 어디 묵고 있는지 말했어요?"

"아뇨. 이모는 경찰은 도울 수 없다고 했어요. 하지만 이유는 말하지 않았어요. 내가 상대하고 있는 일이 뭔지 나는 모른다고만 했죠. 그건 사실이고요."

케이드가 나를 다시 처다봤다. 나는 그의 머릿속이 빠르게 회전하고 있다는 걸 알 수 있었다.

"당신은 뭔가 생각이 있는 것 같은데요." 내가 말했다.

"그냥 생각하는 중이에요. 만일 그분들이 경찰에 갈 수 없다면, 경찰을 신뢰하지 않는 것이거나 아니면 뭔가 숨겨야 할 게 있다는 거예요."

"하지만 샌프란시스코 경찰이 왜 문제가 된다는 거죠? 그들의 문제 — 레이철 이모는 그렇게 부르더군요. — 는 뉴욕에서 시작되었던 걸로 생각하는 데 말이에요."

"강도 사건과 더불어서죠." 케이드가 동의의 뜻으로 고개를 끄덕이며 말했다. "거기에 연결 고리가 있는 거예요."

"그런 것 같아요." 나는 멍해진 머리를 흔들며 숨을 내쉬었다. "엄마에게 쌍둥이 자매가 있는데 한 번도 그 얘길 하지 않았다는 걸 믿을 수가 없어요. 그 두 사람은 몇 달에 한 번씩 엄마가 우리를 박물관에 데려갔을 때 만났던 것 같아요. 하지만 두 사람이 같이 지내는 건 위험한 일이었고요."

"아마도 당신 어머니가 뉴올리언스에서 만났던 사람이 레이철인 것 같군요."

나는 그 생각에 깜짝 놀랐다. "레이철 이모가 틀림없었네요. 그러면 말이 돼요."

"그분이 당신의 친아버지에 관해 뭔가 말했나요?"

"몹쓸 사람이었을 거라는 말밖에 없었어요. 그리고 우리 엄마는 그 사람이 누군지 아무도 모르기를 바랐다고요. 레이철 이모는 내게 그 비밀을 파고들지 말라고 경고했어요. 내가 그를 찾으려고 한다는 생각에 극단적으로 짜증을 냈어요." 나는 말을 중단했다. "그런 반응을 보고서 나는 그 남자가 지금 이 모든 일의 중심에 있는 사람이 아닐까 하고 생각했어요. 그는 심지어 경찰일 수도 있어요. 그래서 그들이 경찰을 신뢰하지 않으려 하는 건지도요."

"당신 아버지는 레이철에 관해 알고 있을 거로 생각해요?" 케이드가 물었다.

"그런 것 같지 않아요. 엄마는 자기 과거를 아빠에게 숨겼던 걸로 생각해요. 아빠가 가버리지 않았다면 물어볼 수 있을 텐데." 나는 이맛살을 찌푸렸다. "다들 한결같이 도망가는 데 선수예요. 안 그래요? 아무도 그대로 있으면서 응분의 대가를 치르고 싶어 하지 않아요."

"당신만 빼고요, 브린."

"그러니까 난 용감하거나 바보거나 둘 중 하나인 거죠. 어느 쪽인지 난 모르겠어요."

"용감한 쪽으로 하죠."

나는 미소 지었다. "나도 그쪽이 좋아요."

케이드가 자기 핸드폰을 내려다봤다. "제러미가 지금 경찰 보고서를 보냈어요. 크기가 상당한 파일 같아요. 집으로 돌아가서 이걸 내 컴퓨터에 다운로드해야겠어요.

"이제 가면 돼요." 나는 시나몬 빵을 마지막까지 다 먹고는 그를 따라 카페 밖으로 나갔다.

25

나는 차를 몰고 집으로 돌아갔고 케이드는 오토바이를 타고 따라 왔다. 그는 진입로에 오토바이를 세웠고 나는 그의 트럭 뒤에 주차를 했다. 케이드가 자기 집에서 노트북을 가져왔고 우리는 엄마의 집으로 가서 거실에 자리를 잡았다.

파일을 다운로드하는 케이드의 움직임은 뻣뻣했고 매우 긴장하고 있는 듯 보였다.

"정말 이걸 하고 싶어요?" 내가 물었다.

"네. 당신은 당신 어머니에 관한 진실을 알기 위해 목숨을 걸고 있잖아요. 나는 그냥 파일을 여는 것뿐이에요."

"당신은 과거로 가는 창을 열고 있는 거예요. 그건 그냥 파일이 아니라고요."

"이게 내게 그렇게 많을 걸 알려줄지 의문이에요. 난 이미 우리 아버지의 죽음과 관련해서 아무도 기소되지 않았다는 걸 알고 있고, 제러미도 여기엔 대단한 단서는 없다고 한걸요."

"그건 그래요." 케이드가 안정을 찾자 내가 말했다. "난 다니에게 전화해서 우리의 이모에 대해 알려줘야 해요. 그 전화는 위층에서 할게요."

"그래요." 그가 건성으로 대답했다. 그의 눈은 컴퓨터 화면을 향하고 있었다.

나는 위층 엄마의 침실로 올라갔다. 나는 침대 한가운데 앉아서

거울 자매

다니에게 전화했다. "자리에 앉아 있니?" 내가 물었다.

"왜? 지금은 무슨 일이 생긴 건데?"

"몇 가지 일이."

나는 숨을 들이쉰 다음 병원에 갔을 때 생긴 일에 대해 이야기했다. 엄마가 깨어났다는 것, 나를 알아봤다는 것, 내게 사과했고 내가 너무 엄마를 자극해서 진정제가 필요했다는 것을 다니에게 얘기하자 내가 무슨 나쁜 일이라도 저지른 것 같은 느낌이 들었다. 다니는 내가 잘못한 건 없다는 정확한 말로 나를 위로해 주지 않았다. 대신에 엄마가 회복될 때를 기다렸다가 더 많은 걸 물었어야 했다고 말했다. 중요한 건 엄마가 깨어났다는 것이고 그래서 내가 집으로 올 수 있다는 것이라고.

나는 다니의 태도에 약간 성이 나서 말했다. "더한 일이 있어, 다니. 엄마에게는 자매가 있어. 레이철이라는 쌍둥이야. 병원에서 우연히 맞닥뜨렸어."

"말도 안 돼. 있을 수 없는 일이야."

"그 사람은 금발로 염색하고 있었지만, 얼굴과 눈이 엄마와 똑같았어. 우리와 똑같았다고."

"엄마에게 자매가?" 다니는 넋이 나간 듯 중얼거렸다. "어떻게 그게 가능해?"

"엄마가 어떻게, 그리고 왜 그 사실을 혼자만 알고 있었는지 모르지만, 그건 사실이야. 두 사람은 쌍둥이야. 레이철이 우리 이모의 원래 이름인지 아닌지 모르지만 그 사람이 내게 말해 준 이름은 그거야."

"그것 말고는 또 무슨 말을 했어?" 다니가 물었다.

"거의 없어. 자기들이 살면서 무슨 문제가 있었다는 식으로 말했어. 엄마가 우리를 떠난 건 우리를 보호하려고 한 것이었다고. 나는 이모가 더 많은 얘기를 해줄 거로 생각했는데 달아나 버렸어. 아빠가 그랬던 것처럼 말이야. 아무도 내게 진실을 말해주고 싶어 하지 않아."

"왜냐하면 모조리 나쁜 일이니까." 다니가 말했다. "네가 뭘 찾아내건 모두 상황을 악화시키고 있어. 우리의 이모는 우리 친아버지가 누군지 말해줬어?"

"엄마가 이모에게 그 사람 이름을 말하지 않았대. 그는 나쁜 남자고, 그래서 생각할 가치도 없다고."

"브린, 집으로 와."

"그 얘기 좀 그만해." 내가 힘없이 말했다.

"난 널 보호하고 싶은 거야. 우리가 다시 평범하게 살게 되길 원한다고."

"날 보호하는 건 네가 할 일이 아니야. 그리고 난 카멜로 돌아가고 싶지 않아. 다시 평범하게 사는 건 바라지도 않는다고."

"그게 무슨 말이야?" 다니가 짜증 섞인 목소리로 말했다.

나는 내가 실수하고 있다는 걸 알고 있었다. 지금은 적절한 때가 아니었다. 그러나 나는 그 말을 해야만 했다. "몇 주 전에 내가 LA에 갔던 건 퍼시픽 코스트 오케스트라의 제2 바이올린 오디션을 보러 간 거였어. 그 오케스트라는 두 달 동안 유럽 순회공연을 할 예정인데 한 달 뒤에 시작해서 신년 초까지 계속하는 거야. 그들이 목요일에 내게 그 자리를 맡아달라고 했어. 내일 그들에게 답을 해줘야 해."

"믿을 수가 없어." 다니가 충격을 받고 말했다. "왜 나한테 말하지 않고 오디션을 본 거야? 우리는 가게가 있잖아. 우리 사업이라고. 난 네가 필요해, 브린."

"우리 사업이 아니지. 네 사업이야."

"우리 가게 이름은 '두 자매 부티크'야. 당연히 우리 거지."

"그건 네 전망이지. 항상 그랬어. 내 꿈은 음악이야. 너도 알잖아."

"그래서 그 일을 하고 나면 어떻게 되는데? 난 석 달 동안 네가 돌아오기를 기다리기만 하면 되는 거야?"

"아니. 기다리면 안 돼. 넌 가게 운영을 도울 사람을 찾아야 해."

"그러니까, 넌 영원히 돌아오지 않을 거란 말이니?" 상처받은 목소리였다. "온갖 다른 일이 벌어지고 있는 이런 상황에서 네가 나한테 이런다는 게 믿기지 않아."

"미안해. 엄마와 관련된 이 문제가 해결되기 전까지는 아무 말도 하지 않을 생각이었어. 하지만 끝이 보이는 것 같지 않아."

"아기가 태어나면 어떻게 할 거야? 넌 어디 있을 거야, 브린? 난 네가 필요해. 가게만의 문제가 아니야. 넌 내 동생이야. 내 인생의 이 중요한 시기를 네가 놓쳐서는 안 돼. 네 조카가 태어나는 거라고."

"아기가 태어나기 전에 돌아올 거야." 나는 그녀를 안심시켰다.

"하지만 이 작은 순간들… 첫 태동, 첫 발차기를 전부 못 보게 되잖아. 내 배가 불러오는 것도."

"너랑 계속 얘기를 나눌 거야."

"그것과는 다르지. 지금 나는 두려운 시간을 보내고 있다고. 네가 지금 이런다는 걸 믿을 수가 없어."

다니의 입에서 한마디씩 말이 나올 때마다 나의 죄책감은 커졌다. 하지만 나는 강해져야 했다. "난 이 일을 너무 오래 미뤄왔어. 이번 기회를 잡지 않으면 다른 기회가 있을지 알 수가 없어. 나도 네가 필요해, 다니. 하지만 내 인생도 살아야 해."

"내가 네 인생을 살지 못하도록 했다는 거야?" 그녀는 성난 목소리로 물었다. "사는 동안 매 순간 난 네 옆에 있었어. 항상 너를 돌봐왔다고, 브린. 엄마가 돌아가셔서 네가 무너졌을 때 나는 너를 안아 일으켰어. 네가 괜찮은지 늘 확인했고."

"그래, 넌 그랬어. 하지만 살아오면서 어느 시점에서 난 내 인생 대신에 네 인생을 살기 시작했어."

"이건 네 모습이 아니야, 브린. 넌 벌어지고 있는 모든 일 때문에 흥분해 있는 거야. 게다가 거기 계속 혼자 있으니까 말이야. 제발 집으로 와. 그리고 이 모든 것에 관해 얘기를 나누자."

"난 엄마와 엄마의 쌍둥이 자매에게 일어나고 있는 일을 파악하기 전까지는 여기를 떠나지 않을 거야. 그 두 사람은 우리 가족이야, 다니."

"우리 가족은 너와 나야."

"우리는 여전히 한 팀이야, 다니."

"그런 것 같지가 않아. 넌 나 없이 결정을 내리고 있어. 그러니까 네가 하고 싶은 대로 해. 어차피 넌 갈 거잖아."

나는 다니가 전화를 끊어버리자 한숨을 쉬었다. 대화가 잘된 건 아니었지만, 어쨌든 말은 한 것이었다. 나는 레이의 전화번호를 눌렀고 그의 음성 메시지를 들었다. "그 일을 할게, 레이." 내가 말했다. "하지만 내가 며칠 동안 출장 중이거든. 내가 누구에게 말해야 하는지, 뭘 해야 하는지 알려주면 그렇게 할게. 한 번 더 하는 말이지만, 이런 기회를 줘서 고마워. 나중에 갚을게."

메시지를 남기고 나서 나는 안도의 한숨을 내쉬었다. 다니의 부정적인 반응에도 불구하고 최소한 나는 다니에게 사실대로 말했고 결정을 내렸다. 나를 짓누르던 한 가지 문제를 내려놓은 것이다.

나는 핸드폰을 들고 아래층으로 내려왔다.

케이드는 노트북에서 뭘 읽고 있는지 거기에 골몰하고 있었다. 그는 내가 소파 옆자리에 앉았어도 고개조차 들지 않았다.

"뭘 좀 찾았어요?" 내가 물었다.

"그럴지도요." 그가 내게 시선을 돌리며 말했다. 그의 눈에는 흥분의 빛이 감돌았다.

"뭐죠?" 내가 물었다.

"우리 아버지가 총에 맞았던 그 집의 소유주인 부유한 미술품 수집가 있잖아요. 그 사람 이름은 제임스 홀든이었어요."

"그래요." 내가 천천히 말했다. "제러미가 그 이름을 전에 말했었죠. 하지만 지금은 그게 당신에게 무슨 의미라도 있는 것처럼 보이네요."

"제임스 홀든은 내게 아무 의미도 없어요. 하지만 그에게는 이안 홀든이라는 형이 있어요. 그리고 이안은 거의 20년간 뉴욕대 음악 이론과 교수였어요. 그 기간 중 일부는 당신 어머니가 음악 장학생으로 대학을 다녔던 시기와 맞물릴 거예요."

나는 자세를 약간 바로 세워 앉았다. "그건 흥미롭군요. 경찰 보고서에 그가 왜 나온 거죠?"

"제임스와 그의 형이 그 자선 행사를 함께 주관했고 뉴욕대 음악대학이 그날 밤 모인 기금의 수혜자였어요. 그 파티는 제임스의 집에서 열렸는데 그는 행사가 끝나기 전에 비행기를 타고 런던으로 갔어요. 이안이 그 현장에 있던 마지막 사람이었어요. 그는 우리 아버지가 총에 맞기 30분 전에 아버지에게 잘 가라고 인사를 했고요."

"이안은 어디로 갔죠?"

"집으로요. 그는 맨해튼에 있는 아파트에 살고 있었어요." 케이드가 말했다.

"이안은 우리 엄마를 알겠군요. 그 사람은 몇 살이죠?"

"여기에는 나와 있지 않아요. 하지만 인터넷에는 아마 있겠죠."

나는 핸드폰을 꺼내서 그를 검색했다. "찾았어요. 이안 홀든은 쉰 아홉 살이고 여전히 뉴욕대에 재직 중이에요." 나는 잠깐 있다가 말했다. "우리 엄마는 마흔아홉 살이에요. 적어도 엄마가 실제로 나를 낳았을 때 스물두 살이었다면 그럴 거로 생각해요. 이안은 엄마보다 열 살 연상일 거예요." 나는 검색으로 나타난 몇몇 사진을 쳐다봤다. "이안은 잘생긴 남자예요. 그의 음악과 그의 억만장자 형제에 관한 얘기들이 잔뜩 있네요." 나는 몇몇 다른 기사의 제목을 쭉 읽다가 입이 떡 벌어졌다. "잠깐만요. 여기 흥미로운 게 있어요. 그는 이번 가을에 UC버클리의 초빙 교수직을 맡았어요." 나는 케이드를 다시 쳐다봤다. "그는 이 지역에 있어요. 8월부터 여기 있었어요. 우리는 그를 찾아야 해요. 내가 제러미에게 문자 메시지를 보내서 우리에게 주소를 찾아줄 수 있는지 알아보라고 할게요."

"그가 못 하면, 우리는 버클리대에서 홀든 교수가 무슨 과목을 가르치는지 알 수 있고 거기서 그를 찾으려 해볼 수 있어요." 케이드가 말했다.

나는 제러미에게 문자 메시지를 보낸 다음 케이드를 쳐다봤다. "이게 우리가 찾던 전환점일 수 있어요."

"어쩌면요. 그러나 우리 아버지를 죽인 사람을 이안이 알았다고 해도 그는 당시에는 아무 말도 하지 않았어요. 그가 지금 말을 할 이유가 없어요. 하지만 그는 당신 어머니의 과거로 가는 연결 고리예요."

"그리고 당신 어머니는 우리 엄마와 연결되어 있고요." 나는 그를 상기시켰다. "이게 다가 아니겠지만 그래도 뭔가 있는 거죠."

"뭔가." 그가 되풀이했다. "곧 알게 되겠죠."

"그는 또 당신 아버지와 마지막으로 말을 나눈 사람이었어요." 나는 잠깐 있다가 말했다. "이안이 혹시 강도 사건에 가담한 건 아닌지 의문스러워요. 경찰은 내부 공범을 의심했죠. 어쩌면 이안이 일을 거들게 되어 있었을지도 몰라요. 자기 동생의 그늘에서 살고 싶지 않았을지도요."

"당신 어머니와도 엮여 있었을 수 있죠. 교수와 학생 사이의 관계 말이에요."

"가능한 일이에요. 레이철 이모는 내게 친아버지가 누군지 알아내려고 하지 말라고 경고했어요. 그가 위험인물이라고 했고요. 그가 이안 홀든일 수 있을까요?"

케이드가 한 손을 들어올렸다. "잠깐. 비약이 심한걸요, 브린. 우리가 아는 건 이안이 당신 어머니가 다녔던 — 그런 걸로 추정되는 — 대학에서 가르쳤다는 게 전부예요. 너무 멀리 나가지는 말자고요."

"멀리라고요? 나는 계속 뒤처져 있다고 느끼고 있어요." 현관 벨이 울려서 나는 말을 중단했다. "누구일까요?"

케이드가 벌떡 일어났다. 나는 그를 따라 복도로 갔다. 창문을 통해 보니 현관 앞에 아빠와 어떤 여자가 보였다. "우리 아빠와 새엄마예요." 내가 말했다. 가슴이 철렁 내려앉았다.

"당신 아버지가 돌아오셨군요."

"네. 하지만 새엄마와 함께 왔네요. 좋은 일일 리가 없어요."

케이드가 내게 약하게 미소를 보냈다. "한번 부딪쳐 봐야죠, 뭐."

"알아요."

케이드가 문을 열자 나는 어깨를 곧게 폈다. 아빠와 새엄마를 집 안으로 들어오게 한 다음 케이드는 자기 집으로 내려갔다. 나는 그를 비난할 수가 없었다. 나 자신도 우리 가족의 이 모든 난리 법석에 진절머리가 나고 있었던 것이다.

검은색 청바지에 부츠를 신고 가죽 재킷을 입은 새엄마는 언제나 그런 것처럼 멋진 모습이었다. 검은 머리는 이마가 다 드러나게 올림 머리를 하고 있었다. 그러나 눈 밑에는 그늘이 져 있었다. 지난 며칠 동안 힘들었던 게 틀림없었다.

아빠는 일전에 봤을 때보다는 훨씬 나아 보였다. 어느 때쯤 샤워를 한 게 분명했고 검은색 양복바지와 회색 긴소매 스웨터로 옷을 갈아입은 상태였다. 충혈된 눈만이 지난 여러 날 스트레스에 시달린 것을 증언하고 있을 뿐이었다.

새엄마는 방을 둘러보고는 부서진 벽과 망가진 가구들을 발견했다. "여기 무슨 일이 일어난 거니?" 그녀가 물었다.

"엄마가 총에 맞은 직후 누군가 여기를 난장판으로 만들어 놨어요." 내가 대답했다.

"난 이 정도로 엉망인 줄은 몰랐구나." 아빠가 눈으로 방을 훑으면서 말했다.

"아빠는 뭐든 눈여겨볼 수 있는 상태가 아니었어요."

"그 점은 미안하구나. 나는 오늘 아침에 네게서 도망쳐 나온 걸 사과하고 싶단다."

"왜 그랬어요?" 내가 물었다.

"네 눈에 드러난 배신의 표정을 견딜 수가 없었어." 아빠는 말을 잠시 멈췄다. "여전히 그런 눈빛이구나. 난 네가 내 딸이 아니라는 걸 절대로 알지 못하길 바랐다, 브린. 네게 아무 말도 하지 말았어야 했는데."

"아빠가 친아버지가 아니라는 사실보다 훨씬 더 저를 괴롭히는 건 비밀과 거짓말이에요. 제가 어렸을 때 아빠가 아무것도 말하지 않았던 이유는 알 수 있어요. 하지만 전 스물일곱 살인걸요. 그렇게 중요한 일을 제게 말해주고도 남을 만큼 오랜 시간이 흘렀다고요.”

“너희 엄마는 네가 알게 되는 걸 결코 원치 않았다. 난 너희 엄마가 죽고 나서 그 약속을 깬다는 걸 상상할 수도 없었어. 너희는 이미 엄마를 잃었잖니. 나까지 잃게 할 수는 없었어.”

나는 아빠를 다시 쳐다봤다. “엄마가 돌아가셨을 때 우리는 아빠의 큰 부분을 잃은 것 같은 느낌이 들었어요. 아빠는 그 뒤로 전혀 예전 같은 아빠가 아니었어요. 아마도 아빠는 우리에게 우리 아빠가 아니라는 말을 하고 싶지는 않았겠지만, 내 마음 깊은 곳에서는 그게 아빠와 우리 사이에 크게 작용했다고 느껴요. 우리가 아빠 핏줄이었다면 아빠는 우리에게 더 가까이 있으려 노력했겠죠. 하지만 엄마는 아빠에게 아빠 자식이 아닌 아이 둘을 남겨두고 떠나버렸던 거죠.”

“너희는 내 자식이었어.” 아빠가 격하게 말했다. “그리고 나는 항상 너희를 사랑했다. 그 사랑을 어떻게 보여야 할지를 몰랐던 것뿐이야. 너희 엄마는 그런 걸 잘했지. 사랑이 많고 보살피는 걸 잘하는 사람이었어. 나는 언제나 어색하고 불편한 느낌이었고. 한 번도 제대로 말한 적은 없지만 내가 너희가 원하는 아빠가 아니었다는 건 알고 있었다.” 아빠는 숨을 내쉬고는 소파에 앉았다.

새엄마가 아빠 옆에 앉아 다리에 손을 얹고 위로해 주었다.

나는 의자를 그들 맞은편으로 가져갔다. 그리고 생각했다. 그들이 결혼한 후 우리는 항상 이런 식의 관계였다고. 그들 두 사람은 함께였고 나는 반대편에 있었던 것이다.

“새엄마는 여기 언제 왔어요?” 내가 새엄마에게 물었다.

“너희 아빠가 오늘 아침에 전화했어. 그래서 첫 비행기를 타고 온 거야."

"경찰과는 얘기했어요?" 내가 물었다.

"그린맨 경위와 짧게 얘기했어." 새엄마가 대답했다. "하지만 그는 시간을 봐서 더 얘기하고 싶다고 했어."

나는 아빠에게 시선을 옮겼다. "아빠는요?"

그는 고개를 저었다. "아직 못 했어. 그 사람에게 나를 만났다고 말했니?"

"아뇨." 나는 사실대로 말했다. "하지만 아빠는 그에게 전화해서 정확하게 무슨 일이 있었는지 말해야 해요. 아빠가 왜 두려워하는지 전 모르겠어요. 아빠가 엄마를 쏜 게 아니잖아요. 그랬어요?"

"당연히 안 그랬지." 아빠는 열을 내며 말했다. "난 평생 총이라곤 쏘아본 적이 없어."

"그러면 경찰에 가는 걸 겁내지 않아도 되잖아요."

"너희 엄마가 총에 맞기 전날 내가 뺨을 때렸잖아. 그게 어딘가 카메라에 잡혔다면 내가 용의자가 될 거야." 아빠가 말했다. "난 싸운 것 때문에 취조당하고 싶지는 않다. 너희 엄마를 때리지 말았어야 했는데. 하지만, 정말이지, 너희 엄마가 내게 한 일 ― 그 거짓말들, 그 기만 ― 을 생각하면 내겐 화를 낼 권리가 있었어." 아빠는 말을 멈추고 실눈을 뜨고 내 얼굴을 바라봤다. "너는 왜 화를 내지 않는 건지 모르겠다, 브린."

"아아, 저 화나요. 엄마가 살아 있다는 걸 알게 된 순간부터 저는 온갖 감정을 다 느끼고 있어요. 엄마가 우리를 버리고 떠났다는 걸 믿을 수가 없어요. 엄마는 우리를 보호하려고 그랬다고 했어요. 하지만 다른 방법이 분명 있었을 거라고요."

"언제 그런 말을 했어?" 아빠가 물었다.

"엄마는 오늘 아침에 몇 분 동안 의식을 찾았어요. 하지만 엄마는 자기가 처해 있던 어떤 위험에서 우리 가족을 구하려고 자취를 감춰야 했다는 말밖에는 제게 말해준 게 거의 없어요."

"너희 엄마는 괜찮아질까? 누가 자기를 쏘았는지 알고 있어?"

"엄마는 모른다고 했어요. 하지만 전 그게 사실이라고 믿지 않아요. 얘기를 나누는 동안 엄마는 흥분 상태가 됐고, 그래서 의사가 진정제를 투여했어요. 내일까지는 엄마와 다시 얘기할 수가 없어요."

"무슨 위험에 처해 있었다는 거야?" 새엄마가 물었다.

"모르겠어요. 제 생각엔 엄마의 인생 전체가 비밀의 연속이었던 것 같아요. 엄마는 자기가 말했던 그런 사람이 아니었어요. 어렸을 때 문제가 생겼는데, 그 문제가 엄마를 따라 우리 가족한테까지 이르렀고 지금 다시 찾아온 거였어요." 나는 잠깐 있다가 말했다. "두 분 중 누구라도 엄마에게 자매가 있다는 걸 알았나요?"

"뭐라고?" 아빠가 놀라며 물었다. "말도 안 돼. 너희 엄마는 외동딸이었어."

"그게 아니었어요. 엄마에겐 쌍둥이 자매가 있어요. 일란성 쌍둥이요."

"믿을 수가 없는 일이야." 아빠가 말했다. "넌 그걸 어떻게 알게 된 거야, 브린?"

"병원에서 그 이모와 맞부딪쳤어요. 그분은 자기 이름이 레이철이라고 했어요. 자기들이 위험에 처해 있었고 오랫동안 그랬다는 사실을 암시하는 말 외에 다른 얘긴 해주지 않았어요. 전 그 얘기가 다 나오리라 생각했는데 그분 역시 달아나 버리고 말았죠. 요즘은 그게 추세인가 봐요."

아빠는 내 뾰족한 말에 고개를 떨구었다. "우리 모두에게 힘든 시간이야.”

“그녀에게 자매가 있었다니, 믿을 수가 없구나.” 새엄마가 웅얼거리듯 말했다. 눈에는 충격의 표정이 고스란히 드러나 있었다. “난 정말 그 친구를 전혀 몰랐던 것 같아.”

“아마도요.” 내가 말했다. “그래서 이제 어쩌려고요?”

“비키와 나는 LA로 돌아갈 거야.” 아빠가 대답했다.

“어떻게 그냥 떠나버릴 수가 있는지 전 이해가 안 돼요. 엄마를 만나고 싶지 않아요? 엄마와 얘기하고 싶지 않아요?”

아빠가 대답하기도 전에 새엄마가 끼어들었다. “왜 네 아빠가 너희 엄마를 봐야 해? 우리 중 누군가가 왜 그 친구를 봐야 해? 너희 엄마는 나를 포함해서 우리 모두를 배신했어. 난 너희 엄마의 제일 친한 친구였어. 그런데 나를 버리고 떠났단 말이야.”

“왜 그랬는지 알고 싶지 않아요?” 내가 반항적으로 물었다.

“너희 엄마가 네게 말하지 않을 생각이라면 우리한테 말하진 않을 거야.” 새엄마가 말했다.

“아빠에겐 말할지도 몰라요, 아빠. 아빠는 남편이었잖아요.”

“난 너희 엄마에게 말할 기회를 줬다. 그런데 그러지 않았어.” 아빠가 고개를 흔들었다. “비키 말이 맞아. 우리는 이제 더는 너희 엄마 인생의 일부분이 아니야. 그 사람이 그걸 분명히 했지. 난 그 사람이 총격에서 살아남아서 기쁘고 생존할 수 있기를 바라고 있어. 하지만 그건 우리 문제는 아니야. 넌 네 인생을 사는 거야, 브린. 거기 집중하렴. 너희 엄마도 그걸 원할 거라고 난 확신해.” 아빠는 날카로운 눈빛으로 나를 보며 말을 잠시 멈췄다. “그 사람이 네게 떠나라고 했다는 거지? 안 그래?”

“그래요.” 내가 시인했다. “엄마는 그 모든 걸 허사로 돌리고 싶지 않다고 했어요. 내가 안전하길 원하고 간호사에게 내게 전화하도록 해서 미안하다고 했고요."

"너희 엄마가 네 전화번호를 갖고 있었다는 게 믿기지 않는구나."

"엄마는 우리를 지켜보고 있었어요." 나는 잠깐 있다가 말했다. "다니가 우리 고등학교 졸업식에서 엄마를 봤다고 얘기했을 때 어쩌면 엄마가 살아 있을지도 모른다는 생각이 들지 않았어요?"

"잠깐, 뭐라고 했어?" 새엄마가 놀라며 물었다.

"난 다니가 상상한 거로 생각했단다." 아빠가 말했다. "난 다니에게 엄마가 언제나 지켜보고 있을 거라고 말해줬어. 그 사람이 살아 있으리라고는 생각도 못 했어. 비록 내 마음속 깊은 곳에서는 무슨 일일까 하고 잠깐 멈칫하긴 했지만 말이다. 너희 엄마의 시신이 전혀 발견되지 않았기 때문에 그 부분이 계속 나를 따라다니며 괴롭혔단다. 하지만 그 사람이 나와 떨어져서, 아니 자기 자식들과 떨어져서 살아 있을 수 있다는 건 상상할 수가 없었어." 아빠는 숨을 내쉬었다. "그 사람이 살아 있다는 걸 알게 된 후 지난 한 주일은 진짜 혼돈의 도가니였다. 그러나 되돌릴 길이 없다는 걸 지금은 알고 있다. 그 사람은 내가 사랑에 빠졌던 그 여자가 아니고 나도 더는 그 남자가 아니야. 그 사람은 다른 인생을 살았고 우리도 그랬어. 나는 그 사람이 우리를 과거로 끌어당기는 게 싫다. 너희 엄마가 그렇게 하도록 하지 마, 브린. 집으로 가서 네 인생을 살아. 그리고 엄마는 잊어."

최악의 조언은 아니었다. 그러나 영원히 모른 채 있게 되리라는 생각을 하자…. "그럴 수는 없어요." 내가 말했다. "난 왜 이 모든 일이 일어났는지, 어떻게 해서 우리가 이렇게 된 건지 알아야 해요. 그리고 난 엄마를 지키기 위해 노력해야 해요."

"왜?" 새엄마가 물었다. "너희 엄마는 너희를 버렸어, 브린."

"계속 그 얘기를 할 필요는 없어요. 엄마가 했던 일은 알고 있단 말이에요. 하지만 난 엄마를 사랑했어요. 그리고 엄마가 우리를 사랑했다고 생각해요. 이 일이 우리를 보호하기 위한 것이었다면, 우리도 엄마를 보호해야 하지 않겠어요?"

"우리가 할 수 있는 일은 없어." 아빠가 말했다. "너희 엄마는 우리가 도울 수 있을 만큼 충분한 정보를 주지 않을 거야. 그리고 경찰이 조사를 하고 있어. 누가 너희 엄마에게 이런 짓을 했는지 그들이 찾아낼 거야."

"그들은 아직 범인을 찾지 못하고 있어요."

"글쎄, 네가 여기 있으면 있을수록 넌 더 위험에 처하게 될 거야." 아빠가 말했다. "네가 아직 조금이라도 너희 엄마를 사랑한다면 엄마가 하라는 대로 해야 해. 집으로 가야 한다고."

우리 사이에 침묵이 흘렀다. 그때 새엄마가 목청을 가다듬었다. "난 성급하게 재촉하고 싶지는 않아. 하지만 우리는 비행기를 타려면 지금 나가야 해." 그녀가 말했다.

"새엄마는 여기 왜 온 거예요?" 내가 물었다.

"너희 아빠가 오늘 아침에 내게 전화했는데 아주 당혹스러워하고 있었단 말이야. 난 너희 아빠를 여기 혼자 내버려 둘 수가 없었어." 새엄마는 잠깐 있다가 말했다. "난 너희 엄마가 아빠를 사랑했다는 사실을 존중해. 그리고 너희 아빠가 엄마를 사랑했다는 것도. 하지만 두 사람의 결혼 생활은 오래전에 끝이 났어. 난 내 남편을 사랑해. 너와 다니도 사랑한단다. 지금은 우리가 가족이야."

"우리는 한 번도 가족이었던 적이 없어요." 내가 냉소적으로 말했다. "새엄마는 아빠와 결혼하자마자 우리를 밀어냈어요. 그건 새엄마 잘못만은 아니에요. 아빠가 그렇게 하도록 했죠. 아빠가 다니와 나를 우리끼리 있게 한 거예요.”

“그건 그렇지 않아.” 아빠가 말했다.

“그건 사실이 아니야.” 새엄마가 거들었다. “난 너희를 내 친자식처럼 사랑했어.”

“있잖아요? 그런 건 중요하지 않아요. 전 아빠나 새엄마에게 화가 난 게 아니에요. 전 그냥 우리가 솔직했으면 좋겠어요. 두 분은 가세요. 그 비행기를 타야죠. 하지만 경찰이 두 분을 쫓아갈 거예요. 그건 알겠죠?”

“내가 경찰에 연락할 거다.” 아빠가 말했다. “하지만 변호사를 대동하고 할 거야.”

나는 고개를 내저었다. “저는 두 분 다 왜 변호사가 필요한지 모르겠어요. 하지만 제가 두 분 마음을 바꿀 수는 분명 없을 거예요. 경찰이 지금껏 두 분께 가지 않았다는 게 놀라워요. 저는 그들이 아빠가 묵고 있던 호텔을 감시하고 있다고 생각했거든요.”

“난 호텔로 돌아가지 않았다. 비키가 갈아입을 옷을 가져왔어.”

아빠의 행동은 더더욱 나를 미심쩍게 했을 뿐이었다. 경찰과 얘기하고 싶지 않다는 것과 그들을 적극적으로 피하는 것은 다른 문제였던 것이다.

아빠가 자리에서 일어섰다. 나를 바라보는 그의 시선은 애원하고 있었다. “브린, 난 널 사랑한다. 내가 널 아낀다는 걸 충분히 말하거나 보여주지는 못했어도 정말 그래. 너희 엄마가 죽었을 때 난 너무 당황스러웠다. 그건 인정하마. 내가 너희를 실망시켰어. 너희가 내게 만회할 기회를 주길 난 바라고 있단다.”

“이게 그 기회예요.” 나는 일어서서 말했다. “하지만 경찰에게서 도망치는 건 자랑스럽지 않아요. 아빠가 뭔가를 숨기는 게 아닌가 걱정하게 된다고요."

아빠는 새엄마를 쳐다보면서 급히 숨을 들이쉬었다. 그런 다음 나를 다시 봤다. "난 아무것도 숨기는 게 없어, 브린."

"아빠의 행동은 그 말과는 달라요."

아빠는 잠시 생각하더니 자기 아내를 향해 몸을 돌렸다. "브린 말이 맞아. 우리가 떠나기 전에 그 경위와 얘기를 해야겠어."

"LA에서 그에게 전화하면 돼요." 새엄마가 말했다. "우리 변호사와 함께 말이에요."

"아니, 난 지금 전화할 거요. 차에서." 아빠는 내 쪽을 다시 돌아봤다. "이제 내가 숨기는 게 아무것도 없다는 걸 믿을 수 있겠지."

나는 아빠가 내 앞에서 기꺼이 전화를 건다면 그 말을 더 믿을 터였지만, 그린맨 경위에게서 어떤 일이든 항상 들을 수 있으니까 상관없었다.

아빠는 현관문으로 가다가 잠시 멈춰 서더니 나를 돌아봤다. "너희 엄마는 너무 많은 거짓말을 했어. 뭐가 진실인지 네가 과연 알게 되기나 할까, 브린?"

"찾으면 알게 되겠죠. 엄마가 내게 진실을 말해줄 걸로 기대하지는 않아요. 하지만 진실은 저 어디쯤 있고 난 그걸 알게 될 거예요."

"조심하렴." 아빠가 말했다. "너를 잃는 건 견딜 수 없을 거다, 브린. 다니도 죽으려 할 거야. 네가 여기 얼마나 머물러야 할지 결정할 때 그걸 생각해라."

아빠의 말에 나는 등줄기에 식은땀이 흘렀다. 두 사람이 떠난 뒤나는 도어록을 돌리고 문에 등을 기대섰다. 내가 목숨을 거는 게 다니에게 온당한 일일까 하는 생각이 들었다. 우리는 함께 태어났다. 나는 다니 없이 사는 걸 상상할 수 없었고 다니도 나 없이 사는 걸 상상할 수 없다는 걸 알고 있었다.

쌍둥이의 유대감에 대해 생각하자 나는 엄마와 이모가 느꼈던 것이 그런 것이 아닐까, 그래서 한 사람이 위험에 처해 있을 때 다른 한 사람은 방관할 수 없었고, 그랬기에 두 사람 모두 문제에 휘말렸던 것이 아닐까 하는 생각이 들었다.

우리 엄마는 우리를 보호하려고 모든 걸 다했다고 했다.

엄마는 우리를 위해서 그랬던 것일까, 아니면 레이철 이모를 위해서 그랬던 것일까?

나는 문에서 몸을 떼서 거실로 되돌아갔다. 그리고 케이드에게 전화했다.

"다 괜찮아요?" 그가 물었다.

"네. 아빠와 새엄마는 비행기를 타고 LA로 돌아갈 거예요. 두 사람은 이 상황 전체에 담을 쌓은 거예요."

"그런 식으로 갑자기요, 네?"

"아빠는 엄마와는 이미 충분히 지옥을 경험했다고 했어요. 난 아빠를 전적으로 비난할 수가 없어요. 아빠는 경찰에 가지도, 호텔로 돌아가지도 않으려고 했어요. 하지만 내가 설득했으니까 그린맨 경위에게 전화할 거로 생각해요. 정말 그럴지는 두고 보면 알게 되겠죠."

"난 그분이 경찰을 피하는 이유가 이해가 안 돼요."

"그건 사람들이 보는 앞에서 아빠가 엄마를 때렸기 때문이에요. 아빠는 누군가 아빠에게 살인 미수를 적용하려 할지도 모른다고 겁을 먹고 있는 거예요."

"그렇게 하면 더 수상쩍어질 뿐이죠."

"내 말이 그 말이에요." 내가 힘없이 말했다. "하지만 깊이 들여다

보면, 아빠는 그냥 자기 자신을 방어하고 있을 뿐이라고 생각해요. 아빠가 엄마를 쐈다고는 믿지 않아요. 그건 그렇고, 당신은 뭘 하고 있어요? 작업하는 중이에요?"

"아뇨. 난 이안 홀든에 관한 자료를 읽고 있었어요. 그 사람의 수업을 찾아봤는데, 내일 아침 10시에 수업이 하나 있더군요. 우리가 그 전에 그의 주소를 얻을 수 없다면 그의 수업에 찾아가야 해요."

"그거 괜찮네요."

"지금 내가 없어도 된다면 난 작업을 좀 하려고 해요." 케이드가 말했다.

나는 그에게 매분 매초 그가 필요해지기 시작했다고 말하고 싶었으나 그렇게 하면 내 꼴은 처량한 정도가 아닐 것이었다. "난 괜찮아요. 여기를 좀 정돈하면 돼요."

"좋아요. 내가 몇 시간 정도 작업을 한 뒤 같이 타이 음식을 주문해서 먹는 것 어때요? 먹고 싶어요?"

"그럼요." 내가 말했다.

"그 전에 뭐라도 필요하면 전화해요. 바로 아래층에 있으니까요."

"난 괜찮을 거예요." 나는 그게 사실이길 바라면서 그렇게 말했다.

26

현관 벨이 울리는 바람에 나는 잠이 깼다. 나는 멍한 상태로 거실 소파에서 일어나 앉았다. 시계를 보는데 벨이 다시 울렸다. 7시가 지난 시간이었고 바깥은 어두웠다. 잠이 들었던 모양이었다.

나는 핸드폰을 들었다. 케이드가 보낸 문자 메시지 몇 개가 보였다. 마지막 메시지는 문밖에 있다는 것이었다. 나는 풀쩍 뛰어서 빠르게 복도로 갔고 그라는 걸 확인하고 나서는 안으로 들어오게 했다.

나를 보자 그의 눈에는 안도감이 가득 찼다. "당신이 걱정되기 시작했어요." 그가 말했다. 그는 맛있는 냄새를 풍기는 커다란 종이 가방을 들고 안으로 한 발짝 내디뎠다. "문자 메시지를 여러 번 보내도 답을 안 해서요."

"소파에서 잠이 들었어요. 모든 일에 너무 치였나 봐요." 나는 내 모양새가 조금 신경이 쓰여서 머리카락을 귀 뒤로 넘겼다. 내가 어떤 모습일지 전혀 알지 못했지만 보기 좋은 모습은 아닐 것이었다.

"잘했어요. 당신은 좀 쉬어야 했어요. 그리고 그래서 내 메시지에 답이 없었던 거니까 기분 좋군요." 그가 주방으로 먼저 들어갔다. "당신이 뭘 좋아할지 몰라서 여러 가지 음식을 주문했어요."

"모두 다 냄새가 끝내줘요. 그리고 난 그다지 까다롭지 않아요."

"나도 그래요." 그가 종이 가방에서 포장 박스들을 꺼내며 말했다. "특히 배고플 땐 더 그렇죠. 지금은 식욕이 넘치는데요."

"당신은 생산적인 시간을 보낸 모양이에요." 내가 그의 가벼운 눈빛을 보고 말했다.

"작품 하나를 어떻게 마무리해야 할지 벽에 부딪히기 전까지는 굉장히 생산적이었죠. 휴식을 취해야 할 때가 온 거예요."

"그런 일을 자주 겪나요? 벽에 부딪히는 일?"

"내가 바라는 것보다는 자주 있죠. 보통 그건 내가 그 전에 뭔가 잘못된 단계를 밟았다는 걸 의미하고, 그래서 그런 지점이 어딘지 알아내야 해요."

"사방이 꽉 막히면 당신은 어떻게 해요?"

"뚫고 나가죠. 그게 잘 안되면 오토바이를 타고 어디론가 멀리 달리곤 해요. 아니면 샤워를 하든지요. 그러면 머리가 비워지는 것 같거든요."

샤워를 하며 영감을 얻는, 벌거벗은 케이드의 모습을 그려보자 내 머릿속에는 온갖 생각이 떠올랐다. 짧은 순간, 나는 케이드에게 마음을 뺏기는 것에 개의치 않기로 했다. 그는 놀라울 만큼 섹시할 뿐만 아니라 또 놀라울 정도로 다정했다. 나는 그런 조합을 이룬 사람을 오랫동안, 어쩌면 한 번도 만나보지 못했다.

케이드는 어리둥절한 눈빛으로 나를 봤다. "뭐가 잘못됐어요?"

내 생각이 지금 어디에 다다른 건지 말할 수 없다는 것을 알기에 나는 목청을 가다듬었다. "그냥 생각을 하고 있어요." 내가 모호하게 말했다.

다행히도 케이드는 타이 누들과 옐로우 커리, 새우를 접시에 담느라 그 질문에 집착하지 않았다. 나도 모든 걸 조금씩 접시에 담았고, 그런 다음 우리는 식탁에 앉아서 음식을 먹었다.

"먹을 걸 가져와 줘서 고마워요." 내가 말했다.

"당신이 밖에 나가고 싶지 않을 거로 생각했거든요."

"그래요. 난 여기 집 안이 조금 더 편하게 느껴지기 시작했어요. 비록 이곳이 이 세상에서 내게 제일 안전한 장소는 아니겠지만 말이에요. 하지만 아무도 다시 침입하려 하지는 않았어요. 그러니까 좋은 징조인 거죠." 나는 잠깐 있다가 말했다. "레이철 이모가 그 뒤 어디로 갔을지 의문이에요. 아마 어딘가 호텔 방에 묵고 있을 게 분명해요."

"아마도 우리가 여태껏 들어보지 못한 이름으로요." 케이드가 건조하게 말했다.

"당신 말이 맞을 거예요." 나는 케이드가 핸드폰을 꺼내 문자 메시지를 읽자 말을 중단했다. "아무 문제 없어요?"

"내가 뉴욕으로 언제 돌아올 건지 친구가 궁금해하는 것뿐이에요." 그는 재빨리 답 메시지를 보낸 다음 핸드폰을 내려놓고 먹던 걸 계속 먹었다.

"친구에게 뭐라고 했어요?" 내가 궁금해서 물었다.

"모른다고요."

"거기 여전히 아파트를 두고 있어요?" 나는 그의 다른 생활이 궁금해져서 물었다.

"6개월 동안 재임대를 했어요. 거기로 돌아갈지, 여기 계속 있을지, 아니면 다른 곳으로 갈지 잘 모르겠어요."

"당신 친구들이 분명 당신을 그리워할 텐데요."

그는 어깨를 으쓱했다. "친구들에겐 자기들 인생이 있죠."

"그 사람들은 대부분 화가인가요?"

"몇 명은요. 몇 명은 아니고요. 그게 필수적인 건 아니잖아요."

나는 그가 살면서 많은 사람을 필요로 하는 그런 종류의 사람이 아니라는 생각이 들었다. 그는 아마도 혼자서도 충분히 행복할 수 있을 것 같았다. "우리 부모와 전혀 상관없는 당신 얘기를 좀 해줘요, 케이드. 당신이 일찍이 그림을 시작했다는 건 알아요. 다른 건 뭘 했어요? 운동을 좋아했나요? 학교에서는 모범생이었어요?"

"공원에서 거리 농구를 하며 자랐어요. 운동은 그게 다였죠. 학교에서는 학생이라기보다는 문제아였어요. 내 인생에서 학교는 전혀 필요치 않다는 걸 알게 됐죠. 엄마는 두 가지 일을 하며 아주 적은 돈을 벌면서 분투하고 있었어요. 내가 공부를 잘할 수 있도록 독려할 시간도, 기력도 없었죠. 비록 그러려고 애쓰긴 했지만요. 하지만 배워야 했던 대부분의 과목들이 내게 무슨 도움이 될 거로 생각되지 않았어요."

"미술 과목은 우수했다는 데 한 표 던질게요."

"필기를 하는 대신 그림을 그리며 하루 대부분을 보냈죠." 그는 내 말을 인정했다. "당신은 어땠어요? 항상 음악이었나요?"

"네. 그게 내가 잘했던 한 가지였죠."

"당신은 다른 것들도 분명 잘했을 거예요."

"별로 그렇지 않았어요. 난 그저 그런 학생이었어요. 성적에는 별로 신경 쓰지 않았죠. 가산점 같은 건 받아본 적이 없어요. 반면에 다니는 가산점을 받을 수 있는 건 모조리 다 했죠. 다니는 정말 월등한 학생이었어요. 상을 받을 일이 있으면 항상 받았고요."

"당신도 경쟁하는 걸 즐겼어요?"

"아뇨. 난 이겨야 할 필요를 못 느꼈고 낙제를 원하지도 않았어요. 그래서 중간에 있는 게 쉬웠어요."

"음악에 관한 걸 제외하면 말이죠."

"그것만 빼고요." 내가 맞장구쳤다. "내가 뛰어났던 과목이죠."

"우리 두 사람 다 자기에게 중요한 걸 일찍이 알았던 거네요. 그게 나쁘지는 않죠. 중요하지 않은 과목이나 활동에 시간을 낭비하지 않았잖아요."

나는 그걸 생각해 봤다. "그렇기는 하지만, 난 당신이 미술을 추구했던 것처럼 음악을 추구하지는 못했어요. 악기는 항상 켰지만 음악이 내 직업이 될 수 있다고 진짜 믿었던 적은 없었어요. 미래에 대해 그렇게 크게, 혹은 그렇게 멀리 생각할 수가 없었던 거죠. 그러려고 하면 불안해지곤 했어요. 이루지 못하면 얼마나 속상한지 알기 때문에 너무 많이 원하는 게 두려웠어요. 그런 불안감은 어린 나이에 엄마를 잃은 경험과 어느 정도 관계가 있다고 생각해요. 하지만 그렇지 않을지도 모르죠. 다니는 불안정해지지 않았고 실제로 자신만만하게 성장했으니까요. 다니는 야망과 추진력이 있었고, 그래서 나는 다니를 따라가는 게 좋았어요. 난 언니가 내 인생을 좌지우지하게 내버려 뒀던 거죠."

"그러고 나서는 그게 화가 났던 거군요." 그가 통찰력 있는 눈빛으로 말했다.

"그랬어요. 하지만 그건 내 잘못이었어요. 다니에게 통제권을 준 거니까요." 나는 잠깐 있다가 말했다. "이 말이 정확히 맞는 건 아니에요. 다니가 항상 나를 통제했기 때문에 내가 통제권을 줄 필요가 없었죠. 우리의 관계는 태어나기 전부터 시작됐어요. 다니가 먼저 태어나서 언니가 된 거니까요. 다니는 내가 그 사실을 절대로 잊지 않게 했어요."

"몇 분 먼저일 텐데요."

"그 몇 분으로 충분했죠." 나는 웃으며 말했다. 나는 마지막 한 입을 먹고 입을 닦았다. "저녁 고마워요. 내가 먹은 건 계산할게요."

"다음번에 사면 돼요."

다음번이 있다고 생각하자 기분이 좋았다. 케이드와 시간을 또 보내게 된다는 생각이 좋았다. 그러나 그와 동시에 우리가 절벽 끝까지 위험하게 다가가고 있다는 걸 느꼈다. 다음번은 기약된 시간이 아니었다.

"금방 웃음이 사라졌네요." 케이드가 뭔가를 가늠하는 눈빛이 되어 말했다.

"그냥 미래가 너무나 예측 불가능해 보일 때 미래의 계획을 세운다는 게 얼마나 불가능한 일인가를 생각하고 있었어요."

"흠, 난 죽고 사는 문제도 아닌데 너무 많은 계획을 세우는 건 좋지 않은 생각이라고 늘 생각해 왔어요. 가끔은 되는 대로 선택을 하고 결과를 따라 굴러가야 하기도 하죠."

"난 굴러온 이 모든 것 때문에 너무 많은 상처를 입고 있어요. 당신도 마찬가지죠." 나는 콕 집어 말할 수밖에 없었다. "당신은 얼굴이 심하게 멍들었잖아요."

"그러니까 더 끝내줘 보이지 않아요?" 그가 장난쳤다.

그의 말에 나는 싱숭생숭해졌다. "당신이 끝내줘 보일 때가 많다는 말은 할 필요가 없을 것 같은데요. 이미 잘 알고 있잖아요." 나는 목청을 가다듬고 빈 접시를 주방으로 가져가려고 일어섰다. "다 먹었어요? 남은 건 내가 냉장고에 넣을게요."

"다 먹었어요." 그가 자기 접시를 싱크대로 가져가며 말했다. "당신을 불편하게 하려고 한 건 아니었어요, 브린."

"그럼요." 내가 말했다. 나는 그의 눈을 제대로 쳐다보지 못하고 포장 박스들을 냉장고에 넣었다. 나는 주방에서 나가고 싶었다. 그가 너무 가까이 있었기 때문이었다. 그래서 더러운 접시들을 개수대에 남겨두고 소파로 걸어갔다.

몇 분 뒤 케이드가 내 옆에 앉자 나는 내가 의자에 앉았어야 했다는 생각이 들었다.

"당신은 여전히 불편해하는군요." 그가 다 안다는 눈빛으로 말했다.

"불편한 하루였어요. 아까 다니와 힘들게 얘기를 했거든요."

"아, 그래요? 당신 이모에 관해서요?"

"네. 그리고 오케스트라 건에 관해서도요. 그 일을 할 거라고 다니에게 말했어요."

그의 눈빛에는 놀라움과 수긍의 표정이 섞여 있었다. "잘했어요. 언니는 뭐라고 하던가요?"

"다니는 마음을 다쳤고, 화가 났고, 실망했어요. 내게 어차피 그 일을 할 거니까 하고 싶은 대로 하라고 했어요. 그러고는 전화를 끊어버렸죠."

"그래서 당신은 마음을 바꾸고 싶어졌나요?"

"아뇨. 이건 내가 직업적으로 가야 할 옳은 길인걸요. 다니에게 말할 적기는 아니었는데 내일까지 결정을 해야 해서 그렇게 한 거예요. 엄마에게 일어나고 있는 모든 걸 고려하면 그 일을 수락하는 게 미친 짓일지도 몰라요. 하지만 엄마는 오늘 의식을 찾았고 난 엄마가 회복될 거로 생각해요. 그러니까⋯."

"당신은 당신 인생을 살아가야겠죠." 그가 내 말을 끝맺었다.

"그래요." 나는 잠깐 있다가 말했다. "케이드, 솔직히 말해서 당신이 새로운 음악을 만들어 보라고 나를 밀어붙인 것도 내가 마음을 정하는 데 도움이 됐어요. 오랫동안 그래 보지 못했거든요. 그걸로 이 새로운 일뿐만 아니라 다른 가능성들에 대해서도 마음이 다시 열렸어요. 당신은 너무나 자유로워요. 하고 싶은 걸 하고, 살고 싶은

데서 살죠. 나도 내가 나를 통제하는, 그런 기분을 느끼고 싶어요."

"그런 기분을 느껴야 해요. 그렇게 살아야 해요, 브린."

"당신은 자기가 이기적이라고 느낀 적은 없어요?"

"없어요. 하지만 내겐 사업을 같이하는 쌍둥이가 없잖아요." 그가 웃으며 말했다.

"공정하네요."

"하지만 당신은 단 한 번밖에 없는 인생을 사는 거예요. 이건 당신 인생이라고요. 최대한 잘 써야죠."

"맞아요. 난 단지 어느 길로 가야 할지 모르는 것뿐이에요."

"인생이 그래서 재미있는 거죠. 상황이 불편할 때, 힘겨울 때, 내가 나를 벗어날 때, 나는 제일 살아 있는 느낌을 맛봐요. 그런 게 지겨운 것보다는 백배 낫거든요."

"난 지겨운 게 어떤 느낌인지 기억도 가물가물한걸요."

그가 미소 지었다. "그게 좋은 거죠, 브린."

"그게 좋다고요?" 내가 물었다. 나는 그의 반짝이는 눈빛에 완전히 사로잡혀 있었다.

"그건 당신이 살고 있다는 걸 의미해요. 그냥 존재하는 게 아니라요."

"살고 있는 걸까요, 아니면 달리고 있는 걸까요?"

"그게 중요해요? 당신의 피가 뛰고 있어요. 당신은 행동하고 결정하고 있어요. 중요한 건 그거라고요."

"어젯밤에 나는 죽을 수도 있었어요." 내가 그의 기억을 되살렸다.

그의 미소가 사라졌다. "그건 아주 잘 알고 있어요. 난 당신이 지금 조심하지 않아도 된다고 말하는 게 아니에요. 당신은 위험에 처해 있고 그것 때문에 어느 정도 한계가 따르기는 하죠. 하지만 나중에, 이 모든 일이 다 해결되면 당신은 자기의 방식대로 자기의 인생을 살아야 해요."

"내게 나중이라는 게 있을지 모르겠어요." 내가 말했다. "그래서 난 기다리고 싶지 않은 거예요. 기다리면 멋진 어떤 걸 놓치게 될지도 모르니까요."

그의 눈빛이 어두워졌다. "어떤 걸 놓치게 될까 봐 두려운 건가요?"

나는 입술을 훔쳤다. "난… 난 잘 모르겠어요." 나는 마지막 순간에 용기를 잃고는 거짓말을 했다. 나는 원하는 것을 요구하거나 가지는 걸 잘해본 적이 없었다.

"당신은 분명히 알고 있어요, 브린. 그걸 가지러 가요. 당신이 원하는 걸 요구해요."

케이드는 쉽게 넘어가지 않았다. 그는 내가 원하는 게 무엇인지 알고 있었지만, 내가 선택하고, 행동하고, 가지도록 종용하고 있었다. 그리고 나는 그럴 준비가 되어 있었다. "만약 거부당하면요?"

"그건 당신이 감수해야 할 위험이죠. 당신이 원하는 게 그런 위험을 감수할 가치가 있나요?"

그의 거친 목소리를 듣자 그 질문에 대한 대답이 놀라울 만큼 분명해졌다. 나는 앞으로 몸을 기울여 양손으로 그의 수려한 얼굴을 감쌌다. 그의 검은 눈동자가 우리 사이에 끓어오르는 열기로 이글거렸다. 나는 그 열기를 만끽하고 싶었다.

"내가 원하는 건 이거예요." 나는 그의 입술에 내 입술을 누르며 말했다. "당신을 원해요."

그는 바로 반응했다. 내 속에 맴돌고 있던 의혹이 무엇이건 간에 그 모든 건 뜨거운 키스 속에서 다 날아가 버렸다. 나는 나 자신을,

혹은 다른 누구를 평가하지 않을 것이었다. 나는 그냥 느낄 것이었다. 나는 격렬하게, 거리낌 없이, 열정적으로 살고 싶었다. 고맙게도, 케이드는 나와 같은 마음이었다.

얼마 안 있어 우리는 서로의 옷을 벗기고 있었다. 침실은 너무 멀었다. 욕구는 너무 컸다. 내일 어떤 일이 생길지는 몰랐지만, 내게는 오늘 밤이 있었고 나는 이 밤을 중요하게 만들고 싶었다.

나는 아무 망설임 없이 그의 팔에 몸을 던졌고 케이드는 내가 전에 한 번도 느껴본 적 없던 방식으로 내가 살아 있음을 느끼게 해주었다. 나는 마지막 순간의 그 느낌 하나하나까지 다 음미하려 하고 있었다.

27

월요일 아침에 손님 방 침대에서 잠이 깼을 때 나는 혼자여서 실망스러웠다. 어느 때쯤인가 우리는 침대로 가고 싶었는데 엄마의 침대에서 케이드와 사랑을 나누는 것은 꺼림칙한 일 같아서 손님 방으로 갔던 것이다. 나는 케이드의 팔에서 잠이 깰 것으로 생각했었다. 지금, 내 기분을 좀 풀리게 해주는 것은 오로지 감미로운 커피 향뿐이었다.

케이드는 나가고 없었다. 그러나 그는 다시 한번 커피를 만들어 놓을 정도로 다정했다. 어쩌면 자기가 마시려고 했을 뿐일 수도 있지만 말이다. 어쩌면 그는 자기에게 필요한 일을 하는 것뿐인데 나는 계속 그를 오해한 것일지도 몰랐다. 그런 생각이 들자 나는 이맛살이 찌푸려졌다.

벗은 몸을 이불로 감싸자 후회와 의심이 스멀스멀 마음속으로 기어들어 왔다. 나는 그런 생각들을 억지로 머릿속에서 밀어냈다. 우리가 보낸 밤, 우리가 함께 나눈 열정을 나는 후회하지 않을 것이었다. 그토록 자유로운 느낌을, 내가 종종 그런 척 가장하고 있던 여자가 아니라 내 머릿속에 있는 바로 그 여자가 된 것 같은 그런 느낌을 나는 한 번도 느껴본 적이 없었다. 케이드는 내가 지금껏 살아오는 동안 억눌러 왔던 내 안의 어떤 것을 열어서 드러내 주었다. 그건 내가 항상 고마워할 일이었다.

나는 침대에서 나와서 복도로 가며 주방에 케이드가 있기를 바랐다. 그러나 커피포트는 가득 차 있었지만 그의 흔적은 없었다. 나는 거실 바닥에서 내 옷을 주워 들었다. 우리 사이에 있었던 그 모든 일이 생각나서 뺨이 뜨겁게 달아올랐다. 전에도 섹스는 했었지만 이런 것은 아니었다. 그토록 야성적인, 혹은 대담한 나를 느껴본 적이 없었다. 그토록 지극히 사랑받는 느낌도 한 번도 겪지 못했었다.

하지만 그건 사랑은 아니었다. 섹스였다. 그 둘을 혼동하면 안 된다. 그 생각을 상기하면서 나는 위층으로 가서 샤워를 하고 옷을 입었다.

30분 뒤에 아래층으로 내려오니 케이드가 주방에 있었다. 너무나 멋져 보였다. 그가 내게 아주 친밀하게 미소를 보내자 뜨거운 열기가 몸속으로 흘렀다.

"잘 잤어요?" 그가 허스키한 목소리로 말했다.

"작업하러 간 줄 알았는데요."

"아니에요. 아래층에 옷 갈아입으러 갔던 거예요."

"일찍 일어났군요?"

"항상 그래요." 그가 내게 미소를 지었다. "왜 그렇게 멀찍이 서 있어요?"

나는 숨을 들이쉬었다. "그냥 확신이 없어서…."

그는 세 걸음 앞으로 다가와서 우리 사이의 거리를 지워버리고 내가 다른 말을 꺼내기도 전에 내게 키스했다. "어젯밤에는 즐거웠어요." 그가 말했다. 그러고는 다시 키스했다.

내 가슴은 이미 너무 빠르게 뛰고 있었다. "정말 즐거웠어요." 나도 말했다. "멋진… 탈출이랄까요. 벌어지고 있던 모든 일로부터요."

그는 고개를 갸웃하며 뭔가를 가늠하려는 눈빛으로 나를 봤다. "무슨 생각을 하고 있어요? 내가 당신에게 뭔가를 기대한다고 생각

거울 자매

하는 거예요, 브린?"

"아뇨, 당연히 아니죠. 그리고 나는 당신에게 아무것도 기대하지 않아요. 그냥 멋진 밤이었을 뿐이에요. 그게 다였죠. 그리고 좋았고 요. 그런데 난 지금 바보처럼 횡설수설하고 있네요."

그가 미소 지었다. "당신은 생각이 너무 많아요, 브린."

"알아요." 내가 한숨 쉬며 말했다. "나쁜 습관이죠. 자, 오늘은 뭘 할 계획이죠?"

"홀든 교수의 수업에 맞춰 가고 싶다면 30분 이내에 나가야 해요. 제러미에게서 주소가 오지 않았다면요?"

"안 왔어요. 옷을 입으면서 핸드폰을 확인했어요. 그에게서는 아 직 소식이 없어요. 난 병원에 전화도 했어요. 엄마는 여전히 잠들어 있어요. 그러니까 홀든 교수를 만나고 난 다음에 엄마 상태를 확인 하려고 해요."

"좋아요. 나가기 전에 커피와 뭘 좀 먹을래요?"

"네. 그리고 케이드, 말하고 싶은 게 하나 있는데…"

그가 내 눈을 마주 봤다. "그럼 말해요."

"나중에 어떤 일이 있더라도 난 전혀 후회하지 않아요."

"나도 마찬가지예요."

우리는 10시가 조금 지나서 UC버클리에 도착해서 이안 홀든이 강의하고 있던 강당 뒤쪽으로 슬쩍 들어갈 수 있었다. 강의실은 백 여 명의 학생들로 가득 차 있었는데 몇 분도 채 지나지 않아 우리는 그 교수가 왜 그렇게 인기가 많은지 확연히 알 수 있었다. 이안 홀든은 카리스마 넘치고 재미있는 달변가였다. 그는 또한 제 나이보다 어려 보이는 잘생긴 장년의 남자였다. 갈색 머리카락은 굵고 풍성했다. 그는 탄탄한 몸에 청바지와 남방셔츠를 입고 있었다. 매력적인 미소를 지닌 그가 강의실을 한 바퀴 둘러보면 학생들은 그가 자기를 바로 쳐다보는 것 같은 느낌을 받았다. 27년 전에 그가 얼마나 잘생기고 재미있는 사람이었을지 상상할 수 있었다.

"훌륭한 수업이었어요." 이안이 강의를 마치자 나는 케이드에게 중얼거리듯 말했다.

"그래요?" 케이드는 하품을 억누르며 물었다.

나는 웃었다. "당신은 지겨웠어요?"

"어젯밤에 내가 말했잖아요. 난 학생과는 거리가 멀었다고요. 게다가 어젯밤에 별로 잠을 못 잤으니까요."

그의 짓궂은 미소에 내 등줄기가 따끔거렸다. "나중에 낮잠을 자면 되죠."

"당신이 그런 식으로 생각하는 게 난 좋아요."

"하지만 지금은 저 교수와 얘기해야 해요."

우리는 일어나서 강단 쪽으로 계단을 내려갔다. 이안에게 말을 하려는 학생들의 줄이 길어서 우리는 옆쪽에 서서 기다렸다.

학생들 하나하나의 질문에 흥미진진하게 임하는 그의 태도가 인상적이었다. 그는 대화 상대에게 온 주의를 집중하고 있었다. 너무나 매력적인 모습이었다.

마침내, 마지막 학생들이 걸어 나갔고 그가 몸을 돌려 우리를 쳐다봤다. 나를 보자 그의 입이 쩍 벌어졌다. 벌어진 입술 틈으로 탄식하는 소리가 들렸다.

"맙소사," 그가 중얼거렸다. "당신은 누구죠?"

"브린 랜드리라고 해요." 내가 말했다. "이쪽은 케이드 베컴입니다."

아안은 케이드를 거의 보는 둥 마는 둥 한번 처다보고는 다시 내 얼굴을 샅샅이 훑었다. "당신은 내가 알던 어떤 사람과 똑같이 생겼어요."

"그 사람 이름이 뭔가요?"

"킴이었습니다." 그가 말했다. "킴 라리머."

나는 그 성을 마음에 새겨 넣었다. 그게 엄마의 진짜 성인지, 아니면 만들어 낸 건지는 몰랐지만, 그 성은 엄마의 과거를 추적해 가는 데 도움이 될 것이었다. "킴은 제 어머니예요." 내가 말했다.

그는 어안이 벙벙한 듯 고개를 내저었다. "믿을 수가 없군요. 당신 어머니라고요? 난 항상 그녀에게 무슨 일이 생긴 건지 궁금했어요. 그녀에게 아이가 있는 줄은 몰랐네요. 당신은 몇 살이죠?"

"스물일곱 살이에요." 그가 머릿속으로 뭔가를 가늠하고 있는 걸 깨닫자 온몸이 뻣뻣해졌다. **그는 내가 자기 딸인지 파악하려고 하는 것일까? 그가 우리의 친아버지일까?** 그 생각이 나를 뒤흔들었다. 어두운 머리색을 논외로 하면 우리는 그리 많이 닮은 것 같지는 않았다. 그러나 나는 엄마의 유전자를 받은 것이 분명했다. "당신과 엄마는 관계가 있었나요?" 내가 물었다. "엄마가 뉴욕대 학생이었을 때 당신은 엄마의 교수였죠?"

"그걸 물어보려고 여기 온 건가요?" 이안이 반발적으로 물었다.

"그게 한 가지 질문이에요. 그런데 대답하지 않으셨고요."

"당신이 여기 온 이유가 뭔가요?" 그가 맞받았다.

"엄마가 지난 목요일에 총격을 당했어요." 내가 대답했다. "알고 계셨나요? 대낮에 샌프란시스코에 있는 엄마의 집 바깥에서 벌어진 일이에요."

그는 나를 다시 쳐다봤다. "나는 킴이 어떻게 사는지 전혀 알지 못해요. 당신이 태어나기 전부터 그녀를 본 적이 없어요."

"엄마가 샌프란시스코에 사는 걸 모르셨다고요? 당신이 엄마와 아주 가까운 곳에 초빙 교수로 온 게 단순한 우연이라는 건가요?"

"그렇소. 무슨 일이 있는 거죠? 당신은 왜 내게 당신 어머니 일을 묻는 건가요?"

"왜냐하면 저희는 그분이 당신 동생의 저택에서 있었던 강도 사건에 연루되었을지도 모른다고 생각하기 때문이에요." 케이드가 대답했다. "그 강도 사건은 킴이 뉴욕대 학생일 때 일어났습니다. 강도들은 잡히지 않았어요. 그들은 살인을 포함해서 아주 많은 걸 저지르고 달아났죠. 경비원이 죽었어요."

"그래요, 나도 압니다." 이안이 말했다.

"그 경비원이 제 아버지라는 건 아셨나요?" 케이드가 물었다.

이안은 자세를 바로 하고 발을 옮겼다. 그리고 탈출구라도 찾는 것처럼 강의실 안을 이리저리 잽싸게 훑어보았다. 마침내 그의 시선이 우리에게 되돌아왔다. "당신 아버지 일은 유감입니다. 하지만 나는 당신들 두 사람이 이 오랜 시간이 지난 후 나를 찾아와 말을 하는 이유를 모르겠군요. 그 강도 사건에 관해서는 내 동생이 피해자라는 것 말고는 내가 아는 게 전혀 없습니다." 이안은 내 쪽으로 돌아섰다. 그의 입에서 미소는 사라지고 없었다. "그리고 당신 어머니는 피해자가 아닌 게 확실합니다. 그녀는 자기가 하고 싶었던 걸 그대로 했을 뿐이에요."

나는 그의 눈을 응수했다. 그의 목소리에는 분노와 고통이 어려 있었다. "엄마가 당신에게 상처를 줬군요. 그렇죠? 당신은 우리 엄마와 관계를 가졌던 거예요. 그걸 인정해요." 나는 그의 어깨가 움찔하는 것을 보고는 내 말이 맞았다는 것을 알 수 있었다.

"내가 당신에게 뭔가를 말해야 할 이유가 없습니다." 이안이 말했다.

"하지만 하셔야 해요." 내가 우겼다. "이것 보세요. 누군가 우리 엄마를 죽이려 하고 있어요. 그게 엄마의 과거와 연계되어 있다는 게 분명해졌어요. 저는 그 과거를 풀기 위해 죽을힘을 다하고 있어요. 저는 우리 엄마가 당신 동생의 집에서 일어난 일에 관련되어 있을 거라고 믿어요. 제발, 당신들 사이에 무슨 일이 있었던지 그냥 제게 말씀해 주세요."

그는 내 요구에 대해 갈등하며 씨름하느라 숨을 들이쉬었다. "그녀가 곤란에 처해 있다는 사실에 놀랐다는 말을 나는 할 수가 없군요. 그녀는 곤란 그 자체였으니까요."

"그러니까 당신들은 관계를 가졌다는 건가요?"

"그녀가 먼저 시작했던 겁니다. 그녀는 수업이 끝난 뒤 내 연구실로 왔어요. 그런 다음 내 아파트까지 따라왔죠. 그건 전적으로 부적절한 거였지만 그녀는 아름다웠고 관능적이었어요. 그래서 난 거부할 수가 없었어요. 야성과 격정의 관계였어요." 그가 말했다. 그는 이제 과거로 돌아가 정신이 나간 것처럼 저 먼 어딘가를 바라보고 있었다.

"그래서 어떻게 됐어요?" 내가 물었다.

"시작했을 때처럼 빠르게, 급작스럽게 끝이 났어요."

"그 강도 사건이 있기 전에 끝이 난 건가요? 아니면 그 뒤에?" 케이드가 물었다.

"그 두 사건은 관련이 없어요." 이안이 말했다. 그러더니 말을 잠깐 멈추고 이맛살을 찌푸렸다. "그 일들이 관련되어 있었나요?"

"킴이 당신에게 당신 동생에 관해, 그의 보석과 미술 수집에 관해, 그의 파티에 관해 물어본 적이 있어요?" 케이드가 물었다.

나는 넋을 잃고 그를 바라봤다. 케이드의 질문은 이안의 머릿속에 새로운 연속적인 사고의 흐름을 만든 것 같았다.

"그녀가 내 동생에 관해 물은 건 사실이에요." 이안이 시인했다. "난 그 일을 대수롭지 않게 생각했어요. 그는 자수성가한 억만장자였죠. 모두들 그에 관해 물어봤어요. 그녀는 내가 그날 밤 자기를 그 파티에 데려가 주기를 원했지만 나는 안 된다고 했어요. 대학 관계자들이 거기 있을 것이어서요. 그녀는 그의 저택을 보고 싶어 죽을 지경이라고 했어요." 그가 목청을 가다듬었다. "나는 그녀를 행복하게 해주고 싶었어요. 그래서 그 파티가 열리기 전주에 그녀를 그의 집에 데려가서 볼 수 있게 해줬어요."

나는 그 얘기에 깜짝 놀랐다. "엄마를 그 집에 데려가셨다고요?"

"그래요."

"거기서 뭘 했나요?" 케이드가 물었다.

"우리는 그냥 한 바퀴 걸어 다녔어요."

"그분이 혼자 있었던 적은요?" 케이드가 강하게 물었다.

"당신 생각에 엄마는 왜 그 집에 가고 싶었던 걸까요?" 나는 케이드를 향해 질문을 던졌다.

그가 내 눈을 마주 봤다. "아마도 집의 배치와 보안 시스템에 대한 내부 정보를 얻기 위해서겠죠." 그는 이안 쪽을 봤다. "당신은 보안 시스템에 접근할 수 있었나요?"

"나만의 출입 비밀번호가 있었어요. 내 동생은 자기가 없을 때 내가 자기 집을 사용하는 것에 대해 개의치 않았어요. 그런 경우가 거의 없었기 때문이었죠. 나는 거기 가는 걸 별로 좋아하지 않았어요. 그의 부나 그에 대해 나는 큰 감흥이 없었죠. 우리는 아주 달랐어요. 그는 오로지 돈만 생각했죠. 그는 자기 이름 뒤에 표시되는 돈의 액수로 자기를 평가했어요." 이안이 잠시 말을 멈춘 뒤 말했다. "킴을 그 집으로 데려간 후 나는 그녀의 열정이 정말 음악에 있는 건 아니라는 생각이 들었어요. 그녀는 내 동생이 솔로몬 하셔에게서 구입한 바이올린에는 거의 눈길도 주지 않더군요."

"정말이에요?" 내가 물었다. "그건 이상한데요. 솔로몬은 유명한 바이올리니스트인걸요."

"나도 희한하다고 생각했어요" 그가 시인했다.

"킴은 당신 동생의 집에 들어가기 위해 당신을 이용했던 거군요." 케이드가 매섭게 말했다.

"그게 사실인지는 모르겠군요." 이안이 느리게 말했다.

그의 말에도 불구하고 나는 그가 사태를 정확하게 깨닫기 시작했다는 것을 알 수 있었다. 나 역시 엄마의 행동에 큰 실망감을 느꼈다. 엄마가 그토록 돈에 눈이 멀었다는 생각은 한 번도 해본 적이 없었다.

"강도 사건이 있기 전에 당신이 킴을 그 집으로 데려갔다는 말을 왜 경찰에 하지 않았나요?" 케이드가 물었다. "그 내용은 경찰 보고서에 없었어요."

"난 그게 무슨 연관이 있다고 믿지 않았어요. 그녀는 파티에는 없었으니까요. 경찰은 내게 그날 밤에 관해서 물었을 뿐입니다. 우리가 거기 갔던 일이 그 강도 사건과 조금이라도 관계가 있다는 생각은 전혀 떠오르지 않았어요. 킴은 바이올린을 연주하는 스물한 살짜리 여학생이었죠. 위험인물이 아니었어요."

"하지만 당신은 파티에 있었어요." 케이드가 말했다. "그리고 마지막으로 현장을 떠난 사람이자 우리 아버지와 마지막으로 말을 나눈 사람이었고요. 맞지 않나요?"

"그래요. 나는 그 파티가 대학교 기금 마련 행사였기 때문에 거기 갔습니다. 파티가 끝나자 나는 경비원에게 인사를 하고 나왔어요. 그 뒤에 어떤 일이 있었는지 나는 모릅니다."

"파티가 끝나고 나서 우리 엄마를 만났나요?" 내가 물었다.

"아뇨. 그녀는 다음 데이트를 취소했어요. 아프다고요. 나는 그녀를 돌보고 싶었지만 그녀는 룸메이트와 함께 살고 있었고 우리는 아무도 우리에 대해 알게 해서는 안 되었죠. 나는 그녀가 회복하여 내게 전화해 주기를 기다렸지만 그러지 않았어요. 다음에 내가 알게 된 일은 그녀가 학교를 자퇴했다는 것과 전화 연결이 되지 않는다는 것이었어요." 다른 목소리들이 들리는 바람에 그가 말을 멈췄다.

고개를 돌렸더니 강당으로 학생들이 여럿 들어오는 것이 보였다.

"다음 수업이 곧 시작됩니다." 이안이 말했다. "우리는 나가야 해요."

"잠깐만요." 내가 말했다. "전화번호 좀 주실 수 있으세요? 제가 더 물어볼 것들이 있을 것 같아서요."

그는 망설였다. "이 이야기는 정말 더는 하고 싶지 않은데요. 킴이 다쳤다니 유감이지만 우리는 오래전에 끝난 사이입니다. 잘 해결되길 빌게요."

그가 걸어 나가자 다음 선생이 강단으로 내려왔다. 그들이 몇 마디 말을 나누고 있을 때 케이드와 나는 계단을 올라가서 강당을 빠져나왔다.

주차장을 가로질러 내 차까지 걷는 동안 케이드는 긴장한 모습으로 말이 없었다. 차 안에 타자 나는 그를 돌아봤다. "어떻게 생각해요?"

"당신 어머니가 강도 일당이 집 안으로 들어가도록 도왔다고 생각해요. 그리고 그렇게 하는 데 그 교수를 이용했고요."

"하지만 엄마는 당신 아버지가 살해되자 죄책감을 느끼고 당신 어머니에게 돈을 보냈죠."

"피 묻은 돈이죠." 그가 차갑게 말했다. "당신 어머니에게 내 그림을 판 게 후회됩니다. 그 집으로 이사한 게 후회돼요. 당신 어머니를 만난 것 자체가 후회돼요."

나는 그의 화가 어디서 나오는지 이해할 수 있었다. 그리고 불현듯이 모든 게 어디로 향할지 깨달았다. 케이드와 우리 엄마의 관계는 끝이 난 것이었다. 그리고 나와도 그럴지 몰랐다.

28

"시내로 돌아가죠." 케이드가 말했다. "난 작업하러 가야겠어요."

나는 시동을 걸고 주차장을 빠져나왔다. 샌프란시스코로 돌아가는 길에 나는 무슨 말을 해야 그의 기분이 나아질지 생각했으나 아무것도 떠오르지 않았다. 우리 엄마가 그 일당을 도왔다면, 그랬다면 엄마는 케이드 아버지의 살인 사건에 연루되어 있었다. 그리고 엄마가 케이드를 돕기 위해 무슨 일을 했든지 그건 모두 죄책감에서 비롯된 것이었다.

나는 엄마가 케이드에게 관심을 가졌던 것에 대해, 전혀 알지도 못하는 사람을 자기 친딸보다 더 기꺼이 지원했던 것에 대해 질투심을 느꼈었다. 하지만 이제 나는 그가 또다시 마음에 상처를 입었다는 사실이, 그리고 엄마의 행동이 그에게 더욱더 많은 고통을 안겨주었다는 사실이 말도 못 하게 미안했다.

나는 벌써 집으로 갔어야 했다. 상처받은 사람은 나만이 아니었고 케이드는 이런 일을 겪을 이유가 없었다.

머릿속에 생각이 핑핑 돌았지만 나는 한마디 말도 밖으로 꺼낼 수가 없었다. 게다가 케이드는 별로 말하고 싶지 않은 듯 베이브리지를 건너 시내로 돌아가는 동안 시선을 창 밖에 두고 있었다.

집에 도착하자 케이드는 나를 따라 안으로 들어온 다음 입구에서 멈춰 섰다. "아무 문제도 없는지 여기서 확인하지 그래요?"

"그런 다음에는요? 당신은 뭘 하려고 해요?" 내가 물었다.

"난 끝마쳐야 할 작업이 좀 있어요, 브린."

"알겠어요. 하지만 우리가 알게 된 일에 관해 얘기 좀 할래요?"

"아뇨. 그 문제는 아무것도 말하지 않는 편이 낫겠어요." 그가 매정하게 말했다.

"화가 났군요."

"열 받았어요. 오랫동안 지금처럼 화가 났던 적이 없어요. 그리고 그 화를 당신에게 풀고 싶지는 않아요."

"그건 고맙게 생각해요. 하지만 우리는 그 문제를 터놓고 말해야 해요."

"안 되겠어요. 난 아래층으로 가서…." 그의 입술이 굳어졌다. "있잖아요? 난 작업하러 가지 않을 거예요. 짐을 싸고 호텔을 찾을 거예요. 당신 어머니 집에 계속 있지는 못하겠어요."

나는 실망감에 휩싸였다. "그래요. 이해해요."

"당신 때문이 아니에요." 그가 말했다. "내가 여기 있을 수 없는 건, 당신 어머니가…." 그가 고개를 내저었다. "당신 어머니가 우리 아버지를 실제로 죽였을 수도 있다는 걸 알아요, 브린? 우리는 당신 어머니가 그 일당을 들였다고 계속 생각하고 있어요. 어쩌면 자신이 그 일당이었을지도 모르죠. 방아쇠를 당겼을지도 모른다고요."

"그건 믿을 수 없는 일이에요, 케이드."

"당신은 어머니를 몰랐어요. 당신은 자기 어머니를 사랑했던 어린아이였죠. 하지만 당신 어머니가 누군지, 뭘 했는지 당신은 알지 못했어요."

"그건 그렇죠. 하지만 —"

그는 고개를 세차게 흔들며 내 말을 끊었다. "우리 엄마에게 그 오랜 세월 동안 줬던 돈이 어디서 났다고 생각해요, 브린?"

"모르겠어요."

"이 집을 산 돈이 어디서 났다고 생각해요?"

"모르겠어요." 내가 반복해서 말했다.

"아뇨, 당신은 알고 있어요. 당신 어머니는 훔친 돈으로 인생을 살고 있었어요. 그게 유일하게 상식적인 대답이에요. 그날 밤 없어졌던 미술품이나, 현금, 다이아몬드들은 전혀 발견되지 않았어요. 그리고 여기서 일어난 일을, 벽에 뚫린 구멍들을 생각해봐요. 누군가 뭔가를 찾고 있었던 게 분명하죠. 그게 당신 어머니가 그 먼 옛날에 훔쳤던 것이라고 나는 생각해요. 누군지 몰라도 당신 어머니를 죽이려 하는 사람에게서, 그 일당 중 어떤 사람에게서 취했던 거였겠죠."

그의 말은 끔찍한 시나리오를 그려냈다. 그러나 거기에는 많은 진실이 들어 있었다.

"당신은 집으로 가야 해요." 케이드가 계속 말했다. "당신 어머니는 오래전에 당신에게 등을 돌렸어요. 설령 회복된다 해도, 당신이 잃어버린 그 사람은 절대 되돌아오지 않을 거예요. 왜냐하면 그런 사람은 존재하지 않으니까요. 어머니를 추억 속에 묻어둬요. 그게 더 안전한 길이에요."

"난 당신이 안전한 길을 절대 선택하지 않았던 사람이라고 생각했어요." 나는 그를 일깨웠다. "그리고 난 당신이 방금 말한 모든 걸 우리 엄마가 확인해 주는 걸 들어야 해요."

"당신은 당신 어머니가 느닷없이 자기가 20년도 더 전에 저지른 범죄를 고백할 거로 생각하는 건가요?"

"그래요. 왜냐하면 난 딸이니까요. 그리고 난 엄마가 이제 진실을 내게 말해줄 만큼 나를 사랑한다고 생각하니까요."

그를 고개를 내저었다. "당신은 망상 속에 살고 있는 거예요." 그는 문 쪽을 향해 가다가 나를 돌아봤다. 그리고 숨을 내뱉었다. "미안해요. 난 그냥 당신에게 화풀이하지는 않을 거라는 말을 한 거예요. 그리고 그게 정확하게 내가 하고 있는 일이고요. 난 당신을 떠나는 게 아니에요. 당신이 여기 계속 있겠다면 나도 있을게요. 당신을 혼자 있게 하고 싶지는 않아요."

"여기 있으면 미칠 것 같다면 당신은 여기 있지 않는 게 좋겠어요. 당신은 그럴 이유가 없어요. 그렇게 보이지 않을지 몰라도 난 스스로 잘 챙길 수 있어요."

"나와 함께 호텔로 갈래요?"

"그냥 뭐든 당신이 해야 할 걸 해요, 케이드. 난 우리가 알게 된 일에 관해, 그리고 다음에 뭘 할지에 관해 생각할 시간이 필요해요."

"여기 계속 있을 건가요?"

"엄마가 깨어날 때까지요. 그러면 병원으로 갈 거예요. 그다음엔 두고 봐야죠."

"나가기 전에 내게 연락해요. 내가 함께 갈게요."

나는 고개를 저었다. "별로 좋은 생각 같지 않아요. 난 엄마와 얘기를 하려다가 이미 하루를 놓쳐버렸어요. 엄마의 신경을 자극했기 때문에 말이에요. 당신이 이런 기분으로 엄마와 말을 하려 하면 엄마는 또다시 정신을 놓을 거예요."

그가 얼굴을 찌푸렸다. "흠, 그럼 가기 전에 전화해요. 어찌할지 궁리해 봐야죠."

나는 그가 나간 후 도어록을 돌렸다. 여기 온 이래 제일 쓸쓸한 기분이 들었다. 우리 사이에 무르익었던 게 무엇이건 간에 엄마가 그의 아버지의 죽음에 개입되어 있었다는 것을 알게 되자 한순간에 다 꺼져버렸던 것이다. 그는 나를 볼 때마다 자기 아버지의 비극적인 죽음을 떠올리지 않을 수 없을 것이었다.

부르릉거리는 엔진 소리에 나는 창으로 갔다. 케이드가 오토바이를 타고 진입로를 빠른 속도로 빠져나갔다. 그는 작업을 하는 대신 오토바이를 타고 달리는 것으로 분노를 삭이려고 작정한 모양이었다.

커튼을 내리고 나는 천천히 복도를 따라 걸으며 다음 행보를 고민했다. 손님 방의 열린 문과 헝클어진 침대를 보자 우리가 나누었던 열정이 떠올랐지만, 이제 그건 백만 년 전의 일인 것처럼 느껴졌다. 나는 안으로 들어가서 침대 커버를 벗겨서 세탁실로 가져갔다. 나는 세탁을 시작한 다음 거실로 돌아왔다.

케이드는 노트북을 소파 테이블 위에 두고 갔다. 컴퓨터가 여전히 켜진 상태여서 나는 스페이스 바를 눌렀다. 화면에 불이 들어오면서 경찰 보고서가 나타났다. 나는 앉아서 읽기 시작했다. 경찰이 그 현장에서 정확히 무엇을 발견했는지, 수사는 어떤 방향으로 진행되었는지 다시 알고 싶은 마음이 굴뚝같았다. 내가 특히 관심이 있었던 것은 도난당한 물건들이었는데 그 부분은 전혀 모르고 있었던 것이다.

제임스 홀든은 다이아몬드, 사파이어, 오팔, 그리고 여러 점의 보석을 잃어버렸다고 신고했는데 도합 1000만 달러 상당이었고 그것도 27년여 전의 가치가 그랬다. 지금으로 치면 훨씬 더 높은 금액이 될 것이었다. 도난당한 그림 두 점 또한 200만 달러의 가치가 있었다. 홀든은 50만 달러의 현금도 도난당한 것으로 신고했다.

집에 그렇게 많은 현금을 보관하던 사람들은 대체 어떤 사람들일까? 나는 상상조차 할 수가 없었다.

만약 우리 엄마가 그 강도 사건에 연루되었고, 그래서 훔친 물건들 중 일부, 혹은 전부를 가졌다면 엄마는 다시는 일할 필요가 없었을 것이었다. 엄마는 어쩌면 무고한 피해자가 아니라 범죄자였는지도 모른다. 엄마의 총격은 배신에 대한 강도들 사이의 보복이었을지도 몰랐다.

그 생각을 하자 나는 레이철 이모 역시 의문스러웠다. **이모는 엄마와 함께 뉴욕에 살았었다. 이모 역시 그 일당 중 한 명이었을까? 두 사람은 함께 그 일에 가담했던 것일까? 그래서 도주했던 것이고, 그래서 지금 경찰에 갈 수가 없었던 걸까?**

그런 어지러운 생각들을 잠시 접어두고 나는 보고서의 나머지 부분을 끝까지 읽었다. 그러나 특별히 눈에 띄는 것은 전혀 없었다. 우리는 이미 우리 엄마와 홀든 형제의 연관성을 찾아냈다. 케이드의 아버지가 근무 중에 그 일에 개입했다는 가설은 추측에 불과했을 뿐이었다. 그와 홀든 형제 사이에는 연관성이 없었다. 케이드의 아버지는 2년 이상 사설 경비업체에 무사고 근무 중이었다. 그런 추측을 가능케 하는 유일한 단서는 그가 다른 경비원에게 자기는 집을 한 바퀴 마지막으로 더 둘러보기 위해 남아 있겠다고 말을 했다는 것이었다. 그들은 30분 전에 자신들이 해야 할 마지막 점검을 다 마친 상태였기 때문에 그가 왜 그렇게 했는지 모른다고 말했다.

그는 왜 남아 있었던 것일까? 그는 뭔가를 봤던 걸까, 아니면 무슨 소리를 들었던 것일까?

안타깝게도, 그건 알 수가 없을 것이란 생각이 들었다. 세탁기에서 울리는 알림 소리가 내 몽상을 뚫고 들어오자 나는 고개를 들었다. 나는 일어나서 침구를 드라이기로 옮겨 넣고 지금까지 내가 끌어 맞춘 것들에 대해 생각하면서 다시 소파로 돌아왔다.

누가 제임스 홀든의 집을 강탈하고 케이드의 아버지를 죽였는지 파악하는 건 시작할 수도 없었지만, 우리 엄마 자매가 어느 정도 연루되어 있을 가능성은 있었다. 이안은 그 파티가 열리기 며칠 전에 우리 엄마를 자기 동생의 집으로 데리고 갔다. 그것은 우연이 아니었다. 엄마는 거기 있는 동안 뭔가를 알게 되었을 것이다. 누군가 엄마와 뉴욕대 이안 홀든의 관계를 이용해서 엄마에게 강압적으로 강도 일당을 돕도록 했을 수도 있었다. 그러나 나는 엄마를 그렇게 많이 믿을 수가 없었다.

눈을 감고서 나는 숨을 들이쉬었다가 천천히 내뱉었다. 엄마의 모습이 뇌리를 떠다녔다. 나는 그 모습을 쫓아버리려고 애쓰지는 않았다. 그 모습을 따라가면 어디로 가는지 보고 싶었다. 좋았던 시간뿐만 아니라 나쁜 시간도 기억하고 싶었다.

그러나 나는 곧 그 어디에도 나쁜 시간은 없었다는 것을 깨달았다. 엄마는 훌륭한 어머니였던 것이다. 엄마는 아마도 자기 자매를 만나기 위한 수단으로 박물관을 이용했던 것인지 모르지만, 우리가 예술과 역사, 그리고 음악을 배울 수 있는 수많은 곳으로 우리를 데리고 다녔었다. 엄마는 내게 바이올린을 가르쳤다. 우리에게 이야기를 읽어주었다. 우리와 함께 영화를 봤다. 정원을 가꾸는 법을 우리에게 가르쳐 주었다. 매년 봄이면 우리는 새 나무를 심곤 했었다. 엄마가 세심한 사랑을 담아 나무들 하나하나를 돌보며 정원 일을 하는 것을 보면 마법 같은 느낌이 들곤 했었다. 꽃들은 햇빛 아래서 실제로 은은하게 빛이 났다. 화단을 깊이 파는 엄마의 손가락 사이사이로 흙들이 흘러내리던 것이 기억났다. 그리고 그다음에 태양이 엄마의 손에 비치자 모든 것이 너무나 반짝거렸던 것도.

나는 눈을 번쩍 떴다. 그리고 후다닥 일어나 앉았다. 심장이 뛰기 시작했다. 엄마의 손에 있었던 것은 그냥 흙이 아니었다. 돌멩이들이, 반짝이는 돌멩이들이 있었던 것이다. 나는 언젠가 엄마에게 그 돌멩이들을 어디서 찾았냐고 물었었다. 엄마는 그냥 웃으며 오래전에 생긴 것들이라고 했다. 그 반짝이는 돌멩이들은 나무가 자라는 걸 도왔다.

그러나 그건 나무를 자라게 하는 마법의 돌멩이가 아니었다. 그것들은 진짜 돌이었다. 투명하고 날카로운 각이 있던, 눈부시게 빛나던 돌멩이는 다이아몬드 같았고 파란 돌멩이는 사파이어일 수 있었고, 초록색 돌멩이는 에메랄드일 수 있었다.

나는 벌떡 일어나서 내가 대단한 뭔가를 발견한 것은 아닐까 하고 생각하며 앞뒤로 왔다 갔다 했다. 창문으로 시선이 가자 뒤쪽 발코니에 있는 정원과 뒤 울타리에 쭉 심어진 색색의 꽃들이 눈에 들어왔다.

나는 뒷문을 활짝 열고 계단을 달려 내려갔다.

누군가 집에 침입했을 때 그들은 발코니 의자들을 뒤집어 놓고 집 뒤쪽 작은 창고에 있던 정원용품들을 여기저기 던져 놓았지만 화단을 파헤치지는 않았다.

정원이라는 선택지를 응시하면서 나는 내가 정신이 나간 건 아닐까 의심스러웠다. 우리 엄마가 정말 값비싼 보석들을 흙 속에 심었을까?

나는 엄마가 실제로 그 도난당한 물건 중 하나라도 가지고 있는지조차 알지 못했다. 그러나 케이드가 지적한 것처럼 엄마는 교사의 급여로 감당할 수준이 아닌 것들을 구입했던 것이다.

나는 창고에서 삽을 하나 집어 들고 꽃밭으로 걸어갔다. 나는 무릎을 굽힌 채 삽을 흙 속에 넣고 흙을 파기 시작했다.

30분 뒤에 나는 화단을 거의 다 뒤집어엎었지만 아무것도 찾지 못했다. 손은 더러워졌고 무릎과 팔이 아팠다. 나는 막 포기하려고 생각하고 있었다. 그러나 더 할 부분이 별로 남아 있지 않았다. 하던 일을 마치는 편이 좋을 것이었다.

마지막 한 단의 꽃을 갈라놓았을 때 딱딱한 어떤 것이 삽에 걸렸다. 나는 심장이 쿵 내려앉았다. 나는 그 정원용 도구를 던져버리고 손으로 더 깊이 파 내려갔다. 드디어 나는 20cm X 25cm 정도 크기의 금속 상자를 끄집어냈다. 거의 믿을 수가 없는 일이었다. 상자 위에는 작은 번호 자물쇠가 있었기에 더는 안 되겠다는 생각이 들었다. 하지만 내 생일을 넣어 보았더니 자물쇠가 탁 벌어졌다. 나는 땅바닥에 주저앉아 뚜껑을 열었다. 심장이 빠르게 고동치고 있었다.

상자 안에는 내 인생의 첫 7년이 담긴, 유아기의 사진들이 한 묶음 있었다. 엄마가 종적을 감추었을 때 가방 속에 들어 있었던 것들임이 틀림없었다. 여러 장소의 우편엽서들도 한 묶음 있었다. 아무것도 적혀 있지 않은 엽서들이었다. 나는 이맛살이 찌푸려졌다. 저 장소들이 엄마가 몇 년씩 있었던 곳이 아닐까 하는 생각이 들었던 것이다. 그러나 왜 멀찍이 숨겨 놓았단 말인가?

나는 그것들을 한쪽 옆에 두었다. 그것들이 의미하는 바는 나중에 생각할 일이었다. 엽서 밑으로 1만 달러 정도의 현금이 있었고 커다란 검정 벨벳 주머니가 있었다. 나는 주머니의 끈을 당겨 열고는 내용물을 손에 부었다. 그리고 감탄이 절로 나올 만큼 눈부시게 반짝거리는 아름다운 돌멩이들을 바라보고 있었다. 대부분은 다이아몬드였고 사파이어와 놀랍도록 붉은 루비가 몇 개 있었다. 또한 사방에 다이아몬드가 박힌 커다란 사각 에메랄드 반지와 다이아몬드 초커, 또 다른 사파이어와 다이아몬드 반지도 있었다.

나는 눈앞에 보이는 것을 믿을 수가 없었다. 그 강도 사건에서 생긴 보석들이 틀림없었다. 경찰 보고서의 물품 목록과 내가 발견한 것을 비교해 볼 필요가 있었다. 이게 전부인 것 같지는 않았지만 지금 내 손에 있는 것은 아마도 수백만 달러의 값어치가 있을 것이었다.

그리고 그것들을 엄마는 화단 깊숙이 숨겨 놓았다.

더 많은 깨달음이 밀려왔다. 내가 아이였을 때 엄마에겐 이 돌멩이들이 있었다. 엄마는 아마도 내가 태어나기 전에 있었던 그 강도 사건 이후 계속해서 이것들을 간직해왔을 것이다. 우리 엄마는 도둑이었고 어쩌면 살인자였을 수도 있었다. 엄마는 범죄자였던 것이다. 설령 엄마가 순간의 충동으로 그런 짓을 했다 해도 그것은 오래전의 일이었다. 그런데 이 긴 세월 동안 엄마는 그 훔친 자산을 보관하고 있었던 것이다. 몇몇 물품을 팔아서 이 집을 사고 인생을 설계했던 것이 틀림없을 것이었다.

나는 레이철 이모에 관해 의구심이 들었다. **엄마는 레이철 이모 역시 지원하고 있었던 걸까? 두 사람이 훔친 물건들을 나누어 가졌을까? 그 사건 때 함께했던 것일까?**

어쩌면 그것이 ― 도둑이자 범죄자, 그리고 사기꾼 ― 그 두 사람의 정체였을지도 몰랐다.

내 손에 쥔 그 어떤 것도 다르게 믿을 만한 근거를 주지 못했다.

도대체 난 여기서 뭘 하고 있었던 거지?

나는 한때 내게 잘해줬지만 아버지도 아닌 사람이 나를 기르도록 남겨 놓고 흔적도 없이 사라져 버렸던 어떤 여자를 위해 내 목숨을 걸고 있었던 것이다. 아빠가 엄마의 배신이 얼마나 지독한지 깨닫고서 무너져 버린 것은 당연한 일이었다.

아빠가 우리의 친아버지가 아니라는 것을 생각하자 나는 이안 홀든에 대해 의구심을 갖지 않을 수가 없었다. **이안 홀든이 나의 아버**

지일까?

시간상으로는 맞았다. 그러나 우리의 친아빠가 위험한 남자였다는 레이철 이모의 설명과는 맞지 않았다. 아니 어쩌면 내가 이안에 대해 그 누구보다 더 몰랐을 수도 있었다.

엄마가 총에 맞기 한 달 전에 그가 샌프란시스코에 나타난 것은 단순한 우연이었던 것일까? 어쩌면 그가 엄마를 쏜 사람이었는지 모른다. 아니면 누군가를 고용해서 그렇게 하도록, 엄마를 재차 죽이려 하고 나를 납치하도록 한 사람이었는지도 모른다. 그에게는 돈과 인맥이 있었다. 그는 대학에서 근무했기에 그런 불법 인터넷에 대해, 혹은 그 어디든 청부 살인자를 고용할 수 있는 곳에 대해 알려줄 수 있는 많은 학생들과 접촉했을 수도 있었다.

호주머니에서 진동음이 울려서 나는 돌멩이들을 주머니에 다시 쏟아붓고 핸드폰을 잡았다.

"여보세요?" 내가 말했다.

"랜드리 씨? 세인트 메리 병원의 간호사 밀러입니다. 어머니가 깨어나셔서 당신을 찾고 있습니다."

심장이 쿵 떨어졌다. "반가운 소식이네요. 저도 정말 엄마가 보고 싶거든요. 최대한 빨리 그리 가겠습니다."

나는 전화를 끊고 그 주머니와 금속 상자를 집 안으로 가져갔다. 어디다 그걸 둬야 할지 고민이 되었다. 테이블 위에 그냥 올려 둘 수는 없었다. 그래서 나는 그 모든 걸 위층으로 가져가서 그 상자를 옷더미 밑에 파묻었다. 나는 침실로 돌아가서 재킷을 손에 쥐었다.

재킷을 입는 동안 그 돌멩이들에 대한 생각이 바뀌었다. 나는 드레스룸으로 다시 가서 상자에서 벨벳 주머니를 꺼냈다. 그리고 에메랄드 반지를 꺼내 재킷의 지퍼 달린 안주머니에 넣었다. 엄마가 내게 진실을 말하도록 엄마 앞에 내놓을 뭔가가 필요했던 것이다. 주머니를 도로 상자에 넣으려다가 그 내용물들을 따로따로 두는 게 더 현명할 거라는 생각이 들었다.

또 한차례 고민 끝에 나는 그 주머니를 침실로 가져가서 숨기기에 좀 더 좋은 곳을 찾아봤다. 벽에는 아직도 구멍이 여러 개 있었다. 나는 원래 그 자리에 걸려 있던 그림들로 그 구멍 몇 개를 가려 놓았었다. 누구라도 이미 찾아봤던 곳을 다시 볼 것이라는 생각은 들지 않았기에 나는 그림을 침대 위에 내려놓고 주머니를 부서진 벽 안에 집어넣고 그 위에 다시 그림을 걸었다.

돌아서 나오면서 나는 병원에 가는 길에 그 모든 걸 경찰서에 가져가야 하는 게 아닐까도 생각했다. 그러나 나는 경찰이 그것들을 가져가기 전에 엄마와 먼저 얘기를 하고 싶었다. 그리고 그러려면 시간이 얼마 없었다.

나는 가방을 움켜쥐고 계단을 뛰어 내려갔다. 바깥으로 나갔을 때 케이드의 오토바이는 보이지 않았다. 그가 지금 어디 있는지 누가 알겠는가? 그는 어디라도 있을 수 있었다. 털어내 버릴 화가 너무 많았으니까. 나는 엄마가 깨어났다고, 그래서 병원으로 갈 거라고 재빨리 그에게 문자 메시지를 보냈다. 그는 내가 차에 타서 시동을 걸 때까지 대답하지 않았다. 아마도 여전히 길 위에 있을 것 같았다. 나는 그에게 내가 찾아낸 것을 알리고 싶었지만 문자 메시지로 남기고 싶지는 않았다. 그래서 나는 핸드폰을 내려놓고 세인트 메리 병원으로 향했다. 지난번에 병원으로 갈 때보다 훨씬 희망적인 느낌이 들었다.

엄마에게 내가 무엇을 찾았는지 말하지 않고는 배길 수 없었다. 엄마는 내 호주머니에 증거가 있는 이상 내게 거짓말을 하지 못할 것이었다. 나는 마침내 진실을 알게 될 것이었다. 엄마의 신경이 과민해져서 의사가 나를 또다시 쫓아내지 않게 되기를 바랄 뿐이었다. 나는 할 수 있는 한 침착하게 사태에 접근해야 할 것이지만 몸속에 아드레날린이 솟구치고 있어서 쉬운 일이 아니었다..

핸드폰 진동음이 울렸고 다니의 전화번호가 뜬 것이 보였다. 전날 밤 다니가 전화를 끊어버린 이후 우리는 대화를 하지 않고 있었다. 다니에게 말을 해야 하지만 지금 이 순간은 아니었다. 이제 막 병원 주차장으로 진입하고 있었기 때문에 길게 얘기를 나눌 수는 없었다. 엄마와 말을 하고 나서 다니에게 다시 전화할 것이다. 마침내 사태의 전말을 다니에게 말해주게 되기를 나는 바랐다.

주차장에는 차가 많았다. 그래서 주차 구조물의 꼭대기 층에 차를 대야만 했다. 엘리베이터를 기다리는 것조차 참을 수가 없어서 나는 계단을 뛰어 내려갔다. 1층에 거의 이르렀을 때 누군가가 내 뒤로 오는 소리가 들렸다. 동작이 빨랐기에 시끄러운 소리가 났다. 막 뒤를 돌아보는 순간 엄청난 무게가 내 머리를 짓누르는 것을 느꼈다. 나는 마지막 몇 계단을 굴러 내려갔고 내 몸은 통증으로 찢어지는 것 같았다. 동시에 이번에는 도망치지 못할 것이라는 절망적인 생각이 나를 스쳐 갔다.

29

얼마나 오랫동안 정신을 잃었는지 모르지만, 주위의 소음을 의식하게 되었을 때 나는 내가 아직 살아 있다는 것 — 최소한 지금은 — 을 알게 되었다. 나는 뭔가 딱딱하고 차가운 것 위에 누워 있었다.

눈을 뜨자 통증이 온몸을 훑어 내려갔다. 내 위쪽에 있는 블라인드 틈으로 들어오는 빛 때문에 더 견디기 힘들었다. 나는 눈을 가늘게 뜨고 욱신거리는 통증을 견디며 초점을 맞춰 보려 애썼다. 숨을 쉴 때마다, 심장이 뛸 때마다 통증은 점점 더 심해지는 것 같았다.

누군가 우는 소리가 들렸다. 일어나 앉으려고 했을 때 나는 양손이 등 뒤로 결박되어 있다는 것을 깨달았다. 몸을 뒤집는 데도 한참이 걸렸다. 그러나 나는 옆으로 몸을 돌려 겨우겨우 일어나 앉을 수 있었다. 내가 있는 곳은 창고였다. 성경책들로 채워진 먼지 덮인 선반들이 있었다. 나는 그 이상한 광경에 눈을 깜박거렸다. 거기에는 또 양초와 소책자들, 악보대 같은 것과 향 내음이 풍기는 용기들도 있었다.

내 시선이 방을 이리저리 가로지르다가 갑자기 멈추었다. 내 맞은편 바닥에 누워 있는 형상이 보였던 것이다. 심장 박동이 멈추었다. 그녀의 양손은 결박되어 있었고 눈에는 안대가 감겨 있었다. 그러나 나는 나 자신을 아는 것처럼 그녀를 알고 있었다.

"다니." 나는 새로 힘을 내어 무릎을 꿇어 세우고 서둘러 바닥을 가로질러 가며 말했다. "이런, 세상에! 어떻게 여기로 오게 된 거야?"

"브린?" 등으로 몸을 돌리며 울음 섞인 소리로 그녀가 물었다.

"그래, 나야. 어떻게 된 일이야?"

"모르겠어. 난 장을 보러 갔었어. 장바구니를 차 뒤에 넣었는데 누군가 내 머리를 쳤어. 깨어났더니 눈이 가려진 채 차 트렁크에 실려 있었어. 몇 시간을 그렇게 보냈어. 그다음 어떤 남자가 나를 이리로 데려와서 바닥에 내동댕이쳤어. 여기는 어디야? 눈에 뭔가 보여?"

"응. 우리는 창고에 있어. 교회 같은 느낌이 드는 곳이야. 성경과 양초가 있는 선반들이 있어."

"교회라고? 우리가 어떻게 교회에 있게 된 거지?"

"모르겠어. 나도 정신을 잃었었어. 겨우 몇 분 전에 정신이 들었어."

"조금 전에 그들이 여기 내팽개친 사람이 너였구나. 문이 열리는 소리가 들렸거든. 거기 누구냐고 물었지만 아무도 대답하지 않았어. 발소리가 들렸고 그다음엔 쿵 소리가 들렸어. 누가 옆에 있다고 생각했지만 나는 말을 할 수가 없었어."

"내가 네 눈가리개를 벗겨줄 수 있을지 한번 볼게. 난 양손이 등 뒤에 결박되어 있긴 하지만 그걸 풀 방법이 있을 거야. 일어나 앉아볼 수 있겠어? 네 바로 뒤에 벽이 있어."

몇 분이 걸리기는 했지만 다니는 결국 벽에 등을 기대고 일어나 앉을 수 있었다. 나는 앞으로 움직여서 입과 이를 이용해서 그 가리개 끝부분을 물었다. 나는 어찌어찌해서 가리개를 다니의 목으로 끌어내렸다. 우리의 눈이 마주쳤다.

"이런, 세상에!" 다니가 말했다. 눈물이 그녀의 뺨으로 흘러내렸다. "우리에게 무슨 일이 벌어지고 있는 거야, 브린?"

"모르겠어. 넌 괜찮아? 아픈 데는?"

"머리가 아프고 바닥에 부딪힌 엉덩이가 아파." 다니의 눈에 눈물이 더 넘쳤고 두려움도 넘쳤다. "아기가 괜찮아야 할 텐데. 어떨지 모르겠어."

"그렇다면 괜찮아. 뭔가 안 좋은 느낌이 들지 않는다면 아마 문제없을 거야." 나는 다니를 안심시켰다.

"그래야만 해."

"미안해, 다니. 이건 내 잘못이야. 내가 엄마의 인생을 파고들지 말았어야 했어. 네가 부탁했을 때 집으로 갔어야 했던 거야."

"그래도 소용없었을 거야. 그들은 우리 집에서 몇 블록 떨어진 곳에서 나를 납치했거든."

"그들이 네가 사는 곳을 어떻게 알 수 있었을까?"

"그걸 어떻게 알겠어?" 다니가 힘없이 말했다. "너를 이 도시에 혼자 내버려 두는 게 아니었어. 내가 같이 여기 있었어야 했어. 우리는 함께 있을 때 항상 더 나았어."

그 말을 듣고 나는 내 이마를 다니의 이마에 맞댔다. 피부가 서로 맞닿자 곧바로 마음이 진정되었다. 이 사람은 나의 언니이자 제일 친한 친구이고 또 다른 나 자신인 다니였다. 다니가 옳았다. 우리는 함께 있을 때 항상 더 나았다. 우리는 여기서 빠져나갈 방법을 찾을 것이다. 그래야만 했다.

나는 고개를 들어 그 방을 둘러봤다. 블라인드가 쳐진 작은 창문이 있었다. 그러나 창문은 지면에서 최소 150cm는 떨어져 있었다. 밟고 올라설 물건 같은 것은 전혀 없었다.

"나갈 방법이 없어." 내 생각을 되풀이하듯 다니가 말했다. "우리는 양손이 묶여 있어. 설령 그렇지 않다고 해도 문이 잠겨 있을 게 분명해."

나는 잠시 귀를 기울였다. "아주 조용해. 여기는 교회 안쪽 방일 수 있어. 아니 어쩌면 신학교일지도 모르고.”

“학교라면 월요일 오후에 사람들로 가득하지 않을까?

“그럴 것 같아. 이상한 게 뭐냐면, 내가 정신을 잃기 직전에 네 전화를 받았다는 거야. 그게 너일 수가 없었잖아. 너는 이미 여기 와 있었을 텐데.”

“그들이 내 핸드폰을 쥐고서 비밀번호를 달라고 했어. 나는 그들이 내 사진을 찍어서 네게 보낼 거로 생각했어.”

나는 생각해 봤다. 어쩌면 그들은 나를 단독으로 납치할 수 있을지 확신하지 못해서 다니를 미끼로 해서 나를 이곳으로 오게 할 작정이었을 수도 있었다. 그런데 그 대신에 나는 엄마를 보기 위해 서두르느라 사람이 없는 계단으로 들어갔던 것이다.

“그 사람이 비밀번호 말고 네게 다른 말은 안 했어?”

“그 사람은 내가 오래 혼자 있지는 않을 거라고만 했어. 그의 목소리는 굵직하고 위협적이었지만 또 즐거운 기분이 느껴지기도 했어. 마치 앞으로 있을 일 때문에 흥분된 것처럼 말이야. 지금이 몇 시인지 아니? 난 모든 게 깜깜해.”

“누군가 나를 잡아챘을 때가 아마 1시 30분쯤이었을 거야.” 내가 몸을 틀었다. “내 시계 볼 수 있겠어?”

“지금 2시야.” 다니가 말했다.

“그렇다면 난 그렇게 오래 정신을 잃은 게 아니고 우리가 있는 곳은 병원에서 그리 멀리 떨어진 곳일 리가 없어.” 나는 곰곰이 생각했다.

“그들이 원하는 게 뭔지 넌 아니?”

나는 잠시 생각했다. 한 가지 답만이 마음속에 떠올랐다. “우리는 인질로 잡힌 것 같아.”

"그게 무슨 말이야?"

"우리가 태어나기 전에 엄마는 강도 일당의 일원이었어. 이모도 그랬던 것 같아. 알 수는 없어. 그들은 재력가인 어떤 미술품 수집가에게서 다이아몬드와 현금, 그리고 그림을 훔쳤어. 그 강도 사건의 와중에 어떤 경비원이 죽었어. 내 생각에 엄마와 레이철 이모는 그때부터 계속해서 도망 다니고 있었던 것 같아."

다니의 눈이 충격을 받고 커다래졌다. "엄마가 도둑이었다고?"

"엄마는 정체가 여럿이었던 것 같아. 도둑은 그중 하나였고. 난 엄마와 얘기를 하러, 마침내 해답을 얻으러 병원으로 가다가 납치당한 거야." 나는 지끈거리는 두통 속에서 생각을 해내려 애쓰며 잠깐 있다가 말했다. "하지만 엄마와 얘기를 해보지 않고서도 이미 난 많은 걸 알고 있어. 엄마와 레이철 이모는 그 강도 사건 이후 도망에 나선 거였어. 두 사람은 어느 때인가 갈라졌어. 엄마는 우리를 가졌고 아빠와 결혼했지. 7년 동안 우리는 평범한 삶을 살았어. 그러다가 그걸 뒤바꿀 무슨 일이 일어났던 거야. 엄마는 뉴올리언스로 갔어. 아마도 레이철 이모를 만나러 간 거겠지. 그리고 종적을 감추고 죽은 걸로 위장했어. 엄마가 우리에게 돌아오는 순간 우리는 위험에 빠질 수밖에 없는 거였어. 엄마는 오랫동안 잘 숨어 지내왔는데 어떤 남자의 목숨을 구해주는 바람에 뉴스에 사진이 나오게 된 거야."

"그 사람들이 지금 원하는 게 뭐지? 왜 우리는 아직도 살아 있는 거지? 엄마에게 복수하려면 왜 그냥 우리를 죽이지 않았던 거야?" 다니가 물었다.

"왜냐하면 그들은 다이아몬드와 다른 보석들을 원하니까. 그들이 엄마 집을 갈기갈기 찢어 놓았던 이유가 그거야. 하지만 그들은 찾던 걸 발견하지 못했어. 그래서 유인책이 필요했던 거야. 그들은 우리를 이용해서 엄마와 레이철 이모의 입을 열게 할 거야. 그 보석들이 어디 있는지 말하게 할 거야." 내가 말했다. 더 많은 퍼즐 조각들이 제자리에 맞춰졌다.

"그러면 그런 다음 우리를 놓아줄까?" 다니가 희망을 섞어 물었다.

나는 전혀 그럴 것 같지 않았음에도 그 희망을 뭉갤 수가 없었다. "어쩌면. 하지만 그들이 돌아오기 전에 탈출을 시도해 봐야지."

"도대체 무슨 수로 그렇게 해?"

"우리는 일어설 수 있어. 저 문으로 누가 들어오든 우리는 그 사람에게 달려들 수 있어."

다니는 놀라서 나를 쳐다봤다. "진심이야? 그게 네 계획이야? 우리는 양손을 쓸 수가 없어, 브린."

"네게 더 좋은 생각이라도 있어?"

"아니. 하지만 그렇게 해선 되지도 않을 거야."

"될 수도 있어. 우리에겐 기습할 요소가 있어. 그들은 우리가 여전히 의식이 없다고 생각할 수 있어."

"내가 그렇지 않다는 걸 그들은 알고 있어."

나는 무릎을 꿇은 다음 일어서려고 아등바등 애를 쓴 끝에 두 발로 설 수 있었다. 나는 어지러움이 충격파처럼 밀어닥칠 것을 계산하지 못했기에 벽에 등을 기대어 몸을 지탱하려 애썼다.

"너 괜찮아?" 다니가 불안한 마음으로 물었다.

"좀 어지러워." 내가 말했다.

"나도 그래. 머리를 움직일 때마다 아파." 다니는 잠깐 있다가 말했다. "난 누구한테도 덤벼들 수가 없어, 브린. 아기를 위험에 빠뜨릴 수는 없어. 그렇기는 해도 난 이 아기를 태어나게 할 수 있을 것 같지 않아."

"그런 말 하지 마. 넌 아기를, 네 아들을 낳게 될 거야." 내가 바락바락 말했다. "내가 꼭 그렇게 되도록 할 거야."

다니는 멍하니 나를 쳐다봤다. "넌 달라졌구나. 맹렬한 호랑이 같아. 내 뒤로 숨거나 이끌어 달라고 나를 찾지 않네."

"넌 오랜 시간 날 이끌어 줬고 그 일을 놀랍도록 잘해냈어. 사실, 내가 네 말을 들었다면 우리는 둘 다 지금 카멜에 있었을 거야. 하지만 우리는 여기 있어. 난 싸우지 않고 포기하지는 않을 거야. 엄마가 돌아가셨을 때 네가 나를 구해줬어. 너는 내 든든한 바위였어. 네가 없었다면 난 살아남지 못했을 거야, 다니."

"넌 아무 문제 없었을 거야. 넌 항상 네가 생각하는 것보다 강했어. 그리고 난 언제나 네가 생각했던 것보다 나약했고."

"그렇지 않아."

"그게 사실이야. 난 항상 네가 필요했어, 브린. 난 그냥 네가 날 필요로 한다고 믿도록 했을 뿐이야." 다니는 내게 사과의 눈빛을 보냈다. "난 네가 자기 인생을 추구하는 걸 막아왔어. 우리가 함께 있지 않는다는 생각을 견딜 수가 없었기 때문이야. 결혼했을 때, 사업을 시작했을 때, 임신하려고 노력했을 때, 난 네가 있어야 했어. 지난번에 언젠가 네가 너만의 인생을 살아야 한다고 했을 때 그 말은 옳은 말이었어. 나는 네게 내 인생을 살도록 강요하고 있었다는 걸 깨닫지 못했어. 난 마음속으로 내가 원하는 모든 걸 네가 원한다고 말해왔어. 하지만 그게 아니었어."

"강요했다는 건 심한 말이야. 내가 계속 있었던 건 내가 널 사랑했기 때문이야, 다니."

"넌 오래전부터 오케스트라에서 연주했어야 해. 하지만 내가 음악은 비실용적인 직업이라고 널 설득했지. 사실은 네가 순회공연을 가고 없다는 생각을 내가 견딜 수 없었던 거야. 나는 혼자 있고 싶지 않았어. 아빠가 옆에 있다는 건 알지만 난 항상 가족이라고 하면 너를 생각했어. 넌 내가 기댈 수 있었던 유일한 사람이었어."

"나도 똑같아. 난 항상 네게 기대왔어. 그리고 우리는 이 혼란스러운 상황을 우리 스스로 타개할 거야. 왜냐하면 이게 우리의 끝은 아니기 때문이야."

나는 강하게 말을 하긴 했지만 이 상황을 어떻게 타개할지 전혀 확신할 수 없었다. 심지어 벽에서 움직일 수조차 없었다. 양손이 등 뒤에 묶여 있고 빠르게 움직이기에는 머리가 이렇게 어지러운데 내가 어떻게 누군가에게 덤벼들 거란 말인가?

어딘가에서 쾅 하는 문소리가 들렸다. 길고 커다란 메아리였다. 나는 몸을 바로 세웠다.

다니는 내게 공포 어린 눈길을 던졌다. "그가 돌아오고 있어."

들리는 소리는 한 사람의 목소리가 아니었다. 여자의 목소리도 있었다. 다니와 내 목소리와 똑같이 들리는 여자 목소리였다. 그녀는 놓으라고 요구하며 싸우고 있었다. 그러더니 문이 열렸고 여자가 방으로 강하게 내팽개쳐져서 무릎을 바닥에 치며 쓰러졌다. 키가 크고 턱수염이 있는 남자의 모습이 얼핏 보이더니 문이 닫혔다.

그 여자가 눈을 들었고 우리는 시선이 마주쳤다. 그녀의 양손 또한 등 뒤로 묶여 있었다.

"아, 맙소사." 그녀가 낮게 탄식했다. "너희 둘을 다 잡아 왔구나."

"네." 내가 말했다. "그는 카멜까지 가서 다니를 데려왔어요."

레이철 이모가 우리를 바라보았다. 짙고 푸른 보랏빛 눈에 고통과 슬픔이 어려 있었다. "미안하다, 얘들아. 이런 일이 일어나는 걸 결코 바라지 않았는데."

"이게 정확하게 무슨 일인 거죠?" 내가 물었다.

그녀가 대답할 틈도 없이 문이 다시 열리더니 다른 남자가 방으로 들어왔다. 검정 청바지에 회색 스웨터를 입고 있었는데 그의 갈색 머리와 눈이 굉장히 눈에 익었다. 나는 다시 한번 놀라서 헉하고 탄식했다.

"당신이?" 나는 나를 보고 있는 그 남자에게 충격을 받고 물었다. "마크 해리슨? 우리 엄마의 남자친구? 당신이 우리를 납치했어요?"

"그건 내 조수들 중 하나였을 거야." 그가 부드럽게 말했다.

"이 사람 이름은 마크 해리슨이 아니야." 레이철 이모가 분노로 이글거리는 눈으로 말했다. "맥스 다비노지. 그리고 너희 엄마의 남자친구가 아니야. 범죄자에 살인자란다."

위에 경련이 일었다. 나는 마크가 우리 엄마에게 반한 다정한 중년 남자라고 생각했었다. 그러나 지금 그는 그런 것과는 거리가 멀어 보였다. 그가 내게 보여줬던 겉모습은 사라지고 없었다. 그는 나이가 더 어리고, 날카롭고, 무자비해 보였다.

"사돈 남 말 하고 있군그래." 그가 분을 못 이기는 목소리로 레이철 이모에게 말했다. "넌 네가 무릎을 꿇고 있어야 할 곳에 온 거야."

레이철 이모가 곧바로 튀듯 일어섰다. "절대 아니야." 그녀는 대들 듯 말했다.

그는 이모의 고개가 뒤로 홱 젖혀질 정도로 얼굴을 사정없이 내리쳤다. 무시무시한 그 소리가 방 전체에 울려 퍼졌다.

다니는 불안에 떨며 큰 소리로 울었다.

"그만해요." 그가 아무런 이유도 없이, 이모의 얼굴에 나타난 반항하는 표정을 짓눌러 버리려고 이모를 한 번 더 칠 것 같은 기세에 내가 말했다. "원하는 게 뭐예요? 왜 이러는 거죠?"

그는 강한 눈빛을 내게 휙 돌렸다. "내 것을 찾으려고." 그가 대답했다. "너희는 전혀 뜻밖이었다는 걸 인정하지 않을 수가 없군. 학교에서 너를 봤을 때 난 믿을 수가 없었어. 딸들이, 쌍둥이 딸들이 있다는 건 전혀 몰랐거든. 하지만 곧 깨달았지. 그걸 유리하게 이용할 수 있다는 걸 말이야." 그가 다시 레이철 이모 쪽으로 휙 시선을 돌렸다. 이모의 왼쪽 뺨은 그의 손자국으로 벌겋게 달아올라 있었다. "내가 널 잊었을 거로 생각했어? 아니면 네 언니를?" 그가 물었다.

"아니." 이모가 차갑게 말했다. "네가 우리를 찾아낼 거로 생각하지 않았을 뿐이야. 그런데 그때 로라가 나서야 하는 상황이 생겨서 영웅이 된 거지."

"로라, 좋은 이름이네." 그가 느릿느릿 말했다. "네 이름은 지금 뭐지?"

"그게 중요해?" 이모가 도발적으로 말했다.

"중요하지 않지. 중요한 건 네가 날 배신했다는 것, 그것도 한 번이 아니라 두 번 배신했다는 거지. 넌 내 걸 훔쳐 갔어. 나를 감옥에 집어넣었고."

"거긴 네가 들어간 거야." 레이철 이모가 날카롭게 말했다.

"난 바보가 아니야. 네가 배후에 있었다는 걸 알고 있어. 넌 네가 승자라고 생각했지만, 그건 아니지. 난 이 순간을 오래도록 기다려 왔어. 넌 내게 한 짓에 대한 대가를 치를 거야. 문제는 누가 그 대가가 되냐는 거지. 네 언니? 네 조카들?" 그는 허리띠 뒤에서 총을 꺼냈다. "난 전부 돌려받기를 원해. 그리고 넌 그게 어디 있는지 정확히 알고 있어. 그러니까, 말해."

"다 없어졌어." 레이철 이모가 공격적으로 말했다. "우리가 오래전에 다 처분했어. 모든 걸 팔았고 돈은 자선 단체에 기부했어. 남은 건 하나도 없어."

"거짓말이야. 우리가 만난 첫날부터 네가 말한 모든 게 거짓말이었어. 너는 외동딸이라고 했었지. 내가 하는 사업에 들어오고 싶다고 했고. 널 믿어도 된다고 했어. 나를 사랑한다고."

나는 그의 말과 그의 눈에 비친 배신과 분노에 충격을 받았다. 그것은 훔친 보석보다 더한 일이었다.

"그건 네가 범죄 가족의 일원이라는 걸 알기 전의 일이지." 레이철 이모가 말했다. "네가 잠시도 망설이지 않고 어떤 사람의 머리에 총을 쏘는 걸 보기 전의 일이란 말이야."

"그건 네 잘못이지. 경비원이 자리에 없도록 네가 확실히 해뒀어야 했어. 네가 일을 망친 거야."

"그 경비원이 거기 있었던 건 예정된 일이 아니었어." 레이철 이모가 자신을 변호하며 말했다. "하지만 그를 죽일 필요는 없었잖아."

"그러면 넌 내 가방을 가지고 달아날 필요는 없었지. 그렇지만 그렇게 했잖아."

나는 그들이 그 강도 사건 얘기를, 케이드의 아버지를 죽인 얘기를 하고 있다는 것을 알아차렸다. 맥스가 방아쇠를 당긴 게 분명했다. 최소한 우리 엄마는 그런 죄를 저지르지 않았던 것이다.

나는 이맛살을 찌푸리며 그 강도 사건이 있던 날 밤에 엄마는 어디에 있었던 것인지 궁리했다. 레이철 이모와 맥스가 말하는 것으로 볼 때 엄마는 거기 있지 않았던 것 같았다. 어쩌면 엄마의 유일한 역할은 그 교수에게서 출입 비밀번호를 알아낸 것인지 몰랐고 강도 짓을 한 것은 레이철 이모와 맥스였다.

"이 애들을 보내줘." 레이철 이모가 말했다. "얘들은 이 일과 관계가 없어."

"아니, 있지. 이 애들은 네 혈육이야. 넌 가족을 위해서라면 무슨 일이라도 할 거야." 그가 잠깐 있다가 말했다. "난 오랫동안 이 순간을 기다려 왔어. 넌 행적을 잘도 감춰왔지. 하지만 어느 날 TV를 켰더니 거기 네가 있었던 거야. 다만 그건 네가 아니었다는 거지. 그건 네 언니였어. 그게 네 언니였다는 사실에 놀라지 말았어야 했는데 말이야. 그녀는 항상 너보다 나은 사람이었지? 안 그래?"

"그래, 맞아." 레이철 이모가 말했다. "그리고 네가 언니를 쐈고."

"그녀가 협조를 안 했어. 나는 네 주의를 끌려고 뭐든 해야 했거든. 네가 그녀를 만나러 올 거라는 걸 알았지. 20년 전에 뉴올리언스에서 그녀가 너를 만나러 왔던 것처럼 말이야." 맥스가 말했다. "그녀가 없었더라면 오래전에 끝이 났을 일이야."

"뉴올리언스에서 무슨 일이 있었는데요?" 내가 물었다.

"브린, 하지 마." 다니가 애원했다. "이런 건 전혀 알 필요가 없어."

"아니, 알아야 해. 우리가 어디 있는지 봐. 난 뉴올리언스에서 무슨 일이 있었던 건지 알 권리가 있어."

"저 애에게 말해줘." 맥스가 말했다. "너와 네 언니가 사람을 어떻게 죽였는지 말해주라고."

"그건 정당방위였어." 레이철 이모가 간단하게 말했다. "그 사람 아니면 우리가 죽는 거였어. 난 너를 죽이지 못한 게 유감일 뿐이야, 맥스."

나는 그의 눈에 타오르는 불길에 부채질을 한 이모의 말에 숨을 참았다.

"아니, 넌 나와 내 사업을 망치는 데 최선을 다했어." 그가 말했다. "이제 그건 끝이야. 나는 내 걸 원한다고. 보석은 어디 있어?"

"내가 말했지, 다 없어졌다고." 레이철 이모가 말했다.

그는 총을 들어 올려 우리가 있는 방향으로 발사했다. 다니가 비명을 질렀다. 나는 총알이 우리 사이의 벽에 박히자 몸을 휙 수그렸다. 그의 강렬한 눈을 보자 내 숨결은 거칠고 빨라졌다.

"다음 건 이 애의 머리에 박힐 거야." 그가 다니에게 총을 겨냥하며 레이철 이모에게 말했다.

나는 다니를 보호하고자 하는 간절한 마음으로 그녀를 향해 기어갔다. 레이철 이모도 우리 앞으로 움직이며 똑같이 했다.

"넌 이 애들을 아무도 죽일 수 없어." 레이철 이모가 격하게 말했다.

"할 수 있어. 그리고 할 거야. 네가 내 걸 주지 않는다면 말이야."

"그건 네 게 아니야. 네 것인 적이 없었어."

"그러면 네 것도 절대 아니지." 그가 되받아쳤다.

"그래, 넌 나를 죽일 수는 있어. 하지만 이 애들은 아니야. 왜냐하면…." 이모는 심호흡을 했다.

이모가 그 말을 끝맺기를 기다리면서 나는 등줄기가 불길하게 얼얼해졌다. 뭔가가 터지려고 하고 있었다. 뭔가 안 좋은 일이. 뭔가 충격적인 일이.

"왜냐하면 뭐?" 맥스가 채근했다. "네가 나에 대해 무슨 생각을 하는지 궁금하군그래."

"이 애들의 아버지가 너니까."

레이철 이모의 말이 나를 휘청휘청하게 만들었다. 나는 내 발로 버티고 서 있으려고 애쓰면서 벽에 등을 기댔다.

맥스는 레이철 이모에게서 내게로, 그리고 다니에게로 시선을 옮기면서 실눈을 떴다. "말도 안 돼."

"사실이야." 레이철 이모가 말했다. "넌 이 애들의 아버지야."

"그럴 수가 없어. 거짓말이야."

나는 이모가 거짓말을 하는 것이기를 빌었다. 나는 이 끔찍한 남자가 아버지이길 원치 않았다. 나는 다니를 돌아봤다. 다니는 두려움으로 온몸을 떨고 있었고 눈은 초점을 잃고 있었다. 나는 레이철 이모가 한 말을 다니가 들은 건지조차 확신할 수 없었다.

"난 네게 사실을 말하고 있어." 레이철 이모가 말했다. "네가 이 애들을 죽이면 넌 너의 일부를 죽이게 되는 거야. 이 애들은 네 핏줄이야, 맥스." 그가 대답하지 않자 레이철 이모는 강하게 압박했다. "이 애들은 스물일곱 살이야. 난 너한테 이 애들의 신분증이 있을 거로 확신해. 네가 생일을 확인해 보면 돼."

"위조된 건지도 모르지. 네 인생의 모든 것이 다 그런 것처럼 말이야."

"이 애들을 한 번 봐. 너의 아이들이야." 레이철 이모가 말했다.

"그만해요!" 내가 절망적으로 외치며 끼어들었다. "이 사람이 우리 아버지라는 말은 하지 말아요. 이 사람이 우리 아버지일 리가 없어요."

레이철 이모는 슬픔이 가득한 눈으로 나를 바라봤다. "미안하다, 브린. 불행하게도, 이 사람이 네 아버지란다. 나는 이 사람이 너희에 대해 결코 모르기를 바랐다. 꼭 지금처럼 너희를 이용할까 봐 두려웠어. 하지만 너희가 자기 핏줄이라는 걸 이 사람은 알아야 해."

"네가 그런 말을 하는 이유를 알지. 그래야 내가 이 애들을 죽이지 않을 테니까." 맥스는 이렇게 말했지만 그의 목소리에는 이제 불확실한 느낌이 있었다.

"그건 사실이야. 난 강도 사건이 있던 날 밤에 임신했어. 하지만 일주일 뒤에나 알게 됐어." 레이철 이모가 또다시 내 쪽을 돌아봤다.

나는 이모의 입에서 무슨 말이 나올지 몰라 고개를 내저었다. "말하지 말아요!" 그 말이 어디로 향하는지 알았기에 내가 말했다. "제발, 그만해요. 우리 엄마마저 앗아가지 말아요."

레이철 이모는 떨리는 숨을 들이쉬었다. "미안하다. 난 너희를 돌볼 수가 없었기에 언니에게 너희를 맡겼어. 난 엉망진창이었어. 난 언제나 엉망이었어. 하지만 언니는 강인하고 배려심이 많았고, 너희가 태어난 순간부터 너희를 사랑했단다."

"그리고 당신은 아니었고요." 내가 무미건조하게 말했다. 나는 이 지독한 마지막 진실을 버텨낼 수가 없어 바닥에 주저앉았다.

"나도 너희를 사랑했어." 레이철 이모가 말했다. "그래서 너희를 떠나보낸 거야. 너희에게는 돌봐줄 수 있는 엄마가 필요했는데 그건 내가 아니었어. 나는 또 어느 날 맥스가 나를 찾아낼지도 모른다고, 그래서 언니와 함께 있으면 너희가 더 안전할 거라고 생각했단다. 그리고 너희는 더 안전했고." 레이철 이모가 반복했다. "언니는 너희를 친자식처럼 사랑했어. 내 문제가 우리의 발목을 잡아서 또다시 도망쳐야 했을 때 언니의 가슴은 무너져 내렸어. 하지만 그게 너희의 안전을 지킬 유일한 길이었어. 우리는 맥스가 너희에 대해 알도록 할 수는 없었어. 그건 우리가 너희 곁에 가까이 있을 수 없다는 뜻이었고."

내 시선은 맥스에게로 옮겨갔다. 그는 처음으로 약간 심란해 보였다. 그의 시선이 나와 마주치자 나는 작은 기회가 왔다는 것을 느꼈다. 그의 철갑에 균열이 생긴 것이었다. 그는 당황하고 있었고 나는 그걸 이용할 필요가 있었다. 레이철 이모의 계획이 잘 먹히고 있는 건지, 우리가 자기 딸들이기 때문에 그가 우리를 살려줄지 나는 알지 못했다. 그래서 나는 최소한 우리에게 시간이라도 벌어줄 수 있는 뭔가를 시도해 봐야만 했다.

"언니를 보내주면 그 보석들이 어디 있는지 내가 말해줄게요." 내가 말했다.

그의 시선이 날카로워졌다.

"브린, 그만해." 레이철 이모가 애원했다.

나는 이모를 무시하고 맥스에게, 그의 손에 든 총에 초점을 맞췄다. "공정한 거래죠." 내가 그에게 말했다.

"안 돼." 갑자기 정신이 든 듯 다니가 끼어들었다. "너를 바쳐서 나를 구하는 건 안 돼, 브린. 난 너 없이는 아무 데도 가지 않을 거야."

"넌 가야 해." 내가 다니를 돌아보며 말했다. "네게는 생각해야 할 다른 사람들이 있어. 그들에겐 네가 필요해."

"그리고 내게는 네가 필요해." 다니가 만감이 교차하는 목소리로 말했다.

"이 애들을 보내줘. 그러면 네가 원하는 걸 줄게." 레이철 이모가 말했다. "이건 우리 둘 사이의 일이지 이 애들의 일이 아니야, 맥스."

"이 애들은 경찰에 달려가겠지." 그가 말했다.

"안 그래요." 내가 다시 일어서며 말했다. "나의 친부모가 끔찍한 인간들이라는 사실을 다른 사람이 알기를 내가 바란다고 생각해요?" 나는 내 말에 레이철 이모의 얼굴이 하얗게 질리는 것을 봤다. 그러나 나는 나의 증오가 진짜라는 걸 그들 모두 믿도록 해야 했다. 실제로, 그건 진짜였다. 이 순간 나는 내 인생 그 누구보다 그들이 미웠다. "우리는 그냥 가고 싶은 것뿐이에요. 우리는 당신이 무엇을 훔쳤건 아무 상관 없어요."

"이 애는 네 아이가 확실하네." 맥스가 코웃음 쳤다. "여기서 나가려면 거짓말을 할 수 있다고 생각하는 거지. 하지만 그렇게는 못 하지. 앞으로 일어날 일은 이런 거야. 너희 중 한 사람은 내게 그 보석이 있는 곳을 말하게 될 거야. 그러면 내 부하가 가서 그걸 가져오는 거지. 만일 그가 가져오지 않으면 난 누군가를 쏠 거야." 그가 말을 멈췄다. "네가 제일 처음은 아닐 거야, 레이철. 왜냐하면 난 이 애들이 뭔가를 안다고 생각하지는 않지만 넌 알고 있어. 넌 네 언니가 그 보석을 어디에 숨겼는지 알아. 그러니까 네 딸들이 죽는 걸 보고 싶지 않다면 말을 시작해."

레이철 이모가 망설이는 것이 보였다. 이모는 그에게 사실대로 말한다고 해서 그가 우리의 목숨을 살려줄 거라고 믿지 않는 것이 분명했다. 나도 마찬가지였다. 나는 또한 그 보석들이 더 이상은 정원에 파묻혀 있지 않다는 것을 알고 있었다. 그러나 사람을 그 집으로 보냄으로써 우리는 시간을 벌게 될 것이었다. 양손이 결박되어 있었기 때문에 우리가 그 시간으로 무엇을 할 수 있는지는 몰랐다. 그리고 맥스에게는 총이 있었다. 그러나 나는 아무것도 하지 않고 그냥 있을 수는 없다는 것도 알고 있었다.

"어디 있는지 난 알고 있어요." 내가 말했다. "아까 내가 발견했으니까요."

"브린, 하지 마." 레이철 이모가 사정했다. "그래봤자 소용없어. 이 사람은 어차피 우리를 죽일 거야."

나는 맥스에게로 돌아섰다. "내가 말하면 언니를 보내줄 건가요?"

"아니. 하지만 그 보석이 손에 들어오면 곧바로 너희 둘 다 풀어줄 거야."

"거짓말이야." 레이철 이모가 말했다. "우리의 유일한 협상 카드를 버리지 마."

"넌 협상할 수 없어." 그가 이모에게 말했다. "그러기엔 너무 늦었지."

"그것들은 엄마 집 침실 드레스룸 안에 있어요. 옷 무더기 아래 상자 속에요." 내가 말했다. "정원에 묻혀 있던 걸 아까 내가 찾아냈어요. 집을 나오면서 나는 그 상자를 드레스룸에 숨겼어요." 나는 그 주머니를 꺼내서 벽 속에 넣었다는 말은 하지 않았다. 그가 모든 걸 다 갖게 되면 우리가 살아남을 거로 생각되지 않았기 때문이었다.

맥스는 내 말의 무게를 가늠하듯이 나를 가만히 응시했다. 그러고는 방에서 나갔다.

레이철 이모가 고개를 내저었다. "넌 실수한 거야, 브린."

"우리는 시간이 필요해요. 내가 우리를 위해 그 시간을 좀 번 거예요." 내가 매몰차게 말했다. "그리고 실수하고 있는 사람은 나 혼자가 아닌 걸로 생각하는데요, 레이철 이모. 아님, 엄마라고 불러야 하나요? 아뇨. 난 그렇게 부를 수 없어요." 나는 고개를 흔들며 말했다.

"이런 식으로 너희가 사정을 알게 될 수밖에 없어서 미안하다. 하지만 나는 여전히 너와 다니가 자기 딸들이라는 걸 알게 돼서 맥스가 너희를 죽이지 않을 거라는 희망을 품고 있단다."

"그 사람에게 그게 과연 중요할지, 아니 그 사람이 이모 말을 믿기나 할지 잘 모르겠군요. 나조차도 그 말을 믿을 수 있을지 모르겠어요. 이모는 너무 많은 거짓말을 했으니까요."

레이철 이모의 표정이 단호해졌다. "네가 뭘 믿느냐는 중요하지 않아. 그에게 보석을 주는 것으로 우리의 목숨이 보전되지는 않을 거야."

"그 사람은 보석을 갖지 못할 거예요. 그 상자는 드레스룸에 숨겼지만 보석은 다른 데 있어요."

"그렇다면 상자가 비어 있는 걸 보고서 그는 분명 우리 중 한 명을 죽일 거야. 보석은 어디 뒀니?"

나는 말을 할까 말까 생각했다. 그러나 그때 맥스가 방으로 돌아오는 바람에 우리의 대화는 끝이 났다.

그가 문을 조금 열어놓고 나갔기에 눈에 복도가 보였고 저 멀리 스테인드글라스가 보였다. 내 첫인상이 맞았다. 우리는 교회에 있었던 것이다. **그러나 다른 사람들은 죄다 어디 있단 말인가? 목사나 성직자가 어딘가 있어야 하는 것 아닐까? 사무실 직원은? 청소 직원은? 다른 누군가는?** 교회는 너무나 조용했다.

"네가 교회에서 한 모든 악행에 대해 언젠가는 하나님이 네 목숨을 앗아가실 거야." 레이철 이모가 말했다.

그는 악마 같은 미소를 보냈다. "하나님은 총을 쏘지 않지. 나는 해."

"당신들 둘은 어떻게 엮이게 된 거죠?" 내가 물었다. 나는 그들의 분노에 넘친 대화가 금방이라도 터질 듯한 상황을 만들고 있었기에 그 대화를 중단시키고 싶었다.

"우리의 사랑 이야기를 이 애한테 해줄래?" 맥스가 레이철 이모를 겨냥해 총을 흔들면서 물었다.

"그건 사랑이 아니었어. 악몽이었지." 이모가 맞받아쳤다.

"시작할 때는 그렇지 않았지." 그가 말했다. "네가 못 견딜 정도로 열렬히 나를 원했잖아."

"난 멍청했어. 네가 진짜 어떤 인간인지 몰랐던 거야." 레이철 이모가 나를 돌아봤다. "나와 맥스는 브루클린에 있는 술집에서 만났어. 내가 막 스물한 살이 된 때였고, 언니는 음악 전공으로 뉴욕대에 다녔던 반면 나는 웨이트리스로 일하고 있었어. 언니는 똑똑했지. 난 똑똑한 것과는 거리가 멀었어. 맥스와 친구들이 그 술집에 오곤 했는데 그는 그냥 지나칠 수 없을 정도로 매력적이었어."

나는 이모가 어떻게 그에게 빠졌는지 이해할 수 있었다. 맥스를 처음 만났을 때 난 그가 매력적이라고 생각했고 그는 자기 의붓딸이 그 학교에 다닌다며 우리 엄마와 데이트하고 있다는 거짓말을 너무나 천연덕스럽게 했었다. "계속하세요." 방 안의 침묵이 길어지자 내가 말했다. 나는 그 두 사람 모두 계속 말하도록 하는 게 필요했다. 시간을 더 번다고 해서 나와 다니가 이 끔찍한 상황을 탈출할 기회가 생기는 건 아니겠지만, 우선 최소한 우리가 왜 여기 있게 된 것인지는 알아낼 수 있을 것이었다.

"이 애한테 네가 돈을 좀 더 벌 수 있도록 해달라며 나를 조른 얘기를 해보시지." 맥스가 말했다.

"그건 사실이야." 레이첼 이모가 대답했다. "나는 맥스가 자기 숙모의 여행사에서 일하는 것 말고도 다른 일을 더 하고 있다는 걸 알았어. 여행사는 그냥 그의 가족이 수십 년간 해오던 밀수 활동을 덮기 위한 위장이었을 뿐이지. 그는 항상 돈이 많았기에 나도 좀 벌고 싶었던 거야." 레이철 이모는 맥스를 쳐다보는 게 견딜 수 없다는 듯이 내게 계속 시선을 두고 있었다. "시작은 아주 단순했어. 그냥 봉투 하나를 교회로 가져가서 고해 성사실 무릎 방석 밑에 두고 오기만 하면 되는 일이었어."

"그 봉투 속에 뭐가 있었던 거죠?"

"몰라." 이모가 말했다. "난 물어보지 않았어. 그건 쉬운 일이었고 보수도 많았어."

"그러다가 이 여자가 욕심이 생긴 거지." 맥스가 끼어들었다. "돈이 더 되는 일을 하고 싶다는 거야."

"너도 그랬어." 레이철 이모가 맥스에게 강한 눈빛을 던지며 말했다. "넌 나보다 더 야심이 많았잖아. 넌 너희 사촌들이 너보다 더 돈이 되는 일을 계속 맡는 게 싫었지. 네 가족은 부스러기만 받아먹는 다고. 그래서 넌 제임스 홀든을 터는 것으로 혼자서 크게 한 건 해서 비밀리에 네 사업체를 시작할 계획을 생각해냈지. 그는 너만큼이나 더러운 인간인데 그냥 훨씬 부자인데다 이력이 훨씬 깨끗했을 뿐이었어."

"그 생각이 좋다고 한 건 너야." 맥스가 레이철 이모를 일깨워 주었다. "넌 나를 도우려고 안달했지. 내가 목표물을 말해주니까 넌 그의 형을 통해 내가 그 집에 들어갈 수 있는 방법을 생각해 냈어."

또 다른 퍼즐 조각 하나가 제자리에 맞춰졌다. "이모가 이안 홀든과 잤군요." 내가 말했다. "우리 엄마가 아니라 이모가요. 그렇죠? 이안을 자기 동생의 저택으로 유인한 사람은 이모였어요."

레이철 이모가 놀란 표정으로 나를 봤다. "그걸 네가 어떻게 알았어?"

"이안과 말을 했거든요. 그는 내게 자기 학생과 부적절한 관계를 맺었는데 그 학생이 우리 엄마였다고 했어요. 하지만 그런 관계를 맺은 사람은 이모였던 거예요. 이모가 엄마인 척했던 거라고요. 아니에요?"

"그래." 레이철 이모가 시인했다. "하지만 언니가 그에게 반했던 건 사실이야. 언니는 이안이 얼마나 똑똑하고 잘생겼는지, 그리고 왜 그가 자기를 좋아하는 것 같다고 생각하는지 말하곤 했어. 나는 그가 제임스 홀든의 가족이라는 것을 알게 되자 맥스를 도울 방법이 떠오른 거야. 그에게 내 가치를 증명할 방법 말이야."

이모의 입에서는 내가 좋게 생각할 만한 말이라곤 단 한마디도 나오지 않았다. 나는 이모가 맥스와 똑같이 나쁜 인간이라는 생각이 들기 시작했다.

"내가 끔찍한 실수를 저질렀던 거지." 레이철 이모는 말을 이어갔다. "나는 그날 밤 우리가 만들어가던 현실이 깨져 버렸다는 걸 알았어. 그전에는 모든 게 위험한 도박이자 게임 같았지. 수상한 사업을 하고 여성에 대한 희롱을 일삼는다고 비난받던 억만장자 제임스 홀든을 턴다는 건 우리가 로빈 후드가 되는 것 같은 느낌이었거든. 하지만 그때 그 총이 발사된 거였어. 어떤 남자가 쓰러졌지. 그의 피는 정말, 정말로 진짜였어. 맥스는 내게 차를 가져오라고 했어. 우리가 금고에서 가득 채운 가방들 중 하나가 나한테 있었어. 그래서 난 달려갔어."

"하지만 넌 차를 가져오지 않았어." 맥스가 말했다. "넌 차를 몰고 도망쳤지. 나와 조나가 모든 걸 다 뒤집어쓰도록 버려두고서 말이야."

"나는 그 남자를 죽이지 않았으니까. 너와 조나가 한 짓이었지." 레이철 이모가 딱 잘라 말했다. "그리고 네가 뒤집어쓴 건 아니지. 넌 그림과 현금 절반을 훔쳐 달아났잖아."

"그다음엔 어떻게 됐죠?" 내가 물었다.

"나는 언니에게 달려갔어." 레이철 이모가 대답했다. "언니에게 도와달라고 애원했어. 맥스와 그의 가족이 나를 쫓아올 거라고."

"훔친 물품들을 왜 두고 가지 않았어요?" 내가 물었다.

"보험이 필요할지도 모른다고 생각했던 거야. 뉴욕을 멀리 벗어나고 나서야 나는 언니에게 가방 안에 뭐가 들어 있는지 말했어. 언니는 몇 주 동안이나 이 일에 관해선 전혀 몰랐던 거지."

나는 그걸 생각해 봤다. "그다음엔 왜 되돌려주지 않았는데요?"

"좋은 질문이야." 맥스가 말했다.

"난 그걸 왜 당신에게 돌려주지 않았느냐는 말을 한 게 아니에요." 나는 역겨운 표정으로 그를 보며 말했다. "그건 제임스 홀든 소유였으니까요."

"사실은 그 사람 소유였던 것도 아니지." 레이철 이모가 말했다. "제임스 홀든도 도둑이었어. 그는 도난품 수집을 즐겼고 그런 물건들을 친구들에게 자랑했어. 그를 강탈해도 좋겠다고 내가 마음먹은 또 다른 이유가 그거였어."

"자기 합리화를 잘했던 것 같군요." 내가 차갑게 말했다.

레이철 이모의 몸이 뻣뻣해졌다. "이 이야기를 원한 건 너야. 나는 말해주는 거고. 언니와 나는 살아남을 돈이, 우리 힘으로 새 인생을 만들어 낼 돈이 필요했어. 경찰의 의혹을 초래하거나 우리에게 관심이 쏠리지 않게 하면서 물건을 돌려줄 방법이 있다고는 생각되지 않았어."

"그래서 도망쳐서 아이를 둘 낳고, 그다음엔 그 아이들을 언니에게 맡기고 또다시 도망친 거군요. 7년 동안은 모든 게 좋았고요. 그러다가 두 사람이 뉴올리언스에서 만났군요. 왜죠?" 내가 물었다.

레이철 이모가 입술을 훔쳤다. "그건 중요하지 않아. 그건 또 다른 실수였어. 난 실수를 많이 했거든. 그리고 그 모든 일이 유감스러워."

"유감스러워한다고 해서 지금 우리에게 도움이 될 것 같지는 않군요." 내가 매정하게 말했다.

맥스가 미소를 지었다. "차갑군그래. 어쩌면 넌 내 딸일지도 모르겠다."

"난 당신 딸이 아니에요." 내가 말했다. "내 DNA가 뭘 보여준다 해도 난 상관없어요. 우리 아빠는 살인자가 아니에요."

그의 눈이 매섭게 어두워졌다.

"브린," 다니가 애원했다. "그만해."

나는 몸을 돌려 언니를 쳐다봤다. 너무나 조용히 있어서 나는 다니가 거기 있다는 것을 거의 잊고 있었다.

다니가 몸을 밀어 일어났다.

"당신이 우리 아버지라면 우리를 풀어줘야 해요. 우리는 이 어떤 일과도 아무 관계가 없어요. 그리고 당신은 그걸 알잖아요. 당신에겐 레이철이 있어요. 당신을 배신한 사람은 저 여자예요."

레이철 이모는 다니의 무자비한 말에 하얗게 질렸다. 나도 레이철 이모에게 화가 나기는 했다. 그러나 나는 이모가 다치거나, 혹은 더 나쁘게 말해, 죽게 되기를 바라지는 않았다. 나는 이모를 혼자 남겨둘 수는 없었다. 하지만 우리가 무슨 생각을 하건, 무엇을 원하건, 그건 중요하지 않았다. 결정권은 오직 맥스에게 있는 것이었다.

"너희는 모두 다 여기 있어. 내 물건을 찾게 될 때까지 난 아무도 풀어주지 않아. 이 자식은 대체 어디 있는 거야?" 맥스가 시계를 확인하며 투덜거렸다. 그러고는 방을 나갔다.

다니는 걱정 어린 눈빛으로 나를 봤다.

"다 괜찮을 거야." 내가 말했다.

"그렇지 않을 것 같아." 그녀가 내게 말했다.

나도 마찬가지 생각이었지만 나는 긍정적인 태도를 유지해야만 했다. 달리 선택의 여지가 없었던 것이다.

맥스가 성큼성큼 걸어서 방으로 들어왔다. 그의 시선이 내게 집중되었다. "네가 그를 함정에 빠뜨렸어?" 그는 총을 들어 올렸다. "네 언니 말이 옳았어. 너희 셋이 다 필요하지는 않지. 그러니까 누구를 제일 먼저 없애야 할지 어디 한번 보자."

나는 다니 앞으로 몸을 옮겼고 다니는 다시 소리 내어 울기 시작했다. 레이철 이모는 비통하고 절망적인 눈빛으로 우리 둘을 바라봤다.

누구 한 사람이 움직이기도 전에 가까운 어디선가 커다란 굉음이 들려왔다. 맥스가 문 쪽을 보자 레이철 이모가 앞으로 달려가서 맥스를 세차게 들이받았고, 그가 쓰러지면서 귀가 찢어지는 폭발음과 함께 총이 발사되었다.

"뛰어." 레이철 이모와 맥스가 바닥에서 서로 엉겨 뒹굴자 내가 다니에게 말했다.

우리는 문을 향해 달려갔다. 입구에 무엇이 우리를 기다리고 있을지 몰랐지만, 우리 뒤에 있는 것보다 나쁜 일은 있을 수 없었다.

30

나는 복도와 또 다른 열린 문을 통과하여 달렸다. 다니는 내 바로 뒤에 있었다. 우리는 제단 옆에 있는 작은 방에 와 있었다. 그곳은 아기를 데려온 가족들이 예배 시간에 머무는 곳이었다. 맥스가 우리를 쫓아오는 소리를 들으며 우리는 교회 안으로 달려갔다. 우리는 제단을 가로질러 옆문으로 향했다. 그러나 그 문에 닿기 전에 총이 발사됐고 총알이 내 귀 옆으로 쌩하고 날아갔다.

더 많은 총알이 허공을 갈랐기에 우리는 제일 가까운 신도석으로 뛰어들었다. 다니를 쳐다보니까 공포와 두려움이 눈에 가득했다. "미안해." 우리는 갇히고 말았다는 것을 깨달으며 내가 말했다. 갈 곳이 없었다.

"사랑해." 다니가 말했다.

맥스의 목소리가 점점 더 크게 들리자 우리는 다시 한번 서로의 머리를 맞대 눌렀다.

"얘들아, 나갈 곳이 없구나." 그가 의기양양한 목소리로 말했다.

나는 다니에게서 떨어져 나와 눈을 들었다. 맥스는 신도석 끝에 서서 우리에게 총을 겨누고 있었다. "정말로 자기 친자식들을 죽일 건가요?" 내가 물었다. "당신은 어떻게 돼먹은 괴물인 거죠?"

"그 쌍년이 거짓말을 했을 거야." 그가 말했다. "그리고 난 너희를 풀어줄 수가 없어. 너희 아니면 나지."

"그리고 당신은 항상 자기를 선택하고요. 아닌가요?"

나는 다니 앞으로 옮겨갔다. 그러나 언니를 정말 보호할 방법은 전혀 없었다. 나는 눈을 감고 싶었지만, 그와 동시에 그에게 두려워하는 모습을 보이고 싶지도 않았다. 그가 그걸 보며 흡족해하도록 할 수는 없었다.

아주 짧은 순간에 나는 그의 눈에 감탄의 빛이 스쳐 가는 걸 봤다는 생각이 들었다. 그러나 그때 그가 팔을 들었다.

총성이 울리자 나는 홱 움직여 몸을 숙였다. 다니가 비명을 질렀다. 나는 뭔가 느껴지기를 기다렸으나 아무 일도 없었다. 눈을 들었을 때 맥스가 바닥에 쓰러져 있는 것이 보였다.

아아, 세상에! 그가 우리를 쏜 게 아니었다. 누군가 그를 쏜 것이었다.

한 남자가 통로를 달려왔다. 나는 겁에 질린 안도의 숨을 내뱉었다.

"케이드." 그를 보고 너무 놀라 내가 말했다. 나는 펄쩍 뛰어올랐다. "당신이 맥스를 쐈어요? 총은 어디서 났어요?"

"주차장에서 내가 끌어낸 남자에게서요." 그가 차분하게 말했다. "당신은 괜찮아요?"

"덕분에요." 나는 다니를 돌아봤다. 다니는 여전히 바닥에 몸을 웅크리고 있었다. "괜찮아, 다니. 케이드가 맥스를 쐈어." 케이드에게로 시선을 돌리자 그가 맥스의 맥박을 확인하는 것이 보였다.

"죽었어요?" 내가 물었다.

"아뇨. 하지만 맥박이 희미해요." 그는 일어섰다. 그의 시선은 나와 다니를 빠르게 오갔다. 다니는 이제 신도석 끝에 앉아 있었고 눈물이 얼굴에 흘러내리고 있었다. "경찰이 오고 있어요. 여기 또 다른 사람이 있나요?"

나는 그의 질문에 깜짝 놀랐다. "있어요. 레이철 이모요. 맥스가 이모를 쐈어요. 이모에게 가봐야 해요." 나는 통로로 달려가서 맥스를 건너뛰었다. 그의 머리 뒤쪽으로 흥건하게 피가 흐르고 있었다.

다니와 케이드는 창고로 나를 따라왔다. 레이철 이모는 바닥에 누워 있었다. 눈은 뜬 채로 어깨에서 피가 솟고 있었다.

"너희는 살았구나." 이모가 신음했다. 얼굴은 하얬고 눈에는 크나큰 안도의 빛이 감돌았다. "총성을 들었어. 그가 너희를 죽였다고 생각했단다."

케이드가 재킷을 찢어서 레이철 이모의 상처에 대고 압박했다. "그대로 있으세요. 구조대가 오는 중이에요."

"우리가 여기 있다는 걸 어떻게 알았어요?" 내가 케이드에게 물었다.

"집에 있는데 당신 어머니 집에 누군가 있는 소리가 들렸어요. 당신은 내게 병원에 있다고 문자 메시지를 보냈으니까 그 사람이 당신이 아니라는 걸 알았죠. 창밖을 내다봤더니 어떤 남자가 손에 상자를 들고 나오는 게 보였어요. 불길한 느낌이 들었죠. 그래서 오토바이에 올라타고 그를 따라 여기로 온 거예요. 나는 주차장에서 그자를 맞닥뜨려 쓰러뜨렸어요. 그가 들고 가던 상자에는 당신과 당신 언니의 사진들이 있었어요. 당신에게 전화했지만 당신 핸드폰은 그자의 호주머니에 있더군요. 그게 내 인생 최악의 순간이었어요." 그가 말했다. 나를 보는 그의 눈이 불타고 있었다. "나는 그다음 경찰에 전화했어요. 그들은 내게 교회 바깥에서 기다리라고 했죠. 하지만 그때 총소리가 들렸어요. 기다릴 시간이 없다는 걸 알았어요. 나는 그자의 총을 거머쥐었고, 그다음은 당신이 아는 대로예요."

"당신이 집에 있었던 게 우리에겐 큰 행운이네요." 내가 말했다. "나는 맥스에게 그 보석들을 내가 찾아냈고, 드레스룸에 있는 상자 속에 숨겨 뒀다고 말했어요. 난 시간을 좀 벌고 싶었어요."

"무슨 보석 말이에요?"

"홀든의 집에서 도난당한 것들요. 최소한 그중 일부는 우리 엄마에게 있었어요. 하지만 당신이 거기 없었다면 내 전략은 먹히지 않았을 거예요. 맥스는 그의 동료가 돌아오지 않자 뭔가 문제가 있다는걸 알았죠. 그는 다니와 나를 죽이려고 했어요."

"하지만 그러지는 못했어요." 케이드가 내게 사실을 상기해 줬다.

그의 말이 내 몸을 흘러내리던 떨리는 두려움을 멎게 해주었다. 우리는 모두 여전히 살아 있었다. 사이렌이 울리고 뒤이어 고함과 발소리가 들리자 나는 상황이 끝났고 우리가 안전하다는 것을 비로소 믿게 되었다.

몇 분 내에 창고는 경찰로 가득 찼고 곧이어 응급구조대가 왔다. 그리고 마지막으로 그린맨 경위가 들어왔다.

레이철 이모는 안정된 상태로 맥스와 그의 밑에서 일하던 남자와 함께 병원으로 후송되었다. 다니와 나는 마침내 결박이 풀렸고 그 즉시 서로를 향했다. 우리는 한참이나 감사와 사랑의 포옹을 한 후 떨어졌다. 나는 그린맨 경위에게 진술을 했다. 그런 다음 응급 의료진이 우리를 또 다른 앰뷸런스에 태워서 검사를 위해 병원으로 데려갔다.

케이드는 뒤에 남아서 경위와 계속 얘기를 했다.

함께 앰뷸런스에 앉자 다니가 내 손 안에 자기 손을 밀어 넣었고 우리는 눈을 마주쳤다. 우리가 그렇게 연결된 순간 마지막 남은 나의 두려움은 사라졌다.

"우리는 살았어." 내가 말했다.

"케이드 덕분이야. 내가 그 사람을 의심했다는 사실이 미안해져."

"그는 좋은 남자야."

"그런 것 같아." 다니가 기력이 다 빠진 충혈된 눈으로 나를 봤다. 그 눈에는 우리가 거쳐온 공포가 여전히 담겨 있었다. "난 우리가 죽을 거로 생각했어, 브린. 넌 여러 차례 나를 위해 총알 앞으로 몸을 던졌어. 어떻게 그럴 수 있었어?" 다니가 경이롭다는 듯 물었다.

"어떻게 그러지 않을 수 있겠어?" 내가 되물었다. "넌 내 언니잖아."

"난 네 앞으로 몸을 던지지 않았어." 다니의 눈에 죄책감이 흘렀다.

"넌 임신했잖아. 네 아기를 보호해야지. 아기가 우선이라고."

"하지만 언제나 네가 제일 먼저였는걸." 또다시 눈물이 글썽해진 채 다니가 말했다.

"에고, 이제 나는 두 번째야, 어쩌면 세 번째인지도. 스티브도 나보다 먼저이게 해줄게." 나는 가볍게 말했다. "하지만 우리는 언제나 그랬듯이 가까운 사이야. 우리는 하나의 전체를 이루는 두 개의 반쪽이잖아."

"너는 나보다 훌륭한 내 반쪽이야."

"넌 내 반쪽이고." 나는 언니를 거의 잃을 뻔했던 그 상황을 생각하며 감상에 빠져들었다.

"그 남자가 우리 아빠라는 게, 아니면 레이철이 우리 엄마라는 게 믿기지 않아. 그들을 어떻게 생각해야 할지 난 모르겠어. 둘 다 너무 끔찍해." 다니가 말했다.

"레이철 이모는 우리를 구하려고 애썼잖아. 이모가 총에 맞았기에 우리는 도망칠 수 있었어."

"하지만 그 사람이 했던 다른 모든 일들은…" 다니는 망연한 듯 고개를 내저었다. "그리고 엄마는? 이 모든 일에서 엄마는 무슨 역할을 한 거지?"

"그건 여전히 밝혀내야 할 일이야. 난 그 문제를 일으킨 사람이 레이철 이모이고 엄마는 이모를 구하고 우리를 구하려고 계속 애써온 사람이 분명하다고 확신해."

"하지만 엄마는 자기 집에 훔친 보석들을 갖고 있었어." 다니가 말했다. "맞잖아?"

"그래, 맞아. 그 모든 걸 우리가 밝혀내야지. 지금 중요한 건 우리가 안전하다는 것, 그리고 엄마와 레이철 이모 역시 안전하다는 거야."

"넌 우리 뒤를 쫓아올 다른 사람이 있다고는 생각하지 않는 거야?"

"그렇지 않기를 정말 바라고 있어." 내가 말했다.

우리는 병원에 도착해서 응급실 의사에게 검사를 받았다. 그는 우리 둘 다 뇌 사진을 찍도록 하고 다니는 초음파 검사를 하게 했다. 나는 한 시간가량 뒤에 모든 검사를 끝냈다. 나는 가벼운 뇌진탕 진단을 받고 향후 48시간 동안 안정을 취하라는 말을 들었다. 진료가 끝난 뒤 간호사가 나를 휠체어에 태워 응급실 로비로 데리고 나왔을 때 케이드가 창문 옆에서 왔다 갔다 하는 모습이 보였다.

그는 즉시 내게로 다가와서 내 팔을 잡고 나를 다른 의자로 안내했다. 그의 눈에는 근심이 가득했다. "예후가 어떨 거라고 해요?" 그가 물었다.

"난 괜찮을 거예요. 그냥 며칠간 쉬어야 한대요. 다니는 태아 검사를 받고 있어요. 다니도 괜찮기를 바라야죠. 레이철 이모 소식은요?"

"수술받는 중이에요. 생명이 위험한 정도의 부상은 아니래요."

"다행이에요. 맥스는요?"

"그 사람 이름은 마크인 걸로 아는데요." 케이드가 말했다.

"그건 그가 내게 말한 이름인데 거짓말이었어요. 진짜 이름은 맥스 다비노예요. 그는 뉴욕 범죄 조직의 일원이에요."

"뉴욕이라고요, 네?" 케이드의 입이 굳어졌다.

"그래요. 그도 수술받고 있나요?"

"아뇨. 그는 살아남지 못했어요. 앰뷸런스에서 죽었죠."

나는 그의 말에 숨을 내쉬었다. 그 소식에 어떤 느낌이 들어야 할지조차 알 수가 없었다. 그 남자는 케이드가 아니었다면 나를 죽였을 것이다. 하지만 그 남자는 또한 내 친아버지라고 했다.

"알겠어요." 나는 그렇게 말했지만 그 말은 너무나 어울리지 않는 것 같았다. 그러나 그 말이 내가 생각해낼 수 있는 전부였다. "다른 남자는요?"

"체포되어 경찰서로 연행됐어요."

"잘됐네요. 난 당신에게 할 말이 많아요, 케이드. 맥스와 레이철 이모는 제임스 홀든의 집 강도 사건의 일당이었어요. 맥스가 당신 아버지를 죽인 사람이었어요."

그는 날카롭게 숨을 들이쉬었다. 그의 검은 눈에 감정이 차올랐다. "그렇다면 내가 그를 쏴서 그가 죽은 게 더욱 기쁘군요." 그가 잠깐 있다가 말했다. "당신 어머니는 그 일당이었나요?"

"네. 하지만 그 지점은 좀 더 복잡해요." 나는 다시 한번 숨을 들이마셨다. "로라는 우리 친엄마가 아니에요. 7년 동안 날 길러준 분일 뿐이죠. 레이철 이모가 진짜 우리 엄마예요. 그리고 친아버지는 맥스였어요."

그가 놀라서 입을 쩍 벌렸다. "정말인가요?"

"같은 말을 두 번 하게 하지 말아요."

"미안해요." 그는 혼란스러운 듯 고개를 내저었다. "너무 벅찬 일이어서 소화하기 힘드네요."

"알아요. 그 모든 게 한꺼번에 다 드러났어요. 레이철 이모는 맥스가 우리 아빠라고 그에게 말하면 그가 우리를 죽이지 않을 거로 생각했어요. 하지만 맥스는 전혀 개의치 않았죠. 당신이 그를 쏘지 않았다면 그는 다니와 나를 죽였을 거예요. 사람이 자기 친자식들을 죽일 수 있다는 걸 이해하기는 힘들죠."

"맥스는 당신 아버지가 아니에요. 당신 아버지는 당신을 길러준 분이죠. 그리고 그는 범죄자가 아니고요."

나는 그 말이 고마웠다. "당신 말이 맞아요. 그리고 우리 엄마는 일곱 살 때까지 나를 길러준 분이고요. 엄마는 제임스 홀든의 집에 침입하지 않았어요. 엄마는 이안 홀든과 같이 자지도 않았고요. 그건 레이철 이모였어요. 이모가 강의실 밖에서 이안에게 접근했던 거예요. 우리 엄마인 척하면서요. 엄마는 그 강도 사건이 있은 뒤 레이철 이모가 자기를 구해달라고 애원하고 나서야 그 일을 알게 됐어요. 그리고 그 부탁대로 했죠. 두 사람은 모든 걸 버리고 떠나서 새 신분을 획득하고 인생을 새로 시작했던 거예요." 나는 숨을 들이마셨다. "난 엄마 쪽에서 이야기를 듣고 비어 있는 부분들을 채워야 해요."

"지금 우리가 당신 어머니와 얘기하면 되겠네요. 같은 병원에 있으니까요."

나는 그럴까 하고 생각했지만 그 대화는 기다려야 할 것이었다. "그건 다니의 상태를 알고 나서요. 다니도 오고 싶을 거예요. 아니, 다니는 어쩌면 이걸로 충분할지도 모르죠. 형부가 지금 여기로 오고 있어요. 아기가 무사해야 할 텐데. 그들은 언니 집 근처 가게에서 언니를 쓰러뜨려 납치했어요. 여기까지 오는 동안 언니는 트렁크에 갇혀 있었어요. 엄청난 트라우마가 생겼죠. 그리고 그건 내 잘못이에요."

"당신 잘못이 아니에요, 브린. 당신이 한 모든 일은 당신 어머니를 쏜 사람을 알아내려고 노력한 것뿐인걸요."

"그런데 알아낸 거라곤 엄마가 우리 엄마가 아니라는 거고요. 내 친부모는 끔찍한 사람들이라는 거죠. 그렇게 태어난 나는 어떤 사람일까요?"

"당신 자신이죠. 당신은 그들 누구도 아니에요. 그냥 당신일 뿐이고 내가 본 바로 당신은 놀라운 사람이에요."

나는 그의 말에 미소를 지었다. "그 말은 그대로 당신에게 돌려줄게요. 당신은 내 목숨을 또 구해줬잖아요."

"당신이 병원에 갈 때 내가 같이 갔어야 했는데. 당신을 혼자 내버려 둬서는 절대 안 되는 거였어요."

"우리 엄마에 관해, 그리고 엄마가 당신을 도운 이유에 관해 우리가 알아낸 사실에 당신은 충격을 받았잖아요. 당신이 왜 나가버렸는지 알고 있어요. 그리고 그건 잘못이 아니었고요. 당신에겐 생각할 시간이 필요했던 거예요."

"그 시간 때문에 당신이 목숨을 잃을 뻔했죠. 그건 이기적인 행동이었어요."

"아, 케이드." 내가 고개를 저으며 말했다. "당신은 전혀 이기적이지 않아요. 난 지난 며칠 동안 수많은 나쁜 일을 겪었지만, 당신과는 아니었어요. 당신은 그늘진 화가일지는 모르지만 내 인생에 정말 밝은 빛이 되어줬어요. 우리 엄마가 당신에게 거짓말을 하고 죄책감 때문에 당신을 후원했다는 사실을 당신이 싫어한다는 건 알아요. 하지만 난 내가 엄마의 집에 도착했을 때 당신이 거기 있었던 게 정말 기뻐요. 당신이 없었다면 난 지난 며칠을 버텨내지 못했을 거예요. 당신에게는 상황이 다르겠지만. 당신은 나를 더 편하고 더 안전하게 해줬지만, 난 당신을 더 힘들고 위험하게 했죠."

"어쨌거나 우리는 둘 다 살았잖아요. 그걸로 충분한 날도 있는 거죠."

나는 고개를 끄덕였다 그때 간호사가 다니를 휠체어에 태워 대기실로 들어오는 것이 보여서 나는 자리에서 벌떡 일어났다. 우리는 다니를 만나러 갔다.

"난 괜찮아." 다니가 휠체어에서 일어나서 내 옆에 앉으며 말했다. "아기는 무사해. 난 머리에 혹이 생겼지만 대단한 건 아니야. 혈압은 내려가고 있어. 스티브가 45분쯤 뒤에 여기 올 거야. 너는 어떠니, 브린?"

"나도 괜찮아. 레이철 이모는 수술받는 중이야. 그리고 맥스는 죽었어." 내가 덧붙여 말했다. "다른 남자는 감옥에 있어."

"잘됐네." 다니가 말했다. "그 모든 충격적인 폭로가 이루어지는 동안 내가 거기 있었다는 건 아는데, 난 뭔가를 놓친 것 같은 느낌이 들어. 너무 무서워서 눈을 뜨고 있었는데도 정신을 잃고 있었던 것 같아."

"그건 괜찮아. 네가 마음의 준비가 되면 내가 다 알려줄 수 있어. 그렇기는 해도, 나도 모든 걸 알지는 못해. 엄마와 관련된 부분 말이야."

"네가 그렇게 말할 거라고 생각했어." 다니는 한숨을 쉬며 말했다.

"엄마와 얘기하는 건 나 혼자 하면 돼. 단지 그러기 전에 시간이 좀 필요한 것 같아."

"서둘러 그럴 필요는 없어요." 케이드가 말했다. "우리 다 같이 당신 어머니의 집으로 돌아가는 게 어떨까요? 여기보다는 거기서 남편을 기다리는 게 더 편할 거예요."

"듣던 중 반가운 소리예요." 내가 말했다. "다니?"

다니는 망설이다가 고개를 끄덕였다. "스티브에게 전화해서 거기서 만나자고 할게."

우리는 7시가 넘어서 엄마의 집으로 돌아왔다. 다니와 나는 거실 소파에 몸을 웅크리고 앉았고 그사이 케이드는 모두가 먹을 음식을 포장해 오러 밖으로 나갔다. 스티브는 케이드가 돌아오기 전에 도착했고 다니와 형부 사이에 흘러넘치는 행복하고 즐거운 안도감에 나는 가슴이 뭉클해졌다. 다니에게 무슨 일이 생겼다면 나는 형부의 얼굴을 보지 못했을 것이었다.

다니는 교회에서 일어난 일에 관해 스티브에게 세세하게 말하지 말아달라고 내게 미리 부탁한 바 있었다. 나는 그 생각에 전적으로 동의하지는 않았지만, 아내를 거의 잃을 뻔했다는 사실을 스티브가 모르기를 다니가 바랄 뿐만 아니라 그 상황을 재생하는 것도 원치 않는다는 건 이해가 됐다. 나도 그 상황을 재생하고 싶지는 않았기 때문이었다.

케이드가 피자와 샐러드, 맥주, 그리고 와인을 들고 도착했을 때 스티브와 다니는 밤을 지내고 가기로 마음을 정한 상태였다. 우리는 모두 아침에 엄마와 얘기하자고 의견을 모았다. 레이철 이모가 우리와 자리를 함께할 수 있을 정도로 회복된다면 좋을 것이었다. 그들

두 사람 모두 같은 방에서 같은 대화의 현장에 있도록 할 필요가 절실했던 것이다.

저녁을 먹으면서 우리는 가벼운 대화를 계속 나눴다. 케이드는 스티브와 다니에게 그들의 생활과 사업, 아기에 관해 여러 가지 질문을 했다. 그는 매우 능숙하게 그들이 그날의 공포를 잊어버리도록 해주었고, 나는 그에게 다시금 고마운 마음이 들었다.

식사를 마치고 나자 다니가 말했다. "케이드, 우리는 아까 일어난 일을 거론하지 않고 있지만 당신도 오늘 밤에 어느 정도 정신적 충격을 겪었을 거라는 걸 잘 알고 있어요. 그리고 당신이 제때 와줘서, 또 며칠 전에 함부로 말을 한 나를 쫓아내지 않아서 얼마나 고마운지 모른다는 말을 정말 하고 싶었어요."

케이드는 미소를 지었다. "당신은 그냥 동생을 지켜주려던 건데요, 뭐."

"당신이 브린을 지켜주는 걸 고마워하지도 않았잖아요. 난 당신에게 다른 의도가 있다고 생각했는데, 내가 틀렸어요. 미안해요."

"사과할 필요는 없어요." 그가 말했다.

"당신 어머니께 말했어요?" 내가 물었다.

"아뇨, 아직은요. 먼저 당신 어머니와 이모가 무슨 말을 하는지 듣고 싶어요."

"잠시만요." 다니가 끼어들었다. "갑자기 어떤 게 생각났어, 브린. 넌 맥스에게 네가 도난품들, 그러니까 보석과 현금을 발견했다고 했잖아. 그건 어디 있어? 경찰이 갖고 있어?"

"경찰은 그 남자가 이 집에서 들고 나온 상자를 갖고 있어요." 케이드가 말했다. "내용물이 정확히 뭔지 나는 몰라요."

"내가 알아요." 내가 말했다. "그리고 그 보석들은 상자에 없어요.

거기 있는 건 나와 다니의 어릴 때 사진들과 아무것도 적혀 있지 않은 이상한 우편엽서 더미, 그리고 현금 1만 달러예요."

"그럼 보석들은 거기 없었어?" 다니가 물었다.

"응." 나는 재킷의 지퍼를 열고 안주머니에서 반지를 꺼내어 테이블 위에 놓았다. "하지만 여기 이것 봐, 제임스 홀든에게서 훔친 그 보석들 중 하나야."

다니는 빛을 받아 일렁거리는 그 돌멩이를 보고 헉하고 숨을 멎었다. "어머나, 세상에." 그녀가 말했다. "엄청나게 크고 아름다워."

"알아. 잠깐만 기다려 봐." 나는 자리에서 일어나서 계단을 뛰어 올라갔다. 그 주머니는 내가 숨겨둔 바로 그 벽 안에 있었다. 나는 그걸 가지고 주방 테이블로 돌아와서 내용물을 쏟아부었다.

"후," 케이드가 말했다. "다이아몬드가 수두룩하네요."

"이런 건 한 번도 본 적이 없어." 다니가 중얼거렸다. "엄마가 이 오랜 시간 내내 이걸 갖고 있었어?"

"그래. 더 많이 있었는지는 몰라. 어쩌면 세월이 지나면서 두 사람이 일부를 팔았을지도 모르고."

"어떻게 이것들을 찾은 거야, 브린?" 다니가 물었다.

"케이드의 컴퓨터로 그 강도 사건과 없어진 보석들에 관한 경찰 보고서를 읽고 있는데 이상한 기억이 떠오르는 거야. 엄마가 정원에 있었고 손에는 반짝이는 뭔가가 있었어. 파란색 돌멩이였어. 난 엄마에게 왜 돌멩이를 심고 있냐고 물었지. 그랬더니 엄마가 그 돌멩이들이 꽃을 자라게 한다고 했어." 나는 잠깐 있다가 말했다. "난 창문 너머로 엄마의 화단을 내다봤어. 그냥 파봐야겠다는 그런 기분이 들더라고."

"예전에 네가 돌멩이들이 꽃을 자라게 한다고 나한테 말하곤 했었는데 난 그게 무슨 말인지 몰랐어." 다니가 눈을 반짝이며 말했다.

"어렸을 때는 내가 본 게 뭔지 이해하지 못했던 것 같아. 하지만 갑자기 아귀가 맞는 거야." 다니가 하품을 참자 나는 말을 멎었다. "넌 지쳤어. 형부와 넌 손님 방을 쓰면 돼. 내가 이불들을 아까 세탁해 놓았어. 드라이기 안에 아직 있을 거야. 내가 잠자리를 준비해 줄게."

"내가 할게요." 케이드가 내게 다시 자리에 앉으라는 손짓을 하며 말했다. "당신은 앉아 있어요."

"제가 돕겠습니다." 스티브가 자리에서 일어서며 말했다.

남자들이 나가자 다니는 내게로 손을 뻗었다. "케이드는 내가 생각했던 것보다 좋은 남자야. 넌 나보다 더 일찍 그걸 파악했고. 이제 네 본능에 의문을 표하는 건 중단해야겠어."

나는 웃음 지었다. "당연하지. 하지만 네가 그럴 수 있을지 모르겠는걸."

"한번 해볼게. 너와 관련해서 내게는 버려야 할 습관들이 있어, 브린. 아까도 말했지만 난 내가 강한 사람인 척, 너한테 너무나 필요한 사람인 척해왔어. 하지만 실제로는 정반대였지. 나는 네게 필요한 존재여야 했던 거야. 너로 인해 나는 모든 걸 해낼 힘을 얻었어. 내가 네 인생을 좌지우지했던 건 네가 없으면 난 어떤 결정도 내릴 수가 없었기 때문이야. 너에게 공정한 일이 아니었어."

"네가 그렇게 하도록 내버려 뒀던 건 내게 네 사업이 필요해서였어. 그 일을 하면 편안했으니까. 때로는 너무 편안했지." 나는 숨을 내쉬었다. "우리는 엄마와 레이철 이모의 사연을 몰라. 하지만 난 두 사람이 우리가 봐야 할 거울이라고 생각해."

다니는 고개를 오른쪽으로 갸웃하며 뭔가를 가늠하려는 눈빛으로 나를 봤다. "그게 무슨 말이야?"

"두 사람은 굉장히 친밀하면서도 일그러진, 비밀스러운 상호 의존 관계였어. 두 사람이 어떻게 그렇게 쉽게 그런 덫에 걸린 건지 난 알 수 있어. 쌍둥이 자매라는 건 그냥 자매와는 다르잖아. 두 인생이 아닌 하나의 인생을 살고 있다고 느끼기 십상인 거지. 난 우리가 예전처럼 친밀하게 지내는 걸 원치 않는다고 말하는 건 아니야. 왜냐하면 난 그러고 싶으니까 말이야. 난 이 세상 그 누구보다 널 사랑해. 하지만 우리는 각자의 인생을 살아야 해, 다니. 네겐 아기가 생기겠지. 널 아껴주는 남편이 있고, 네게는 그 두 사람이 최우선이 돼야 한다고."

"그럴 거야. 하지만 난 여전히 널 사랑할 거야, 브린. 그리고 네가 뭘 하든 널 걱정할 거고. 또 네가 가는 걸음마다 널 응원할 거야. 그리고 네 공연 때는 좋은 자리 티켓을 잘 구해야겠지."

"1열 티켓, 내가 약속할게." 스티브와 케이드가 방으로 들어와서 나는 눈을 들었다.

"침대가 당신을 기다리고 있어." 스티브가 다니에게 말했다.

"난 바로 곯아떨어질 것 같아." 남편이 일으켜 세워주자 다니가 말했다. "한 번 더 말하지만 고마워요, 케이드."

"푹 쉬세요." 그가 대답했다.

"그럴게요." 다니가 나를 돌아봤다. "너는 위층에 있을 거니?"

"그래. 잘 자."

"너도."

그들이 복도로 나가 손님 방으로 들어가자 나는 접시들을 싱크대로 가져갔다.

"정리는 당신 몫이 아니에요." 케이드가 내게 말하며 내가 더는 정리하지 못하도록 막아 섰다. "위로 올라가서 눕는 게 어때요?"

"조금 피곤하네요. 당신은 어디 있을 거예요?" 내가 물었다.

그는 머뭇거렸다. "치우고 나서 우리 집에 가려고요."

우리의 시선이 마주쳤을 때 우리 사이에는 너무 많은 못다 한 말들이 있는 것 같았다. 그러나 우리 중 누구도 입을 열지는 않았다. 결국은 케이드가 목청을 가다듬고 말했다. "내일 병원에 당신과 함께 갔으면 해요. 당신 어머니와 이모가 해야 할 말을 듣고 싶어요."

"당신이 거기 있어야죠. 두 사람의 이야기는 당신의 과거인 동시에 내 과거니까요. 당신 아버지에게 생긴 일에 두 사람이 관련돼 있어서 마음이 아파요."

"나도 그래요." 그가 무겁게 말했다. 그의 눈빛에 깊은 슬픔이 배어났다. "하지만 그 일은 당신과는 아무 상관도 없어요."

31

다니와 스티브, 그리고 케이드와 내가 화요일 오전 11시가 조금 못 되어 엄마의 병실에 도착했을 때 엄마는 집중치료실에서 옮겨진 상태였고 이제 엄마의 병실 앞에 경호 요원은 없었다. 우리는 진이 다 빠질 정도로 충격적이었던 전날의 사건을 겪은 후 모두 늦잠을 자고 말았다. 그러나 현실을 벗어났던 우리의 휴식은 끝이 났다.

내가 제일 먼저 들어갔고 다른 사람들이 바로 뒤를 따랐다. 엄마는 침대에 앉아 있었다. 어깨에 붕대가 감겨 있고 머리에도 붕대가 감겨 있었지만, 얼굴에는 화색이 조금 돌았다. 우리를 쳐다보더니 엄마의 눈에 복합적인 감정이 스쳐 지나갔다. 고통과 죄책감이 보였지만 강철같은 결의 역시 보였다. 엄마는 이 순간을 대비해 마음의 준비를 하고 있었음이 분명했다.

우리 중 누가 말을 시작하기도 전에 문이 다시 열리더니 간호사가 레이철 이모를 휠체어에 태워 병실로 들어왔다. 어깨를 두른 두꺼운 붕대가 눈에 띄었고 지친 기색과 더불어 체념한 표정이 드러났다.

"내가 간호사에게 너희가 여기 도착하면 말해달라고 부탁했어." 레이철 이모가 말했다. "난 우리가 모두 함께 자리해야 한다고 생각했어."

"좀 어떠세요?" 내가 물었다.

"난 괜찮아." 레이철 이모는 무시하듯 고개를 흔들며 말했다. "그리고 그 얘기를 하려고 너희가 여기 온 건 아니잖아. 그러니까 할 애기를 시작하자."

내 시선이 레이철 이모에게서 엄마에게 옮겨갔다. "엄마는 어제 일어난 일에 관해 뭘 알고 있어요?"

"레이철이 미리 여태까지 있었던 일을 얘기해 줬어." 엄마가 대답했다. "너와 다니가 그 모든 일을 다 겪다니, 너무나 미안하다. 너희가 그 악마 같은 인간을 대면해야 할 거라고는 생각조차 못 했단다."

"그 악마 같은 인간이 우리 친아빠고요." 다니가 딱딱하게 말했다. "맞지 않아요?"

엄마는 애석하다는 듯 고개를 끄덕였다. "그래. 불행하게도, 그게 사실이야."

"과거로 돌아가 보죠." 내가 말했다. "전 우리가 어떻게 여기까지 이르게 됐는지 알고 싶어요. 엄마와 이모의 진짜 이름은 뭐예요? 엄마가 태어났을 때 지어진 이름 말이에요."

"태어났을 때 우리 이름은 클레어 톰슨과 엘레인 톰슨이었어." 엄마가 말했다. "우리는 시카고에 살았단다. 우리 인생에 아버지는 없었어. 어머니에겐 약물 남용 문제가 있었어. 어머니는 재활 병원을 드나들었지. 우리는 어머니가 없어지면 이웃 아주머니와 함께 지내곤 했어. 허쉬 아주머니가 힘이 닿는 한에서 최대한 우리를 안전하게 보살펴 줬어. 내게 악기를 가르쳐 주신 분이 그분이었어. 음악이 내 탈출구였지."

나는 그걸 이해할 수 있었다. "그래서 엄마는 부모님이 어려서 돌아가셨다고 거짓말을 했군요."

"그렇게 하는 게 간단했단다." 엄마가 말했다. "새빨간 거짓말도 아니었고. 우리 부모님은 우리에게 거의 돌아가신 거나 마찬가지였어. 허쉬 아주머니가 우리에게 먹을 것과 잘 곳을 챙겨준 거야. 우리는 그분 옆에서 안전하게 지냈는데 어느 날 어머니가 새 남자친구와 함께 돌아왔어. 어머니는 우리가 자기와 함께 가야 한다고 했고 우리는 그걸 거부할 수가 없었단다." 엄마의 목소리가 떨렸다. "우리가 거기 간 지 하루 만에 최악의 일이 일어났어." 엄마는 숨을 들이쉬고는 레이철 이모에게 손을 뻗었다.

레이철 이모는 엄마의 손가락을 꽉 쥐었고 그 모습을 보자 나는 다니와 내가 얼마나 많이 그와 똑같은 행동을 했던지 떠올랐다.

"무슨 일이 일어난 건데요?" 다니가 조급하게 물었다. "나쁜 일이었겠군요?"

엄마가 대답하지 않자 레이철 이모가 냉정하게 말했다. "엄마가 술에 취해 정신을 잃고 있는 동안 엄마의 남자친구에게 내가 성폭행당했어. 열네 살 때의 일이야."

"저런, 세상에!" 내가 낮은 소리로 말했다. "정말 안됐어요."

"그건 내 잘못이었어. 내가 이 애 옆을 떠나지 말았어야 했는데." 엄마가 끼어들었다. 눈에는 죄책감과 고통의 빛이 어려 있었다. "하지만 난 연주회에 빠지고 싶지 않았어. 몇 주 동안 연습했으니까 말이야. 내가 이기적이었어."

"언니는 무슨 일이 일어날지 몰랐잖아." 레이철 이모가 말했다.

"알았어야지." 엄마는 심호흡을 했다. "집에 돌아와서 나는 레이철을 허쉬 아주머니에게 데려갔고 그분이 119에 전화했어. 우리는 그들이 우리를 허쉬 아주머니와 함께 지내도록 해줄 거로 생각했지만 그들은 아주머니의 집은 허가받은 가정이 아니라고 했어. 사회복지사가 우리를 따로따로 위탁 가정에 맡겼지." 엄마는 더 많은 죄책감이 흐르는 눈빛이 되어 말을 잇지 못했다. "나는 레이철보다 상황이 나았어. 위탁 부모는 내가 학교에 다니면서 음악을 계속할 수 있도록 도왔어. 나는 그들에게 레이철을 거두어 달라고 했지만 그들은 또 다른 아이를 맡을 수 있도록 허가받지 못했다고 했어."

나는 레이철 이모에게 시선을 옮겼다. "그래서 이모는 어떻게 됐어요?"

이모는 어깨를 으쓱했다. "나는 수용 시설로 들어갔어. 적자생존의 법칙이 있는 곳이었고 우리에게 조금도 신경 쓰지 않는 사람들을 위해 수많을 일을 하는 곳이었지. 그들은 우리가 문제를 일으키면 지하실에 가두었어. 나는 여러 번 탈출해서 그들을 신고했지만, 항상 돌려보내지던가, 아니면 다른 곳으로 보내졌어. 열일곱 살이 되었을 때 마침내 나는 언니를 다시 찾게 됐어."

"고등학교 졸업식을 몇 주 앞두고 있던 때 레이철이 나타났어." 엄마가 말을 이었다. "나는 며칠 동안 레이철을 숨겨준 뒤 위탁 부모에게 동생을 시설로 돌려보내지 말아 달라고 부탁했어. 내가 독립을 눈앞에 둔 상황이었기에 그들은 내 말을 들어줬어. 나는 뉴욕대에 장학생으로 입학했고, 그래서 우리는 뉴욕으로 갔어. 나는 학교생활을 시작했고 레이철은 보모 일을 구했단다."

"내가 했던 수많은 일들 중 하나였지." 레이철 이모가 말했다. "나는 안정된 생활을 하지 못했어. 전문대에서 강의를 들었지만 빵점 학생이었고. 난 말썽을 일으키는 것 말고는 뭐 하나 잘하는 게 없었어. 나이가 들어갈수록 나는 언니가 점점 부러웠어. 언니는 더할 수 없이 잘해내고 있었으니까. 언니는 자랑거리가 넘쳐났어. 그때가 우리 인생에서 우리가 처음으로 서먹서먹해졌던 시기였어. 그리고 그건 나 때문이었지. 나는 뒤처졌다고 느꼈고 사실 그랬으니까. 나는 학교를 때려치웠어. 더 재미있고 더 돈이 되는 일들을 찾기 시작한 거야. 결국에는 브루클린의 술집에서 웨이트리스 일을 시작했고."

"그때 일어난 일은 이미 알고 있어요." 내가 말했다. "이모는 맥스와 어울려서 범죄 행위에 휩쓸리게 됐죠. 그가 케이드의 아버지를 죽인 뒤 이모가 달아난 건 알고 있지만, 이모가 신분을 바꾸고 나서 일어난 일은 알지 못해요. 이모는 어디로 갔던 거죠?"

"우리는 버스를 타고 애틀랜타로 갔어." 레이철 이모가 말했다. "킴 쿠퍼와 메건 쿠퍼가 됐지. 그리고 8개월 뒤에 킴 쿠퍼에게는 어린 두 딸이 생겼고."

"이모가 킴 쿠퍼였어요?" 내가 더욱더 혼란스러워져서 물었다. "하지만 엄마 이름이 킴이었잖아요."

"내가 병원에 갔을 때 킴이라고 등록을 했기 때문에 언니가 킴이 돼야 했어. 내가 너희를 언니에게 남겨두고 떠나면서 우리는 신분증을 서로 바꿨어. 그래서 출생증명서는 언니의 이름과 일치하게 된 거야."

"두 분의 이름들을 따라갈 수가 없네요." 나는 화가 나서 말했다. "지금은 뭐라고 불러야 하나요?"

그들은 짧게 시선을 교환했다. 그러고 나서 엄마가 말했다. "네가 괜찮으면 로라와 레이철이라고 불러도 돼. 지난 20년간 우리는 그 이름으로 살아왔으니까."

"난 아직도 엄마가 우리 엄마로 생각돼요." 내가 중얼거리듯 말했다.

엄마는 입술을 떨더니 눈을 깜박여 눈물을 털어냈다. "나도 너희를 여전히 내 딸로 생각한단다. 항상 그럴 거야."

"당신은 왜 우리를 원하지 않았죠?" 다니가 레이철 이모를 돌아보며 말했다. "왜 언니에게 우리를 기르도록 한 거예요?"

레이철 이모는 다니가 공격적으로 대하자 숨을 가쁘게 들이쉬었다. "난 우울증과 불안 장애가 있었는데 10대를 거치면서 그게 점점 심해졌어. 그런데다 또 산후 우울도 있었던 것 같아. 나는 그게 뭔지 제대로 알지 못했지만, 나쁜 감정이 들고 내가 좋은 엄마가 될 수 없다고 생각했던 거야. 언니보다 더 나은 사람, 내 아이들을 믿고 맡길 수 있는 사람은 아무도 없었어."

"엄마는 어떤 마음이었어요?" 내가 엄마에게 물었다.

"레이철이 떠났을 때 난 정말 화가 났어. 돌아올 거로 생각했는데 그러지 않았지. 그리고 내가 너희의 엄마가 돼야 한다고 분명히 말했어." 엄마는 내게 따뜻한 미소를 보냈다. "난 너희가 태어난 그 순간부터 너희 둘을 사랑했단다. 너희의 엄마가 된 건 영광이자 축복이었어. 너와 다니는 내게 넘치는 사랑과 기쁨, 그리고 목적을 안겨줬어. 난 그게 새로운 출발이라고 느꼈단다. 그리고 레이철도 행복을 찾게 되기를 빌었어."

"엄마는 우리 아빠를 사랑했어요?" 다니가 물었다. "맥스 다비노 얘기가 아니에요. 로스 랜드리요."

"정말 사랑했단다." 엄마가 말했다. "로스는 나와 너희들에게 정말 잘해줬단다. 그는 속이 깊고 친절하고 배려심이 많은 사람이었어. 그는 가족이 없었기에 어린 아기 둘을 데리고 있는 여자를 기쁘게 받아들였어. 그는 너희가 자기 딸이 되기를 원했어. 그래서 우리는 너희가 입양되었다는 걸 말하지 않았던 거야. 내가 너희를 두고 떠나야 했을 때 나는 너희가 너희 아빠와 함께 아무 문제 없이 지낼 거라는 걸 알았어. 너희를 나쁜 상황에 두고 떠난 게 아니었어. 나는 너희에게 정상적이고 행복한, 그리고 안전한 생활을 할 기회를 주고 있었던 거야."

엄마의 말은 오랫동안 허공에 맴돌고 있었다. 나는 아빠가 엄마가 기억하는 다정다감한 아빠가 아니었다는 말을 하고 싶지는 않았다. 사실, 나는 아빠에 대해 지금은 아무 말도 하고 싶지 않았다.

"뉴올리언스에서는 무슨 일이 있었던 거예요?" 내가 물었다. "엄마는 죽은 걸로 위장할 걸 알고 떠났던 건가요? 아니면 거기서 어떤 일이 생긴 건가요?"

"일이 생겼어." 엄마가 말했다.

"나 때문이지." 레이철 이모가 덧붙였다. "나는 카페에서 일하면서 뉴올리언스에 살고 있었어. 문제를 일으키지 않으려고 노력하며 지냈는데 요가 수업에서 어떤 여자와 친구가 된 거야. 나는 그녀가 여행사 직원이라고 생각했는데 알고 보니 그녀와 그녀의 남자친구는 멕시코만에서 뉴욕으로 마약과 총기를 밀수 공급하는 일을 돕고 있었어."

"그리고 그건 맥스의 가족과 연계되어 있었고요?" 내가 물었다.

"그래. 내 친구는 자기가 하는 일을 한 번도 정확하게 말하지 않았지만, 그녀의 남자친구가 어느 날 밤 술이 너무 취해서 뉴욕에 있는 자기 친구들에 대해 온갖 말들을 떠벌렸어. 그러자 머릿속에 어떤 생각이 떠오르는 거야."

나는 레이철 이모의 눈에 언뜻 스쳐 가는 빛을 보고 그게 좋은 생각이 아니었음을 알 수 있었다.

"난 생각했어." 레이철 이모가 말을 이었다. "이 밀수 활동에 대한 정보를 캐내면 맥스를 감옥에 보내서 내 뒤를 쫓지 못하게 만들 수 있고, 그 경비원을 죽인 일로 그를 감옥에 보내지는 못할지라도 그 대가를 치르게는 할 수 있을 거라는 생각 말이야. 나는 내 친구들과 더 많은 시간을 보내면서 여러 가지를 묻기 시작했고 그 집단과 너무 가까워졌어. 그러다 누군가 나를 알아보고 맥스에게 말을 했던 거지. 나는 그가 그 도시에 나타났을 때 충격을 받았어. 너희 엄마에게 전화해서 맥스가 뉴올리언스에 있다고 했지. 그리고 거길 빠져나가야 하는데 내 아파트를 나가는 게 무섭다고. 언니는 다음 비행기를 타고 오겠다고 했어."

"나는 얘가 그를 혼자 대면하게 할 수는 없었어." 엄마가 말했다.

"나는 언니에게 내가 남겨뒀던 그 보석들을 가져오라고 했어. 그것들을 교환해야 할 경우를 대비해서 말이야." 레이철 이모가 말을 이었다. "너희 엄마가 시내로 들어왔을 때 우리는 새 신분을 사기 위해 어떤 사람을 만나기로 되어 있었어. 오래된 공동묘지가 만날 장소였지. 새로운 인생을 시작하기에 완벽하게 아이러니한 곳이었어. 하지만 맥스가 우리를 찾아낸 거야. 그에겐 조나라는 친구가 있었어. 내가 그를 죽이고 말았는데 그건 정당방위였어. 난 삽으로 그의 머리를 내리쳤어. 그렇게 해서 우리는 도망칠 시간을 벌었던 거야."

"다음 며칠 동안," 레이철 이모가 계속 말했다. "그 일대는 아수라장이었어. 홍수가 나서 모든 곳에 물이 범람했지. 내가 계속 살던 곳도 범람했어. 가고 싶어도 그곳으로 돌아갈 수가 없었던 거야. 나는 누군가 내 물건을 발견하면 내가 죽었다고 생각할 거라는 식의 말을 했어." 레이철 이모가 엄마를 쳐다봤다. "그때 우리는 그게 유일한 출구라는 걸 알아차렸던 거야. 우리는 폭풍우에 죽어야 했어. 돌아갈 길은 없었어. 맥스가 우리를 봤으니까."

"그래서 두 사람은 죽은 걸로 위장했군요." 다니가 무겁게 말했다. "다른 여러 선택의 여지가 있었을 텐데요."

"그랬을지도 모르지. 하지만 우리는 급하게 결정해야 했어." 레이철 이모가 말했다.

"그리고 너희를 보호하는 게 내게는 최우선적인 일이었어." 엄마가 말했다. "난 위험을 무릅쓰고 너희와 너희 아빠에게로, 내가 꾸려가던 생활로 되돌아가는 모험을 할 수는 없었어. 그랬으면 모든 사람이 다 위험했을 거야."

"잠시만요." 내가 레이철 이모를 쳐다보며 말했다. "맥스는 이모가 뉴올리언스에 오기 전에 쌍둥이 자매가 있다는 걸 몰랐어요? 그게 어떻게 가능하죠?"

"내가 맥스를 만났을 때 난 너희 엄마에게 화가 나 있는 상태였어. 언니의 삶이 부러웠고 화가 났다고 내가 말했었잖아." 레이철 이모가 말했다. "난 아무에게도 언니 얘기를 하지 않았어. 맥스에게 언니가 있다는 말을 하지 않았지. 나는 그에게 가족이 없고, 그래서 돈이 필요하다고 했어."

"알겠어요." 그 이야기를 이해하려고 노력하면서 내가 말했다. "뉴올리언스를 떠난 뒤에는 어떻게 됐어요?"

"우리는 새 출발을 했어." 레이철 이모가 말했다. "난 너희 엄마에게 말했지. 다시는 나한테 와달라고 부탁하지 않을 거라고. 우리는 따로 지내야 했지만, 서로 생각이 날 때마다 우편엽서를 보냈어. 그게 사랑한다고 말하는 우리의 방식이었을 거야."

"상자 속에 있던 그 우편엽서군요." 내가 말했다. "이제 이해가 되네요."

"난 샌프란시스코에서 새 인생을 꾸려 나갔어." 엄마가 말을 이었다.

"그리고 난 피닉스로 가서 거기서 얼마간 있었어." 레이철 이모가 말했다. "거기 있는 동안 난 밀수 활동을 추적하면서 알게 된 뉴올리언스의 어떤 경찰에게 연락했어. 나는 그에게 그 조직과 다비노 가족에 관해 내가 아는 모든 것을 말해줬어. 결국 그가 뉴욕의 몇몇 경찰과 함께 맥스와 그의 가족을 급습했어. 그들의 범죄 활동 중 일부의 혐의로 말이야. 맥스는 10년 형을 받고 수감됐지."

"그래서 이모가 자기를 함정에 빠뜨렸다고 맥스가 말한 거군요." 내가 말했다.

"그래. 난 뭐라도 해야 했어. 그가 갇혀 있었을 때 나는 처음으로 제대로 숨을 쉴 수가 있었지."

"홀든 저택 강도 사건에 이모가 연루되어 있었다고, 맥스가 케이드의 아버지를 죽였다고 경찰에 말했어요?" 내가 물었다.

레이철 이모는 고개를 내저었다. "아니. 난 그의 당시 활동에 대해 얻은 정보에 초점을 맞췄어. 다른 것에 대해서는 어떤 증거도 없었으니까 말이야."

"그리고 당신 자신이 곤란해지는 걸 원치 않았으니까요." 케이드가 날카롭게 말했다.

"그것도 사실이야." 레이철 이모가 시인했다. "맥스가 투옥된 후 나와 친분이 있던 그 경찰이 우리가 새 신분을 얻도록 도와줬어. 우리는 공식적으로는 증인 보호 프로그램에 들어가지 않았어. 내가 공식적으로 증언을 한 게 아니었기 때문이지. 하지만 우리는 새 주민등록번호와 지문, 신분증, 그리고 조작된 개인사를 얻을 수 있었어. 우리는 레이철 오코너와 로라 호손이 된 거야."

엄마가 가짜 이력으로 교사가 된 것이 그것으로 설명되었다. "좋아요. 하지만 맥스가 감옥에 갔을 때 엄마는 왜 돌아오지 않았어요?"

"그건 내가 죽은 지 3년 뒤의 일이었어." 엄마가 말했다. "그때는 이미 너무 늦었지."

"너무 늦지 않았어요." 내가 반박했다. "다니와 나는 열 살이었다고요. 우리에겐 여전히 엄마가 필요했단 말이에요."

엄마는 나를 슬픈 눈으로 쳐다봤다. "난 실제로 그로부터 1년 뒤에 너희를 보러 돌아갔단다. 하지만 너희 아빠와 비키가 결혼을 앞두고 있었고 너희는 모두 아주 행복해 보였어. 난 그걸 망가뜨릴 수가 없었어."

"우리가 열한 살 때 엄마가 우리를 봤다고요?" 나는 놀라서 물었다.

"다른 때도 근처에 가곤 했단다. 난 너희를 떠나보내야 했지만 그래도 너희를 보는 게 필요했어."

"우리에게 필요했던 건요?" 흥분하여 목소리가 높아진 다니가 따져 물었다. "그런 생각을 하기는 했어요? 제 생각엔 아닐 것 같군요. 왜냐하면 엄마와 엄마 여동생은 이기적인 사람들이니까요. 당신들은 서로만 생각하고 있어요."

"다니," 스티브가 말했다. "우리는 가야 할 것 같아. 이건 당신에겐 너무 무리야."

"당신 말이 맞아." 다니가 말했다. "이건 너무해요. 그리고 난 당신들이 말하는 내용의 절반도 믿기 힘들어요. 난 밖에서 기다릴게, 브린. 네가 지금 갈 생각이 없다면 말이야."

나는 다니의 눈에서 도전하는 듯한 표정을 볼 수 있었다. 다니는 내가 자기와 함께 나가기를 원했던 것이다. 그러나 나는 그럴 수가 없었다. 아직은 아니었다. "조금 있다 나갈게." 내가 말했다. 다니의 눈에 서글픈 표정이 어른거리는 게 보였다. 그러나 그녀는 자기 남편을 따라 병실에서 나갔다.

"난 다니가 화가 난 걸 책망하지 않는다." 엄마가 말했다. "너도 같은 식으로 느낄 게 분명해, 브린."

"저는 아주 많은 느낌이 들어요." 나는 숨을 들이쉬면서 케이드 쪽으로 몸을 돌렸다. 그는 이 이야기가 계속되는 동안 옆에 서 있었다. "케이드는 자기 아버지에 관한 진실을 알아야 해요. 그리고 엄마가 왜 자기 엄마에게 돈을 보내기 시작했는지도요." 내가 말했다. "그날 밤 일어난 사건 중에서 내가 아는 부분은 얘기해 줬지만, 세세한 사항은 엄마가 우리에게 알려줘야 해요."

"홀든의 집에 맥스와 그 다른 친구, 조나와 함께 있었던 건 나였어." 레이철 이모가 말했다. "이안이 며칠 전에 먼저 나를 그 저택으로 데려갔을 때 나는 경보 비밀번호를 알아낼 수 있었어. 우리가 들어갔을 때 경비원은 가고 없었어야 해. 하지만 뜻밖에 케이드의 아빠가 나타나서 맥스는 어쩔 줄 몰랐던 거지. 맥스는 그의 머리를 쐈어. 그가 땅에 쓰러지기도 전에 나는 그가 죽었다고 생각했어. 맥스는 내게 차를 가져오라고 고함을 질렀어. 우리는 금고에서 훔친 물건들로 두 개의 가방을 그득 채운 상태였어. 내 손에 그중 하나가 있었고, 나는 달려갔어. 하지만 차에 탔을 때 나는 차를 거기로 가져가지 않았어. 도망쳐 나갔지."

"구조를 요청할 수도 있었잖아요." 케이드가 거칠게 말했다.

"당신 아버지는 이미 죽었어요. 아무도 그를 도울 수가 없었을 거란 말이에요."

"그건 지금 당신 말이죠. 하지만 당신은 구조를 요청하고 싶지 않았잖아요. 당신 남자친구가 체포되고 당신까지 연루되었다는 걸 보여주고 싶지 않았던 거죠."

나는 케이드의 말이 맞을지도 모른다는 의심이 들었다.

"난 당황해서 어쩔 줄 모르는 상태였어." 레이철 이모가 시인했다. "하지만 당신 아버지가 죽었다는 건 알았어."

"그래서 당신은 현금 일부를 우리 엄마에게 나눠주면 벌어진 일에 대해 어느 정도 면죄가 될 거로 생각했나요?" 케이드가 도발적으로 말했다.

"난 그런 건 생각한 적도 없어요." 똑바로 노려보는 그의 시선을 피하지 않고 레이철 이모가 말했다.

"얘는 그러지 않았어요." 엄마가 말했다. "당신 엄마에게 돈을 보내는 건 레이철의 생각이 아니라 내 생각이었어요. 나는 내 동생이 한 남자의 죽음을 초래한 일에 개입되었고, 그에게는 남편과 아버지를 잃고 살기 위해 고군분투하는 가족이 있다는 것을 알고는 그냥 살 수가 없었어요. 우리의 신변을 보호하기 위해서 나는 그 자선 재단을 생각해 냈고 당신 어머니가 돈을 돌려보낼 때까지 수년간 송금을 했던 거예요."

"그럼 왜 그냥 그렇게 놔두지 않았어요?" 케이드가 물었다. "나를 왜 찾아냈어요? 왜 내 작품을 좋아하는 척했어요?"

"그런 척한 게 아니에요. 나는 정말 당신 작품이 좋았어요. 지금도 그래요." 엄마가 말했다. "당신 엄마가 내게 더는 돈을 보내지 말라고 했을 때 나는 좋다고, 이제 다 됐다고 생각했어요. 그러나 그 뒤 당신의 그림을 보게 됐고 후원하고 싶어진 거예요. 그 그림은 너무 날것이고 진짜였어요. 나 역시 고통과 소용돌이의 세계에서 자라난 사람이에요. 당신의 그림이 내게 말을 걸었고 나는 당신이 잠재력을 발휘하도록 돕고 싶었어요."

"하지만 당신은 그 강도 사건 현장에 있지도 않았잖아요." 케이드가 말했다. "왜 우리 아빠의 죽음이 그토록 당신을 괴롭혔던 거죠?"

"왜냐하면 그건 잘못된 일이었으니까요. 그건 끔찍한 일이었으니까요. 그리고 내 동생도 자신을 탓했으니까요. 레이철은 몇 달 동안 처참한 상태였어요. 그날 밤과 관련된 불안으로 자기 아이들을 포기할 지경에 이르렀죠. 아무 잘못도 없는 사람이 목숨을 잃었을 때 자기가 거기 있었다는 이유로 레이철은 자기 인생을 살아갈 수가 없었던 거예요."

케이드의 시선이 엄마에게서 레이철 이모에게로 옮겨갔다. "그렇게 느꼈나요? 아니면 당신 언니가 당신을 더 괜찮은 사람으로 보이게 하려는 건가요?"

"그 질문에 대한 대답은 둘 다 '맞다.'예요." 레이철 이모가 대답했다. "맥스를 만났을 때 난 엉망진창이었어요. 멍청하고 무모했죠. 게다가 난 아무것도 잃을 게 없다고 생각했지만, 지나고 보니 많은 것을 잃어야만 했던 거예요. 내 아기들과 이름, 내 인생 말이에요. 맥스를 만나지 않았다면, 그의 일당과 절대 엮이지 않았다면 얼마나 좋았겠어요. 난 그날 밤까지는 그가 얼마나 위험한 사람인지 전혀 몰랐어요. 그게 내가 한 일에 대한 변명은 아니겠지만, 이 이야기의 일부이긴 해요."

"전 그 이야기가 진짜인지도 의문스러운걸요." 케이드가 말했다. "당신과 로라는 대단한 거짓말쟁이들로 보여요. 그리고 당신이 27년 동안 그 보석들을 보관하면서 절대로 자수하지 않았다는 사실을 보면 모든 일을 깨끗하게 실토하고 싶을 정도로는 죄책감을 느낀 적이 없다는 걸 알 수 있죠."

"우리는 항상 그 보석들이 보험이라고 생각하고 있었던 거예요." 레이철 이모가 말했다. "그것들을 되찾을 때까지는 맥스가 결코 우리를 죽일 수 없게 만드는 보험 말이에요."

"팔아버린 것도 있나요?" 내가 물었다.

"작은 다이아몬드 몇 개만." 레이철 이모가 대답했다. "필요한 것들을 사려고 그랬던 거야. 하지만 너무 겁이 나서 더 많이 팔 수는 없었어. 그들이 우리를 추적해 올지도 모른다고 생각했으니까 말이야." 이모가 말을 멈추고는 내게로 시선을 돌렸다. "넌 그것들을 어떻게 찾아냈어?"

"엄마가 제게 꽃을 자라게 하는 마법의 돌멩이가 있다는 말을 했던 게 기억이 났어요."

엄마는 내게 슬픈 미소를 보냈다. "어느 날 너한테 들켰지. 그래서 이야기를 지어내야 했단다. 네가 그걸 기억하고 있다니, 믿을 수가 없구나."

"전 많은 일들을 기억해요. 지난주에 케이드와 엄마의 제자들, 그리고 친구들을 만났을 때 전 화가 났어요, 엄마. 그렇게 많은 다른 사람들을 위해 거기 있었으면서 나와 다니에게는 그러지 않았다는 사실이 원망스러웠어요. 엄마는 다른 사람들의 꿈을 북돋워 줬지만 우리는 제외됐죠."

"내가 네게 전화해 달라고 간호사에게 부탁하는 게 아니었다. 나는 죽을 거라는 느낌이 들어서 너를 사랑한다는 것, 너에게 미안하다는 걸 알리고 싶었던 거였어. 그렇게 한 게 이기적이었어. 내가 너희를 떠났을 때 인연을 완전히 끊었어야 했는데 나는 너와 네 언니, 네 아빠를 곁눈으로라도 보려고 계속 돌아가곤 했었다. 네 전화번호는 네가 바이올린 레슨을 하던 음악 학교 전단을 보고 알았어. 그래서 그걸 핸드폰에 저장했던 거야. 우리가 여전히 관계가 있는 것처럼 말이야."

"다니의 전화번호는 왜 저장하지 않았어요?"

"그 애가 졸업식장에서 나를 외면한 뒤 나는 그 애 근처에 절대로 얼굴을 비치지 않는 게 최선이라고 생각했단다. 난 그 애가 네게 나를 봤다는 말을 한 줄 알았어. 그 뒤 나는 이루 말할 수 없이 죄스러웠고 너희가 나를 찾기 시작할까 봐 두려웠어."

"다니는 엄마가 살아 있다는 걸 믿고 싶지 않았고 나를 속상하게 하고 싶지도 않아서 아무 말 하지 않았대요. 엄마가 살아 있다는 걸 제가 처음 안 건 엄마가 죽어간다는 병원의 전화를 받았을 때예요." 나는 잠깐 있다가 말했다. "맥스가 엄마를 쏘기 전에 그와 얘기를 나눴어요?"

"그래. 화요일에 학교를 마치고 나왔을 때 그와 마주쳤어. 그는 퍼져 나간 그 영상을 보고 나를 찾아낸 거였어. 나는 항상 세상의 이목을 피하고 있었지만, 그날 밤 그 일은 꼭 해야 할 일이어서 선택의 여지가 없었어. 나는 그 토막 영상이 그렇게 많이 유출되어 퍼질 거라고는 상상도 하지 못했어."

"맥스는 뭘 원했죠?"

"그 보석들과 레이철." 엄마가 대답했다. "난 그 보석들이 어디 있는지 모른다고, 그리고 20년 동안 동생을 본 적이 없다고 했지. 맥스가 수많은 협박을 했지만 마침 몇몇 학생들이 우리 사이에 끼어들어서 난 빠져나올 수가 있었어. 난 레이철에게 긴급히 문자 메시지를 보냈어. 답이 오지 않아서 난 어떻게 해야 할지를 몰랐단다. 레이철에게 경고를 해야 했지. 그리고 나도 또 떠나야 했어. 그런데 그다음 날 너희 아버지가 나타나서 우리는 그야말로 볼썽사나운 광경을 연출하고 말았던 거야. 모든 게 다 드러나기 시작했지. 난 콘서트가 끝난 후 여기를 떠나려고 마음먹었어. 아이들을 동요하게 하고 싶지는 않았어. 며칠 동안은 맥스를 피할 방법을 찾을 수 있을 거로 생각했단다. 하지만 그는 그렇게 내버려 두지 않았던 거야. 우리 집 앞에서 그가 나를 쐈다고 하더구나."

"그가 엄마를 죽이지 않았으니 엄마가 운이 좋았던 거죠." 내가 말했다.

"알아."

"이제 사태가 끝난 건가요?" 내가 물었다. "맥스가 어떤 범죄 가족의 일원이라면 그 보석을 원하는 다른 사람들은 없을까요? 맥스의 죽음에 대해 복수하고 싶어 할 사람은요?"

"맥스와 그의 친구 조나는 홀든 저택 범죄를 단독으로 저질렀어." 레이철 이모가 말했다. "그게 계획대로 진행됐다면 맥스는 그에 대해 으스대면서 그걸 조직에서 자기 입지를 강화하는 기회로 삼았을 거야. 하지만 그 일은 완전히 실패했기 때문에 그는 아무에게도 자기가 사람을 죽이고 보석을 잃어버렸다고 말할 수가 없었지. 그로서는 침묵을 지키는 편이 나았던 거야." 레이철 이모가 숨을 돌린 뒤 말했다. "네 질문에 대답해 보자면, 맥스와 조나, 두 사람이 다 죽었으니까 우리는 이제 안전해. 그 강도 사건에 관해 아는 사람은 아무도 없어."

"하지만 그 가족은 맥스가 죽은 걸 알게 되잖아요." 내가 지적했다. "그것 하나만으로도 그들이 복수를 원하지는 않을까요?"

"그들은 관심도 없을 거야." 레이철 이모가 말했다. "맥스는 10년간 복역했어. 그리고 그는 자기들 사업을 완전히 망쳐놨고. 그가 죽은 건 그 가족 누구에게도 중요한 문제가 아닐 거야. 그가 그 가족을 배신한 것처럼 보이도록 내가 뭘 좀 했거든. 사실, 나는 그가 감옥에서 죽기를, 그들 중 한 사람이 그를 죽이길 바랐어. 하지만 어찌 된 셈인지 그런 일은 일어나지 않았어. 맥스는 항상 상황을 자기에게 이롭게 만들었던 것 같아."

"글쎄요, 오늘은 그러지 못했죠." 케이드가 말했다.

"당신에게 감사해요." 레이철 이모가 말했다.

"우리는 그 보석을 원한 게 아니야." 엄마가 거들었다. "우리가 완전히 자유로울 수 있으면 우리는 기쁘게 그걸 다 넘겨줄 거야."

"그럼 넘겨주세요." 내가 말했다.

"그건 그리 쉬운 일이 아니야." 레이철 이모가 말했다. "내가 경찰에 자백하면 언니를 함께 데리고 가야 할 거야. 언니는 강도 사건 현장에 있지 않았지만, 내가 모든 걸 숨기는 걸 도왔고 내가 조나를 죽였을 때 나와 함께 뉴올리언스에 있었어. 나는 내가 저지른 죄 때문에 언니가 감옥에 가는 걸 보고 싶지 않아. 나 때문에 언니가 너희를 다시 잃는 건 원하지 않는데 그런 일이 생길 수도 있단 말이야."

이모의 말은 정곡을 찔렀다. 나는 레이철 이모와 정서적 유대감을 느끼지는 않았다. 사실, 내가 뭔가를 느꼈다면 그건 반감과 분노였다. 하지만 엄마는…. 나는 엄마가 감옥에 가는 건 정말로 보고 싶지 않았다. 두 사람의 눈에, 내 눈과 똑같이 생긴 그 눈에 걱정의 눈빛이 어렸다. **도대체 내가 어떻게 엄마와 이모를 신고할 수 있을까?**

"경찰은 제가 그 보석을 찾았다는 걸 몰라요." 내가 느리게 말했다. "그들에게 있는 건 사진과 엽서, 그리고 현금이 든 상자가 다예요. 엄마와 이모를 그 강도 사건과 연결시킬 고리는 아무것도 없죠. 현금은 어디서든 생길 수 있었을 테니까요. 전 두 분이 다시 도망쳐야만 하는 걸 원치 않아요. 하지만 훔친 보석을 계속 보관하는 것도 원치 않아요. 제 생각에 우리는 그것들을 제임스 홀든에게 돌려줘야 해요. 레이철 이모는 그가 그것들을 적법하게 취득한 것으로 생각하지 않지만, 악을 악으로 갚아봐야 좋을 게 없죠. 그건 엄마가 옛날에 제게 가르쳐 준 거예요."

내 말에 엄마의 눈에 눈물이 맴돌았다. "나는 네게 귀감이 되고 싶었는데, 그러지 못했어."

414

나는 케이드 쪽을 돌아봤다. "당신 생각은 어때요? 당신 아버지가 그 강도 사건 때 돌아가셨잖아요. 나만큼이나 당신에게도 그에 대한 소명이 있어요."

케이드는 곧바로 대답하지는 않았다. 마침내 그가 말했다. "그 보석을 홀든에게 익명으로 돌려주죠. 그러면 이 일은 끝이 날 겁니다. 아버지의 살인범은 죽었어요. 당신 이모는 맥스 다비노의 범죄 사업을 결딴내려고 나름대로 애썼어요. 난 누구도 다시 도망 다녀서는 안 된다고 생각해요."

나는 그의 말에 숨을 크게 쉬었다. 그는 내가 기대했던 것보다 훨씬 더 관대한 사람이었다. "나로선 그러면 좋죠." 내가 말했다. "하지만 그린맨 경위는 엄마와 이모의 인생을 더 깊이 파고들지도 몰라요. 그는 엄마가 20년 전에 도망친 이유를 굉장히 궁금해하고 있어요. 두 분이 새롭게 출발할 수 있도록 도와준 그 뉴올리언스 경찰이 경위에게 조직 폭력배를 소탕하는 데 두 분이 도움을 줬다는 걸 말해줄 수 있을까요? 그러면 신분을 위장한 일로 인한 곤경을 면할 수 있을 것 같은데요."

"아마 가능할 거야." 레이철 이모가 말했다. "난 16년 동안 그와 연락을 끊은 상태지만 내가 그린맨 경위에게 그 부분을 말하면 돼."

"그럼 이모가 해야 할 일은 그거예요." 나는 숨을 내쉬었다. "전 두 분 모두 자유로워졌으면 좋겠어요. 정말 그래요."

"고맙다, 브린." 엄마가 말했다. "하지만 다니를 고려해야지. 그 애는 뭔가 다른 걸 원할지도 몰라."

"다니는 이 모든 게 다 지나가면 기쁠 거예요. 우리 가족이 언론의 이목 앞에 벌거벗은 채 보여지는 걸 원하지는 않을 거예요." 나는 숨을 골랐다. "그리고 맥스가 우리 친아버지인 걸 누가 알 필요는 없다고 생각해요."

"내가 너희 친엄마인 것도 알 필요가 없어." 레이철 이모가 말했다.

나는 그 문제를 생각했다. "너무 이상해요. 이모가 우리 엄마인데 난 이모로 느껴져요." 나는 엄마를 돌아봤다. "그리고 엄마는 우리 이모인데 엄마로 느껴지고요."

"아마 우리는 그냥 너를 사랑하는 두 사람일 거야." 엄마가 말했다.

"그럴지도요. 차차 알게 되겠죠."

케이드와 내가 복도로 나오자 그린맨 경위가 기다리고 있었다. "우리끼리 있을 시간을 주셔서 감사합니다." 내가 말했다.

"그 두 사람은 얘기할 준비가 됐나요?"

"네. 두 분이 경위님께 모든 걸 말씀드릴 거예요."

"그들이 제게 말하는 내용이 사실인지 확인하기 위해 제가 당신에게 추가로 질문할 수도 있습니다." 그가 말했다.

나는 고개를 끄덕였다. "그러세요. 교회에서 체포한 그 남자는 무슨 말이라도 했나요?"

"네. 그는 맥스 다비노가 당신 어머니를 쐈다고 했습니다. 그가 맥스를 현장에 태우고 갔다가 돌아왔답니다."

나는 고개를 끄덕였다. "우리가 교회에 있을 때 맥스가 시인한 내용이에요. 저를 납치한 남자는요? 그는 어떻게 되는 거죠?"

"그는 여러 혐의로 기소될 겁니다. 우리는 또 맥스 다비노와 그의 거래를 추적할 수 있었어요. 다비노 씨가 사망한 만큼 우리는 이 사건을 빠르게 종결할 수 있을 겁니다. 우리는 누가 무엇을 했는지는 알지만, 동기가 불분명해요. 그게 제가 오늘 알아내고 싶은 거랍니다."

"엄마와 이모가 경위님과 얘기를 나누기 위해 기다리고 있어요."

그는 내게 옅은 미소를 지었다. "뭔가 사연이 꽤 많을 것 같은 예감이 드는군요. 당신이 무사해서 다행입니다, 랜드리 씨."

"저도요."

그린맨 경위가 병실로 들어가자 케이드와 나는 복도를 내려와 대기실로 갔다. 다니와 스티브가 우리를 보고 일어났다. 다니의 눈에는 긴장과 죄책감이 보였다.

"미안해." 다니가 말했다. "난 그냥 그 사람들이 하는 말을 더는 들을 수가 없었어, 브린. 내가 좀 덜 지쳐 있을 때 다른 기회가 있을지도 모르지."

"난 충분히 이해해. 받아들일 일이 너무 많으니까 말이야."

"스티브와 나는 여기서 카멜로 돌아갈 생각이야." 다니가 말했다. "네가 우리를 따라가면 좋겠지만 그 집에 아직 네 물건이 있다는 걸 알아. 난 거기로는 돌아갈 수가 없어. 엄마의 집에서는 단 한 순간도 더 견딜 수가 없어. 하지만 네가 가방을 챙기는 동안 바깥 차에서 기다릴 수는 있어."

"그건 괜찮아. 너와 형부는 여기서 떠나야지. 난 정리할 일들이 좀 있어."

스티브가 목청을 가다듬었다. "케이드, 나와 잠깐 아래층으로 좀 내려갈까요? 저 두 사람에게 시간을 좀 주고 우리는 차를 가져오죠."

"그럼요." 케이드는 그렇게 말했고, 그들은 대기실에서 나갔다.

"오늘 밤에는 돌아올 거지? 그렇지?" 다니가 물었다. 눈에는 의문이 서려 있었다. "아니면 다른 누군가와 시간을 보내길 원하는 거야?

케이드는 우리 목숨을 구해줬고 너희 둘은 친해진 것 같던데."

"우리는 친해졌어. 그리고 또 더 멀어졌고. 우리 엄마가 그의 아버지 살인 사건에서 한몫했잖아. 엄마가 방아쇠를 당기지는 않았다고 해도 경찰에 가서 자수하거나 맥스가 케이드의 아빠를 죽였다는 말을 누구에게 하지도 않았어. 그가 나를 볼 때면 자기 아버지의 죽음과 관련된 모든 거짓말과 그 비극이 떠오를 거야."

다니는 내게 서글픈, 하지만 이해한다는 표정을 지어 보였다. "네 말이 틀렸다고 말할 수 있으면 좋겠지만, 난 모르겠다. 그건 극복하기엔 너무 큰 장애물이겠지."

"그래, 맞아. 그리고 그 모든 것 말고도, 우리는 서로 알게 된 지 겨우 며칠밖에 되지 않았고."

"인생은 한순간에 바뀔 수 있어. 우리는 그걸 확실히 봤잖아."

"그랬지. 엄마와 레이철 이모를 함께 바라보니까 참 웃겼어. 두 사람은 우리가 그러는 것처럼 서로의 말을 돌아가며 끝마치는 거야. 그들은 서로를 보호해 주려 애쓰면서 평생을 살았어."

"너는 두 사람이 우리의 거울일 거라고 했지만 나는 그들이 깨진 거울이라고 생각해." 다니가 말했다. "사람이 자기 인생을 살지 않으면 어떤 나쁜 일이 일어날 수 있는지를 보여주는."

"또한 사람이 진심을 다해 사랑하면 어떤 옳은 일이 생길 수 있는지를 보여주는 거울이기도 하잖아. 서로를 향한 엄마와 이모의 사랑이야말로 그들에겐 가장 정직한 것이었고 그건 믿을 수 없을 만큼 강해. 엄마와 이모는 수많은 실수를 했지만 서로를 사랑했던 게 최악의 실수는 아니었잖아."

"그래 뭐, 감사하게도 우리는 그들처럼 엉망진창은 아니니까." 다니가 말했다. "우리는 깨지지 않았어, 브린. 우린 그냥 만들어져 가는 중이야."

나는 미소를 지었다. "그 표현이 맘에 드는걸. 그리고 우리는 죄책감이나 두려움, 의무 때문이 아니라 서로 사랑하기 때문에 옆에 있을 거야. 그리고 서로가 더 나은 사람이 되도록 다그칠 거고. 그렇지?"

"다그치지 않고 내가 배길 수 있을지 모르겠네." 다니가 자조적으로 웃으며 말했다. "내가 대장 노릇한다는 건 알아."

"그리고 난 네 비위를 맞추려고 열심이고. 그러니까 우리 둘 다 조금은 변하게 될 거야. 자, 넌 이제 여기를 벗어나야 해. 난 네가 집으로 가서 편히 쉬고 형부의 사랑을 만끽하길 바라."

"그건 할 수 있지." 다니가 말했다.

우리가 병원 현관에 나왔을 때 케이드는 자기 트럭 옆에 서 있었고 스티브가 그의 옆에 있었다. 케이드 앞에 형부의 차가 있었다.

다니와 나는 한참이나 서로 껴안고 있었다. 그런 다음 나는 뒤로 물러서서 다니와 스티브가 차 안으로 들어가게 했다. 케이드와 함께 그의 트럭에 타자 그는 내게 묻는 듯한 표정을 보였다.

"뭐죠?" 내가 물었다.

"난 그 집으로 갈 마음의 준비가 안 됐어요. 해변에 가서 좀 걸을까요?"

나는 그에게 작별 인사를 할 시간을 늦출 수 있다면 뭘 하든 좋았다. "그럼요."

우리는 금방 해변에 도착했다. 케이드에게 하고 싶은 말이 있었지만 그 말은 나오지 않았다. 오션 비치에 주차를 한 후 우리는 모래사장으로 걸어가서 자리에 앉았다. 넓은 백사장은 텅 비어 있었는데 화요일 오후라는 걸 감안하면 놀라운 일도 아니었다. 날씨는 변덕스러왔고 파도를 바라보고 있자니 머리카락이 바람에 휘날렸다.

"우스운 일이에요." 내가 말했다. "5일 전에 나는 우리 가게 근처의 해변에서 오케스트라 자리를 알려주는 친구의 전화를 받았어요. 파도를 바라보며 난 내 인생에 곧 밀어닥칠 풍파가 얼마나 거셀지 생각했죠. 몇 시간 뒤에는 먼저 온 전화를 물거품으로 만드는 또 다른 전화를 받았죠. 내 인생은 그냥 복잡해지려던 게 아니었어요. 완전히 뒤집어지려 하고 있었던 거죠. 내가 알고 있다고 생각했던 모든 게 거짓이었어요." 나는 그의 너머를 바라봤다. "이제 난 뭐가 진실인지 알아요. 그리고…."

"편안해졌어요?" 그가 물었다.

"그럴 리가요. 난 감당할 수 없는 느낌이에요. 해답을 얻었지만 그 해답의 많은 부분이 마음에 들지 않는걸요."

"진리가 언제나 자유를 주는 건 아니죠."

"당신은 어때요? 진실을 알고 나니 어떤 느낌이 들어요?"

그는 바로 대답하지는 않았다. 좀 있다가 그가 말했다. "난 아버지를 죽인 자가 죽은 걸로 약간의 정의를 찾았다고 느끼고 있어요. 난 인생의 대부분을 복수를 꿈꾸고 살았죠. 그러면 고통이 덜어질 것 같았어요. 그렇게 되지는 않았지만 어느 정도 마무리는 되었죠. 난 지금도 아버지가 없다는 게, 아버지가 인생을 누리고 자기 가족을 사랑할 기회를 누리지 못한 게 슬퍼요. 그건 절대 변하지 않을 일이죠."

"그래요." 내가 동의했다. "당신의 상실감은 결코 채워질 수 없을 거예요. 진실을 안다고 해서 우리 가족도 예전으로 돌아갈 수는 없는 거고요. 진실이 밝혀준 건 우리가 왜 무너져야만 했냐는 거였죠. 하지만 난 이 모든 걸 겪으면서 자신에 대해 많은 걸 배웠어요. 그리고 당신이 그걸 도와줬고요."

"어떻게요?"

"당신은 내게 열정을 쫓는다는 게, 자유로워진다는 게, 모험을 한다는 게 어떤 건지를 보여줬어요. 그래서 난 앞으로 큰 변화를 이룰 거예요."

"좋은 일이네요."

"당신은 이제 당신 영혼에 드리워진 어둠과 분노를 벗어날 수 있을 것 같나요?"

"아마도요. 하지만 그러고 나면 내 그림은 어떻게 될까요? 지나고 보면 알게 되겠죠." 그가 옅은 미소를 지으며 말했다.

"당신 그림은 어떤 방향을 택하든 대단할 거예요." 내가 호흡을 고른 뒤 말했다. "이건 다른 얘기인데요. 그 보석들을 홀든에게 어떻게 돌려줘야 할까요?"

"그 생각을 좀 하고 있었어요. 난 그 보석들을 이안에게 줬으면 해요." 그가 말했다.

"이안에게요?" 내가 놀라서 물었다. "정말이에요?"

"이안은 자기 동생 같은 사람이 아니에요. 지난번에 그에 관한 자료들을 좀 읽었어요. 그는 인류애가 넘치는 사람이에요. 자기가 사회에서 받은 걸 돌려주고 있더군요. 그리고 음악과 미술에 열정적이고요. 난 그에게 그 보석들을 동생에게 줘도 좋다고 말할 거예요. 그것들을 먼저 훔친 사람이 그 동생인지는 모르지만 말이죠."

"그거 좋은 생각 같아요. 그 보석들이 어디서 난 건지는 말할 건가요?"

"걱정하지 말아요. 당신 어머니와 이모를 곤란하게 하시는 않을 거예요. 그렇기는 하지만, 난 이안이 자기와 잔 사람이 로라가 아니라 레이철이었다는 건 알 권리가 있다고 생각해요. 그리고 그 강도 일당이 그 집에 들어갈 수 있었던 이유가 자신이었다는 것도요. 난 그가 이 상황에 대해 아무런 책임도 없다고 생각하는 건 바라지 않아요.”

“그는 그냥 어리석었고 엉뚱한 여자에게 속았던 거죠. 난 당신의 구상이 괜찮다고 생각해요. 하지만 그 보석들로 당신 어머니의 생활을 더 윤택하게 하고 동네 환경을 개선하는 데 쓰고 싶은 생각은 전혀 없어요? 그 다이아몬드 중 한 개를 팔아서 당신 아버지 이름으로 뭔가를 하는 건 어떨까요?”

“그건 피 묻은 돈으로 느껴져요. 난 내가 좀 더 바르게 살고 아버지를 자랑스럽게 생각하는 것으로 아버지를 명예롭게 하는 쪽을 택하겠어요. 그리고 어머니는 내가 돌봐드릴 거예요.”

나는 그의 자신감과 강인함, 옳고 그름을 가리는 그의 감각이 마음에 들었다. “좋은 계획 같네요. 어머니께는 아직 말씀 안 드렸어요?”

“네. 전체 이야기를 먼저 듣고 싶었으니까요. 세세한 내용이 엄마에게 그렇게 중요할지는 잘 모르겠어요. 엄마는 아버지의 죽음을 평화롭게 받아들이신 지 오래됐어요. 언젠가는 엄마에게 전화하겠지만, 당신 어머니 집으로 돌아가서 내가 제일 먼저 할 일은 이사 나가는 거예요. 전시회가 열릴 때까지 머물 곳을 찾아볼 거고, 그다음은 누가 알겠어요? 내가 어디로 향하게 될지 차차 알게 되겠죠.”

나는 그가 자신의 미래에 나를 포함시키지 않는 것이 조금 슬펐지만, 나 역시 그와 함께 할 계획은 할 수가 없었다. 내 인생이 어디로 흘러갈지 나는 알지 못했고 그걸 파악해 나가야 하는 것은 오로지 나의 몫이었다. 다른 사람의 인생에 나를 끼울 수는 없었다. 다른 사람의 꿈이 내 꿈을 잠식하게 할 수는 없었다. 나 스스로 뭔가를 이루어야 하는 것이었다.

"우리가 가는 길이 언젠가 다시 교차할까요?" 내가 물었다.

그의 눈은 햇빛을 받아 반짝였다. "그렇다고 해도 난 괜찮아요."

"나도요." 나는 앞으로 몸을 기울여 그에게 키스했다. 그의 입술은 따뜻하고 조금 짭짤했다. 마지막이 될지도 몰랐기 때문에 나는 가능한 한 이 순간을 누리고 싶었다.

"돌아가기 전에 조금 걷죠." 헤어지기 전에 케이드가 말했다.

나는 자리에서 일어나서 그가 내민 손을 잡았다. 우리는 더 이상 갈 곳이 없어질 때까지 해변을 걷다가 집으로 돌아갔다.

나는 그 벨벳 주머니를 케이드에게 건넸고 현관에서 작별 인사를 했다. 얼마 안 있어 나는 여행 가방을 꾸려 그 집을 떠났다. 더 오래 머물 이유가 전혀 없었으니까.

차에 타서 나는 다니에게 샌프란시스코를 떠난다는 문자 메시지를 보냈다. 그런 다음 나의 과거가 영원히 바꿔 놓은, 그러나 어찌 될지 모르는 나의 미래가 기다리고 있는 그 길을 달려 내려갔다.

거울 자매

에필로그

4개월 뒤….

파리 필하모니 오케스트라의 대강당은 만석이었다. 2천 명이 넘는 사람들이 퍼시픽 코스트 오케스트라의 공연을 보기 위해 모인 것이었다. 나는 제2 바이올린 자리에 앉았다. 제야에 펼쳐져 상징적인 의미를 지닌 우리의 유럽 순회 마지막 공연을 준비하면서 나는 온몸에 짜릿한 흥분감을 느끼고 있었다. 지난 한 해는 너무 많은 난관과 발견, 거짓과 진실, 그리고 감정들로 채워진 해였다. 한 해가 완전히 끝나가고 있었지만 나는 달력이 바뀌는 걸 보는 게 아쉽지 않았다.

새해에는 어떤 일이 생길지 모르지만 지난 두 달 동안 세계를 돌며 여러 다른 도시의 청중 앞에서 연주하면서 경험했던 그 기쁨보다 더 많은 기쁨을 맛보기를 나는 바랐다. 공연을 한 번씩 할 때마다 나는 점점 더 나은 음악가가 되었고 내게 주어진 그 기회에 더욱더 감사하는 마음이 들었다.

이미 내년에 몇 군데서 제안이 온 상태였지만 나는 아직 결정을 내리지 못했다. 오늘 자정이 될 때까지는 미루어 둘 터였다.

지휘자를 향해 집중하면서 나는 자세를 취했고 연주를 시작했다. 나는 항상 바이올린에 내 감정을 실었는데 예전에는 때때로 그런 느낌을 피해 도망치곤 했었다. 이제 나는 그 느낌을 즐겼다. 나는 모든 것을 느끼도록 자신을 내맡겼고 그 감정이 내 손가락과 악기를 통해 흐르도록 했다.

우리는 한 시간 넘게 연주했지만 그 시간이 몇 분도 안 되게 느껴졌고 연주가 끝나자 나는 슬펐다. 하지만 우레 같은 박수에 기운이 났고 무대 뒤로 걸어 나오면서도 나는 여전히 공연의 곡을 흥얼거리고 있었다.

"아주 잘했어, 브린." 레이가 웃으며 말했다. "우리의 순회공연이 끝났다는 게 믿어져?"

"아니." 나는 내가 오디션을 보도록 등을 떠밀어 내 인생을 바꿔 놓은 남자를 쳐다보며 말했다. 레이는 또한 내가 지난 몇 달 동안 오케스트라에서 내 역할에 자신감을 찾아갈 때 든든한 힘이 되어줬었다.

"내년에 어떻게 할지 결정했어?" 그가 물었다. "옷 가게로 돌아갈 거라는 말은 제발 하지 말아줘."

"그러지 않을 거야. 다니는 보조 매니저를 고용해서 임신 휴가를 내고 편안한 시간을 보내고 있어. 출산까지 5주가 남아 있는데 더할 수 없이 행복해하고 있어. 난 음악을 할 생각이지만 아직 결정은 내리지 못했어."

"괜찮아. 넌 자정까지는 맘껏 즐겨도 돼. 파티에 올 거지?"

나는 고개를 끄덕였다. 우리 오케스트라는 근처 레스토랑의 하늘 정원에서 신년을 축하할 것이었다. "거기서 보자." 나는 바이올린을 오케스트라 매니저에게 남겨두고 콘서트장에서 걸어 나갔다. 아름답고 추운 겨울밤이었다. 이 아름다운 도시와 한 해에 작별을 고하기 전에 파리의 거리를 걷고 싶었다.

몇 걸음 걷기도 전에 핸드폰 진동음이 울렸다. 가방에서 핸드폰을 꺼내니 다니에게서 영상 전화가 오고 있었다.

"새해 축하해!" 전화를 받자 다니가 말했다.

다니가 샴페인 잔을 들어 올리자 나는 미소를 보냈다. "거긴 샴페인을 터트리기엔 너무 이른 시간이잖아. 몇 시간 더 있어야지."

"이건 탄산음료야." 다니가 말했다. "너 없이 오늘을 보내고 싶지는 않단 말이야. 콘서트는 어땠어?"

"완벽했어. 여태껏 내가 연주한 것 중에 최고로 잘했어."

"멋지다. 오늘 밤엔 뭘 할 거야? 데이트 있어?"

"아니. 하지만 가야 할 파티가 있어."

"그럼, 키스할 사람을 발견할지도 모르겠네."

나는 케이드 이후 키스하고 싶은 사람을 한 사람도 만나지 못했다. 그는 지금쯤은 내 마음에서 희미해져 있어야 할 사람이었다. 그런데 본 지 4개월이 넘은 지금도 그가 계속 내 머릿속에 들어오는 것이었다. "심야에 키스하고 싶은 생각은 없는걸." 내가 다니에게 말했다. "그냥 새해가 기대될 뿐이야. 넌 오늘 밤 뭘 할 거니?"

"아빠와 새엄마가 시내에 왔어. 그래서 같이 저녁 먹으려고 해. 좀 늦은 저녁이 되겠지만 말이야. 함께 모이는 게 이제 좀 편하게 느껴지기 시작해. 이제 더는 지나간 일을 얘기하지도 않고 말이야."

"그건 좋은 일이네. 너와 아빠가 계속 연락하고 지낸다니 기쁘다. 아빠는 내게도 문자 메시지는 보내서. 더 바쁘게 지내려고 엄청나게 노력하시던걸."

"아빠는 정말로 우리를 사랑해, 브린."

"알아." 나는 수긍했다. "그리고 엄마도 우리를 사랑하고. 레이철 이모도 그럴 거야."

"엄마와 이모에게서 신년 축하 메시지를 받았어." 다니가 내 말을 받아들였다. "나도 답 메시지를 보내려고 마음먹고 있어."

"반가운 말이네. 난 네가 뭔가를 용서하거나 잊기를 바라지는 않아. 그저 우리가 모두 앞으로 나가길, 서로를 다시 알게 되길, 그리고 서로 나누며 살기를 원하는 거지. 뒤돌아보는 일은 그만하고 싶어.”

“그건 나도 마찬가지야. 그리고 난 너 같은 상태가 되려고 노력하고 있어.”

“넌 그렇게 될 거야.” 나는 자신 있게 말했다. 다니는 나보다 더 의심과 걱정이 많을지 모르지만 나눠줄 사랑도 많았다.

“그럼 오늘 밤 재미있게 보내, 브린. 난 네가 못 견디게 보고 싶다. 언제 집으로 올 거니?”

“아직은 잘 모르겠어. 유럽에 있는 동안 일주일쯤 여행을 해볼까 해.”

“넌 정말 태평한가 봐.”

“그런 기분이야.” 내가 행복하게 웃으며 말했다. “내가 연락할게. 사랑해.”

“나도 사랑해.”

핸드폰을 내려놓았을 때 어둠 속에서 한 남자가 불쑥 나타나는 바람에 나는 몸이 굳었다. 그는 정장 바지와 짙은 회색 셔츠 위에 검은색 모직 재킷을 입고 있었다. 풍성하게 물결치는 갈색 머리와 강인한 턱, 섹시한 미소를 지으며 반짝이는 그 검은 눈을 보자 나는 가슴이 철렁했다. 경계심이 순전한 기쁨으로 바뀌는 순간이었다.

“케이드! 파리에서 뭘 하는 거예요?”

“제야의 콘서트를 놓치지 않을 생각이었어요.” 그가 말했다.

“오케스트라 공연을 본 거예요?”

“당신의 연주를 들었죠, 브린.”

“난 그저 한 부분이었을 뿐인걸요.” 그의 뜨거운 시선을 받자 나는 몸이 얼얼했다.

“정말요? 내게는 오직 당신만이 연주하고 있었는걸요. 맹세할 수도 있어요. 그리고 그건… 마법이었어요.”

“정말 마법 같은 느낌이었어요.” 내가 속삭였다. “당신이 여기 있는 것도 마법 같아요. 왜 여기 온 거예요?”

“당신을 보고 싶어서요. 당신이 어떤 길로 갔는지 보고 싶어서요. 그 길은 어땠어요?”

“내가 꿈꾸던 모든 것, 그 이상이었어요.”

“듣던 중 반가운 말이네요. 현실이 언제나 꿈에 부합하지는 않는데 말이죠.”

“이건 그랬어요. 난 나를 찾았어요, 케이드. 그리고 이런 모습의 내가 난 좋아요. 모험을 해봤다는 게 너무나 행복해요.”

“다니는 당신의 새로운 시도를 응원해 줬어요?”

“해주고 말고요. 우리는 거의 매일 통화해요. 다니는 우리 공연에 대한 비평들을 내게 보내주고 있어요. 정말 힘이 돼주려고 애쓰고 있어요.”

“아기는 잘 자라고 있고요?”

“네. 5주 뒤면 다니에겐 아들이 생길 거예요. 그러면 많은 게 변하겠죠. 하지만 다 좋게 변할 거예요. 당신은 어때요? 그동안 뭘 하고 지냈어요?”

“음, 난 샌프란시스코에서 굉장한 전시회를 열었죠. 그 뒤엔 로스앤젤레스로 가서 바닷가에서 작품을 좀 만들었어요. 그리고 엄마를 보러 뉴욕으로 돌아가서 모든 걸 다 얘기했고요.”

“어머니는 어떤 반응이었어요?”

“그냥 그랬어요. 엄마는 그 얘기를 별로 하고 싶어 하지 않더군요.”

“샌프란시스코에 있는 동안 우리 엄마를 만났나요?”

“네. 당신 어머니가 전시회에 왔어요. 끝나고 나서 우리는 나가서 한잔했답니다. 당신과 몇 차례 문자 메시지를 주고받았다고 하시더 군요. 어머니는 언젠가는 당신과 다시 이어지길 바랐어요. 다니에게 서는 소식을 듣지 못한 것 같던데요."

"언니는 나보다 마음의 앙금이 더 오래 가요. 하지만 오늘 밤에 언 니는 엄마와 레이철 이모에게 신년 축하 메시지를 보낼 거라고 했어 요. 그러니까 좀 진전이 있는 거죠."

"당신 아버지는 어떻게 지내세요?"

"아빠는 우리와 더 자주 연락하고 있어요. 아빠와 새엄마는 다시 행복해진 것 같아요. 엄마의 유령이 이래저래 두 사람 사이를 떠돌 고 있었던 것 같았는데 이제 그 유령은 사라진 거죠."

"그리고 이모는요?"

"이모는 한동안은 엄마와 함께 지냈지만, 이도 저도 아닌 상태로 살거나 우리 엄마를 지켜보며 지내는 게 아니라 스스로 삶을 만들어 나가야 한다는 걸 깨달았나 봐요. 그래서 시애틀로 가서 부동산 회 사에 취직했어요. 언젠가 중개사 자격증을 땄나 보더라고요. 레이 철 이모와 엄마는 이제 마침내 과거를 떨쳐버렸고, 난 그게 기뻐요. 두 사람은, 특히 레이철 이모는 큰 실수를 했지만, 어두운 시간을 지 나왔잖아요." 나는 잠시 쉬었다 다시 말했다. "솔직히 말해서, 난 그 두 사람에 대해서 여전히 상충된 느낌이 들어요. 하지만 그런 느낌 에 휘둘리지는 않으려고 해요. 내게는 나만의 인생이 있으니까요."

"그럼요."

"우리 이제 지난 얘기는 그만해요. 난 에펠 탑까지 걸어가려 하고 있었어요. 거기서 파티가 있거든요. 혹시… 같이 가고 싶어요?"

"산책도, 파티도 정말 같이하고 싶어요. 그리고 당신이 하고 싶은 그 어떤 일이라도…." 그의 검고 아름다운 눈이 내 얼굴을 훑어 내렸다. "난 단지 하룻밤 얘기를 하는 게 아니에요, 브린. 그 이상을 원하는 거예요. 하지만 당신이 어떻게 느끼는지는 모르겠어요. 우리는 서로 못 본 지 꽤 오래됐으니까요."

"난 당신이 나를 다시 만나고 싶기는 할지 알 수가 없었어요, 케이드. 우리 엄마의 삶과 당신 아버지의 죽음은 함께 묶여 있잖아요. 그걸 잊을 수 있겠어요? 나를 보면서 그걸 떠올리지 않을 수 있겠어요?"

"네. 처음엔 충격이 컸지만 그건 다 지나갔어요. 그리고 당신은 비난받을 일이 전혀 없죠. 난 당신이 좋아요, 브린." 그가 내 시선을 붙잡고 말했다. "난 내가 샌프란시스코에서 만난 어떤 여자, 이제 막 날개를 펴고 나는 법을 배우던 여자를 좋아했어요. 지금 나는 새로운 당신을 알고 싶어요. 당신이 허락해 준다면요."

"나도 내가 샌프란시스코에서 만난 남자를 좋아했어요. 예술에 대한 그의 열정, 완벽한 자신감, 자기만의 규칙을 만들려는 열망을요. 당신이 새로운 건지, 아니면 내가 그냥 새로운 건지 모르겠지만, 난 우리가 어떻게 함께할 수 있을지 알아보고 싶어요, 케이드."

"난 좀 달라졌어요." 그가 시인했다. "난 아버지의 죽음으로 인생의 많은 부분을 규정했었죠. 지난 몇 달 동안 난 인생의 새로운 정의를 찾아내려고 노력하며 보냈답니다."

"그래서 성공했어요?"

"아직 진행형이에요." 그가 살며시 웃으며 말했다. "하지만 내가 완전히 달라지는 일은 절대 없을 거예요, 브린. 난 언제나 자유로운 영혼일 거란 말이죠."

"그건 전혀 잘못된 게 아니죠. 사실, 그게 제일 내 마음에 드는 부분인걸요."

"또 다른 건 뭐가 마음에 드는데요?"

"내가 최고의 모습이 되도록 당신이 나를 밀어붙이는 방식이 좋아요. 난 내게 도전 의식을 일깨워 주면서도 나를 통제하지 않을 사람이 필요해요."

"난 통제 같은 건 절대로 하지 않을 거예요."

"나도 당신에게 절대로 그러지 않을 거예요. 난 당신을 바꾸고 싶지 않아요, 케이드. 어쩌면 나 역시 자유로운 영혼이 될지도 모르죠."

그가 웃음을 터트렸다. "그건 한번 두고 보죠. 음 뭐랄까, 처음 만났을 때 우리는 몇 단계를 건너뛰었잖아요."

"그렇죠." 지금 우리 사이에 흐르는 열기에 약간 상기된 채 내가 말했다.

"다시 시작하면 어떨까요? 내가 당신에게 데이트를 신청하면요?"

행복한 기쁨의 물결이 나를 휘감았다. "그럼요, 물론이죠. 우리 지금 시작할까요? 이제 금방 자정이 될 거고, 난 정말 당신과 다시 키스하고 싶어요."

그는 양손으로 내 허리를 감싸 안고 내 눈을 깊이 들여다봤다. "자정까지 기다려야 할 이유를 모르겠는데요."

"당신의 그 '제멋대로' 인생이 난 정말 마음에 들어요." 그렇게 말하며 나는 간절히 원하던 그 순간에 나를 내맡겼다.

옮긴이 최호정

서울대학교 미학과와 한국외국어대학교 통번역대학원 한노과를 졸업하고 뉴욕주립대학교 빙엄턴에서 번역학 박사과정을 수료했다. 옮긴 책으로는 『반투 스티브 비코』, 『도스또예프스키와 함께 한 나날들』, 『무엇을 할 것인가』, 『킬러스 와이프』, 『리슐리외 호텔 살인』 『크림슨 레이크 로드』 『샤론 저택의 비밀』 등이 있다.

거 울 자 매
ⓒ 2023 키멜리움

초판 펴낸 날 2023년 4월 24일

지은이 바버라 프리시
옮긴이 최호정
디자인 형태와내용사이
편집 이경희
펴낸이 김찬휘
펴낸곳 키멜리움
주소 04025 서울 마포구 월드컵로3길 39 합정빌딩 3층
전화 02) 544-9294
팩스 070) 7614-2454
전자우편 cimeliumbooks@gmail.com
등록 2021년 4월 23일 (제2019-000016호)
ISBN 979-11-975509-8-0(03840)